Liebe Kolleginnen und Kollegen,

wie immer freuen wir uns über Ihre Meinung zu diesem Buch. Bitte schreiben Sie an *leseexemplar@diogenes.ch*.
Mit dem Versand der E-Mail geben Sie uns Ihr Einverständnis, Ihre Meinung zitieren zu dürfen.

Herzlichen Dank

Charles Lewinsky
Sein Sohn

ROMAN

Diogenes

Alle Rechte vorbehalten
Copyright © 2022
Diogenes Verlag AG Zürich
www.diogenes.ch
17/22/852/1
ISBN 978 3 257 86457 1

»Steig hinter mir auf mein Pferd«,
sagte der Herold. »Dann reiten wir
zusammen zum Hof des Königs.«
Altes Märchen

I

Die Totengräber arbeiteten langsam. Wenn das Brot knapp wird, muss man die letzten Bissen einteilen.

»Eine einzige Leiche heute«, sagte der Alte. »Die Krankheit gönnt uns nichts mehr.«

»Die Seuche geht zu Ende«, sagte der Junge.

»Wir wollen es nicht hoffen«, sagte der Alte.

Der Tote lag auf dem Rücken. Die Augen offen. Einer, der am falschen Ort aufgewacht ist. Er passte nicht nach Saint-Ouen, wo manche nichts haben und viele noch weniger. Alle andern waren ausgehungert gewesen. Nicht gut genährt wie der Mann, für den sie da in dem lehmigen Boden ein Loch gruben. Der falsche Körper für ein Armengrab. Wer zu essen hat, stirbt nicht allein. Ein gedeckter Tisch findet leicht Gesellschaft.

Dass man seine Leiche auf der Straße gefunden hatte, bewies nicht das Gegenteil. Auch nicht, dass er nackt gewesen war. Man hatte sich an ihm bedient. Das war nur vernünftig. Einen Toten machen auch Seide und Samt nicht gesund.

»Leute wie der«, sagte der Alte, »werden sonst in Särgen angeliefert.«

»Nackt braucht er weniger Platz«, sagte der Junge.

»Auch wieder wahr«, sagte der Alte.

Die Stiele der Schaufeln kalt in ihren Händen. Der Winter schlich sich in die Stadt, wie sich die Cholera eingeschlichen hatte. Nur dass man vom Frieren langsamer starb.

Ein Schluck Fusel hätte jetzt gewärmt, aber den letzten hatten sie gestern getrunken. Auch Tabak hatten sie keinen mehr. Bevor das Grab zugeschaufelt war, gab es kein Geld.

»Müssen wir auf den Priester warten?«, fragte der Junge.

Er bekam keine Antwort. Hatte auch keine erwartet. Ein Gebet am Grab kostete einen Franc. Zwei Kilo Brot. Der Tote hatte kein Geld, wenn es ihm nicht zwischen den Arschbacken steckte.

Bevor sie ihn zum Grab schleppten, das war ihre Gewohnheit, stützten sie sich auf ihre Schaufeln und erfanden ein Leben für ihn. Wem die bessere Geschichte einfiel, durfte die Leiche unter den Achseln fassen. Der Verlierer musste die Beine nehmen.

»Du fängst an«, sagte der Alte. »Ich war gestern der Erste.«

»Und dann war ich dran«, sagte der Junge, »und dann wieder du und wieder ich und wieder du und wieder ich.«

»Sechs Leichen«, sagte der Alte. »Das war ein guter Tag.«

»Es ist noch nicht Mittag«, sagte der Junge.

Von der Kapelle her erklang die kleine Glocke.

»Siehst du«, sagte der Junge. »Wieder einer.«

»Nicht für uns«, sagte der Alte. »Auch das Läuten muss bezahlt werden.«

Die weißen Wolken ihres Atems stiegen senkrecht in die Höhe. Immerhin kein Wind.

»Eigentlich bin ich Pastetenbäcker«, sagte der Alte.

»Eigentlich bin ich Napoleon«, sagte der Junge. »Fang endlich an.«

»Vierzig Jahre alt.«

»Mehr.«

»Das täuscht«, sagte der Alte. »Die Seuche macht die Gesichter älter. Du bist dran.«

»Verheiratet. Zwei Kinder.«

»Und stirbt allein?«

»Die Krankheit hat sie vor ihm erwischt.«

Wenn der Alte lachte, musste er husten. Würgte gelben Schleim. »Ein Punkt für dich.«

»Du bist dran.«

»Tuchhändler. Frühstückt im Bett und diniert im *Procope*.«

»Wie kommt so einer nach Saint-Ouen?«

»Hier sind die Bordelle billiger.«

Der Junge stieß die Leiche mit der Stiefelspitze an. »An der rechten Hand hat er nur zwei Finger. Er muss falsch geschworen haben.«

»Wenn einem davon die Finger abfielen«, sagte der Alte, »die Straßen wären voll davon.«

Es fing an zu schneien, und so machte ihnen ihr Spiel keinen Spaß mehr. Sie warfen den Toten ins Loch. Schaufelten ihn zu, ohne entschieden zu haben, was für ein Leben er gelebt haben könnte.

Die Frau schrie.

»Das darf euch nicht stören«, sagte Professor Moscati. Wie eine Sau beim Metzger.

»Ein Arzt darf sich nicht ablenken lassen«, sagte Professor Moscati.

»Nicht ablenken lassen«, notierte der neue Student.

Sein Bleistift fiel zu Boden. Jemand hatte ihn zur Seite gerempelt. Wer vorne stand, wurde vom Professor bemerkt.

Mit jedem Schrei der Frau kräuselte sich der Vorhang vor ihrem Gesicht.

»Der Vorhang ist wichtig«, hatte man ihnen beigebracht. »Auch auf dem Gebärstuhl soll das natürliche weibliche Schamgefühl nicht verletzt werden.«

Mulieris pudor.

»Sie und Sie!«, sagte der Professor. Die beiden ausgewählten Studenten traten vor. Einer mit angewinkeltem Arm. Als ob er den Professor zum Tanz auffordern wolle. Aber er war dann nur der Kleiderständer für Moscatis Gehrock. Die ausgestreckte Hand des anderen wartete auf dessen Siegelring.

Gut, dass er nicht mich ausgewählt hat, dachte der Neue. Ich hätte nicht gewusst, was erwartet wird.

»Der wichtigste Sinn für einen Accoucheur?«, fragte Moscati. Die Studenten, die schon einmal bei einer Geburt dabei gewesen waren, antworteten im Chor: »Der Tastsinn.«

Als der Professor der Frau in die Scheide griff, begann sie wieder zu schreien.

Die Hebamme machte einen Schritt auf den Gebärstuhl zu. Nahm ihn wieder zurück. Wenn der Professor unterrichtete, hatte sie sich nicht einzumischen.

Moscati hatte die Augen geschlossen. »Interessant«, sagte er.

Der neue Student stellte sich vor, wie sich die Finger des Professors in der Frau bewegten. Ich weiß nicht, ob ich das könnte, dachte er.

»Sie!« Mit einer Kopfbewegung rief Moscati einen der Studenten zu sich. Derselbe, der in der ersten Reihe hatte stehen wollen.

»Bitte.« Als ob er jemandem unter einer Tür den Vortritt ließe.

Jetzt hatte der Student seine Hand in der Gebärenden.

»Was stellen Sie fest?«

»Es ist schwierig, Herr Professor.«

»Wenn es anders wäre, hätten wir den Fall der Hebamme überlassen. Weg!«

Man hatte dem Neuen geraten, zu dieser Vorlesung ein großes Taschentuch mitzubringen. Jetzt wusste er, warum. Wenn einen der Professor drangenommen hatte, brauchte man es hinterher für die Hände.

Noch drei weitere Studenten kamen an die Reihe. Keiner fand die Antwort, die Moscati hören wollte. Die Frau schrie unterdessen nur noch leise.

»Der Körper des Kindes ist zum Os sacrum hin verdreht. Wer von Ihnen traut sich zu, das Ungeborene so zu wenden, dass eine Kopfgeburt stattfinden kann?«

Die Studenten, auch die erfahrenen, wichen seinem Blick aus.

»Gut, dass sich keiner meldet. Das Beste, was sich erreichen lässt, ist eine Fußgeburt. Und die muss schnell vor sich gehen. Warum?«

Die Hebamme, von der es niemand erwartet hätte, wusste die Antwort. »Weil sich die Nabelschnur zwischen dem noch nicht geborenen Kopf und der Beckenwand festklemmen kann.«

»Schade, dass Frauen keine Ärzte werden können«, sagte Moscati. »Sie scheinen der einzige denkende Mensch in diesem Auditorium zu sein.«

Die Frau auf dem Gebärstuhl versuchte etwas zu sagen. Aber der Professor war jetzt ins Dozieren gekommen und ließ sich nicht unterbrechen. »Es gibt noch einen zweiten Grund, der bei Fußgeburten höchste Beeilung notwendig macht. Manchmal beginnt so ein halb geborenes Kind schon in der Beckenhöhle zu atmen und zieht dabei Vaginalschleim und Blut in die Atemwege, was zum Tod *per suffocationem* führen kann.«

Ich müsste mir Notizen machen, dachte der neue Student. Aber sein Bleistift war verschwunden.

»Passen Sie gut auf!« Moscato krempelte seinen Hemdsärmel noch höher. Sein Arm – der neue Student hätte sich das nicht vorstellen können – verschwand bis über den Ellenbogen in der schreienden Frau.

»Noch lebt das Kind«, sagte der Professor. »Ich kann das Pulsieren der Nabelschnur spüren.«

Gut, dass sich jetzt alle nach vorn drängten. So konnte sich der neue Student unauffällig gegen die Wand lehnen und tief durchatmen. Er öffnete erst wieder die Augen, als er den Applaus hörte.

Das Kind lebte.

Während sich Professor Moscati die Hände abtrocknete, verneigte er sich wie ein Schauspieler.

3

Man war einfach zu gut, dachte die Mutter Oberin. Ließ sich überreden, obwohl man wusste, dass man nur Ärger davon haben würde.

Diese junge Frau, die da vor ihr stand …

Dieses Mädchen …

»Wie war schon wieder der Name?«

»Innocentia, ehrwürdige Mutter.«

Nur schon für diesen Namen sollte man sie in ihr Dorf zurückschicken. Keine siebzehn Jahre und schon Mutter. Ohne das Sakrament der Ehe natürlich. Aber: Innocentia. Sinnlos, nach dem Vater zu fragen. »Der Stallknecht vielleicht«, würde sie sagen. »Oder der fahrende Händler mit den schönen schwarzen Augen. Ich hatte kein Geld für das dunkelrote Band«, würde sie sagen, »und wollte es doch so gern haben.« Die Jungfräulichkeit weggeworfen wie einen abgeschnittenen Fingernagel.

Das Kind tot geboren. *Deo gratias*. Es gab zu viele davon.

»Zeig mir deine Brüste«, sagte die Mutter Oberin.

An den Geruch der ungewaschenen Körper würde sie sich nie gewöhnen. Auch in einem Dorf gab es Brunnen. Wasser kostete nichts.

Ungeeignet. Die anderen Punkte, Krätze, Skrofeln und

so weiter, musste man gar nicht mehr überprüfen. Ein Blick genügte.

Pockennarben kann man überpudern, dachte die Mutter Oberin. Eine kahle Stelle unter der Frisur verschwinden lassen. Brüste sind so, wie sie sind. Ehrlich. Vielleicht war es deshalb eine Sünde, sie zu entblößen. Mit den Jahren hatte sie gelernt, die Formen zu lesen, wie ein Viehhändler ein Euter zu lesen versteht. Gute Milch, schlechte Milch. Die hier waren schlaff. Zu klein. Brustwarzen, die sich zu verstecken schienen. Es würde das Melken nicht lohnen.

Bei der stillenden Muttergottes auf dem alten Gemälde, dachte die Mutter Oberin, der *Maria lactans,* waren die Brüste ganz falsch gemalt. Und wie sie das Kind hielt … Kein Neugeborenes würde so trinken.

Die Bewerberin wollte ihr Hemd hochziehen. Ein Blick genügte, und sie ließ die Arme sinken. Immerhin, das Gehorchen hatte sie gelernt.

Man war zu gut und ließ sich überreden.

Die Giuseppa hatte sie empfohlen. Aus demselben Dorf. »Sie tun damit eine gute Tat«, hatte sie gesagt. Für wen? Nicht für den Säugling, der an solchen Brüsten verhungern würde.

Die Giuseppa, das war eine gute Amme. Dumm wie ein Stück Holz und so hässlich, dass man sich fragte, wie sie immer wieder einen Schwängerer fand. Aber sie war jetzt schon zum dritten Mal hier, und ihre Kinder gediehen. Die eigenen und die fremden.

Jeden anderen Beruf kann man lernen, dachte die Mutter Oberin. Schneiderin. Köchin. Stallmagd. Zur Amme muss man geboren sein.

Und zur Nonne, dachte sie. Musste über den eigenen Gedanken lächeln.

Die junge Frau lächelte schüchtern zurück. Schlechte Zähne, was auch gegen sie sprach. Die Giuseppa hatte ein Gebiss wie ein Pferd.

»Du kannst dich wieder anziehen. Warte draußen. Ich muss das besprechen.«

Sie musste gar nichts besprechen. Hier im Martinitt hatte ihr niemand reinzureden, schon gar nicht dieser österreichische Hofrat. Kaum ein Wort Italienisch, aber nach Mailand hatte man ihn geschickt. Nun ja, er störte den Betrieb nicht allzu sehr. Man musste ihn nur im Glauben lassen, er habe etwas zu entscheiden. Als er im Schlafsaal das Bild der alten Kaiserin aufhängen wollte, hatte sie ihm widersprochen, nur um ihn dann die Diskussion gewinnen zu lassen. Maria Theresia passte zu einem Waisenhaus. Sechzehn Kinder. Keine schöne Geschichte, das in Frankreich mit Marie Antoinette.

Die Mutter Oberin hingegen hatte für über fünfzig Kinder zu sorgen. Bei den älteren spielte einer mehr oder weniger keine Rolle. Machte man die Portionen halt ein bisschen kleiner. Aber die Säuglinge mussten gestillt werden. Heute kam schon wieder einer dazu, hatte ihr der Hofrat ausrichten lassen. Ohne Vorwarnung. Von einem Tag auf den anderen.

»Das Kostgeld im Voraus bezahlt«, hatte er gesagt. »Für die ganzen achtzehn Jahre.« Da war kein Widerspruch möglich gewesen.

»Sie werden eine Lösung finden«, hatte er gesagt. Als ob Ammen an den Bäumen wüchsen.

Die Giuseppa, die Chiara, die Emilia.

Die Innocentia?

Den Namen würde man ändern müssen. Maria Magdalena vielleicht. Ein Sünderinnennamen für eine Sünderin.

Eine Amme mit leeren Brüsten.

Andererseits ...

»Louis Chabos«, stand auf dem Zettel. Ein Franzosenbalg. Von der Mutter schon vor der Geburt fürs Waisenhaus bestimmt. Oder vom Vater.

Für achtzehn Jahre im Voraus bezahlt. Wenn so ein Kind starb, nahm das Waisenhaus keinen Schaden. Immerhin.

Vergib uns unsere Schuld, dachte die Mutter Oberin. Man musste an das Ganze denken, das war ihre Verantwortung. Wer eine Schlacht gewinnen will, darf nicht um jeden Soldaten trauern.

»Ausnahmsweise«, würde sie sagen. »Aus christlicher Barmherzigkeit. Aber wasch dich, um Himmels willen!«

4

Die Größten und Stärksten in jeder Altersgruppe wurden Giuseppini genannt. Niemand im Waisenhaus erinnerte sich, wie es zu diesem Namen gekommen war. Der Oberste von ihnen hieß Leandro. Er war einen Kopf größer als die anderen und durfte deshalb befehlen.

Heute hatte er beschlossen, dass nach dem Mittagessen eine Schlacht stattfinden sollte. Franzosen gegen Österreicher. Er selbst würde die Franzosen anführen. Damit stand der Ausgang der Schlacht fest. Niemand wollte Österreicher werden. Aber die Giuseppini sorgten dafür, dass genügend Gegner zum Verprügeln da waren.

Auch Louis Chabos, der Kleinste der Sechsjährigen, wurde als Österreicher eingeteilt. Sie bekamen fünf Minuten Vorsprung, um sich zu verschanzen. Es war schwierig, ein Versteck zu finden, das nicht jeder kannte. Das Gelände des Martinitt war klein. Wenn man außerhalb erwischt wurde, brachten einen die Nonnen zur Mutter Oberin, und man musste sich über den Stuhl legen.

Sie zogen ihn an den Beinen hinter dem Holzstoß hervor. Zu ihrer Enttäuschung wehrte er sich nicht. So nahmen sie ihn wenigstens gefangen und brachten ihn zu Leandro. Der hatte sein Hauptquartier auf einem leeren Fass. Ein General muss das Schlachtfeld überblicken können.

»Warum kämpfst du nicht?«, fragte Leandro.

Louis sagte: »Es ist nicht gerecht, dass ich Österreicher sein muss. Wo ich doch Franzose bin.«

»Du bist das, was ich bestimme«, sagte Leandro.

»Im wirklichen Leben, meine ich.« Wenn man zu jemanden hinaufschauen muss, braucht es noch mehr Mut, ihm zu widersprechen.

»Im wirklichen Leben bist du ein Frosch.«

Wenn Napoleon einen Scherz macht, lachen seine Soldaten.

»Weil ich doch Chabos heiße«, sagte Louis. »Das ist ein französischer Name.«

»Oh, Verzeihung«, sagte Leandro. Seine Soldaten kannten den Ton. Wussten, dass sie bald noch mehr Grund zum Lachen haben würden.

»Das ändert natürlich alles«, sagte Leandro. Zuckersüß. »Sag doch mal etwas Französisches.«

»Das kann ich nicht.«

»Du kannst kein Französisch?«, fragte Leandro. Übertrieben überrascht. »Kein einziges Wort?«

Louis schüttelte den Kopf.

»Dann bist du kein richtiger Franzose. Und ein falscher Franzose mitten in einer Schlacht kann nur eines sein. Na?«

»Ein Frosch?«, fragte Louis mit dünner Stimme. Die Buben, die ihn festhielten, lachten wieder, aber Leandro winkte ab. Der General bestimmt, wann seine Soldaten fröhlich sein sollen.

»Du bist ein Spion«, sagte Leandro. »Spione müssen bestraft werden.«

Er hatte den Brauch eingeführt, dass der siegreiche General der gewonnenen Schlacht einen Namen gab. *Marengo* hätte diese heißen sollen, das hatte er sich vorgenommen. Aber für einen so schönen Namen war sie zu wenig glorreich gewesen.

Bis jetzt.

»Du und du«, sagte Leandro zu den beiden, die Louis gebracht hatten, »ihr bekommt für eure Wachsamkeit einen Orden.« Er steckte ihnen die Auszeichnungen, die es nicht gab, an die Uniformen, die sie nicht hatten.

»Untersucht ihn auf Waffen«, kommandierte er.

Die Soldaten machten ihre Arbeit gründlich und verstanden nicht, warum ihr General unzufrieden mit ihnen war. Louis' Taschen waren wirklich leer.

»Spione sind schlau«, sagte Bonaparte. »Seine Waffen sind natürlich unsichtbar.«

Diesmal fanden sie eine Pistole, ein Gewehr und eine Bombe.

»Ich habe es gewusst«, sagte Leandro. Ließ seine Soldaten im Karree antreten. Er kannte diese militärischen Ausdrücke oder erfand sie, wie sie gebraucht wurden. Auch die Österreicher durften sich dazustellen. Ein siegreicher Feldherr kann sich Großzügigkeit leisten.

Er schlug Louis nicht selbst. Das überließ er den jüngeren Giuseppini.

»Zehn Schläge«, sagte er, »das ist die richtige Anzahl für einen Spion.«

Nach dem vierten Schlag begann Louis zu weinen, und die Zählung musste von vorn beginnen.

5

Dottor Mauro war Lehrer und erklärte ihnen die Regeln der Grammatik. Aber vor allem war er Dichter. Hatte schon viele Bücher geschrieben. Wenn man ihn danach fragte, vergaß er, was er hatte unterrichten wollen, und begann zu erzählen. Dass sich die anderen Dichter gegen ihn verschworen hatten. Dass seine Werke nur deshalb nicht bekannt waren. Dass er einmal ein Buch auf eigene Kosten hatte drucken lassen, aber niemand hatte es gekauft. Auch das hatte mit dieser Verschwörung zu tun.

Während er davon erzählte, konnte man über andere Dinge nachdenken oder sich unterhalten. Nur Louis Chabos hörte aufmerksam zu. Er war der Einzige, dem auffiel, dass Dottor Mauro einmal sechs Bücher geschrieben hatte und ein paar Wochen später schon acht. Er muss sehr fleißig sein, dachte Louis.

Um Mauro vom Unterrichten abzuhalten, konnte man ihn bitten, eine von seinen Geschichten vorzulesen. Er war überzeugt davon, dass sie den Waisenkindern im Leben nützlicher sein würden als Rechtschreibung oder die Genealogie der Sforza. Wenn man sich nach einer Geschichte besonders dankbar zeigte, las er auch noch eine zweite vor.

Einmal ging es um einen Waisenknaben, dem das Leben übel mitgespielt hatte. Zuerst war sein Vater gestorben, dann seine Mutter, andere Verwandte hatte er nicht, und da, wo er lebte, gab es kein Waisenhaus.

»Ihr habt Glück, dass ihr hier im Martinitt sein dürft«, sagte Mauro.

Der Waisenknabe hungerte, schlief auf harten Steinen und hatte schon alle Hoffnung aufgegeben. Dann kam eines Tags ein Herold angeritten, der suchte im Auftrag des Königs nach einem kleinen Jungen, der ein Muttermal in der Form eines Sterns auf der Brust hatte. Genau so ein Muttermal hatte der Waisenknabe. So stellte sich heraus, dass er in Wirklichkeit der Sohn des Königs war. Zigeuner hatten ihn vor vielen Jahren aus seiner Wiege gestohlen. Der Herold setzte ihn hinter sich auf sein Pferd und ritt mit ihm zum Schloss. Dort wurde er mit großer Freude empfangen, heiratete eine wunderschöne Prinzessin und bestieg später als König den Thron.

»Was können wir daraus lernen?«, fragte Dottor Mauro. Man musste auf solche Fragen nicht antworten. Die Moral seiner Geschichten erklärte er gern selbst.

»Wir können nie wissen, was der Himmel für uns vorausbestimmt hat«, sagte er, »das ist der tiefere Sinn meiner Geschichte. Die Wege des Herrn sind unergründlich. Auch den Niedrigsten unter uns kann er erhöhen, wenn es ihm gefällt. Jeden Tag kann sein Herold auch zu euch kommen. Vielleicht sitzt ein Königssohn mit uns in diesem Zimmer, und wir wissen es nur nicht.«

Man durfte nicht lachen, wenn er so etwas sagte. Sonst stellte er knifflige grammatikalische Fragen und schlug einem mit dem Lineal auf die Finger.

»Jeder von euch kann dieser Königssohn sein«, sagte

Dottor Mauro. »Vielleicht …« Wie es der Herold in seiner Geschichte getan hatte, ließ er seinen Blick über die Buben schweifen. Dann lächelte er und sagte: »Vielleicht sogar unser kleiner Louis Chabos.«

Jetzt durfte gelacht werden. Nicht über die Geschichte, sondern über die Vorstellung, dass Louis Chabos ein Königssohn sein sollte. Dass er eine Prinzessin heiraten und auf einem Thron sitzen sollte.

Louis lachte mit. Das schien ihm am sichersten.

Nach der Stunde verneigte sich Leandro tief vor dem kleinen Louis. Auch alle anderen machten einen Bückling.

»Wenn ich Eure Majestät um eine Gnade anflehen dürfte«, sagte Leandro, »zeigen Sie uns doch bitte Ihr Muttermal.«

»Ich habe keines«, sagte Louis.

»Sind wir nicht vornehm genug, um es zu sehen?«, fragte Leandro.

»Ich habe wirklich kein Muttermal.«

»Das muss überprüft werden«, sagte Leandro.

Seine Mitschüler stellten gemeinsam fest, dass auf Louis' Brust kein Muttermal in der Form eines Sterns war. Sie zogen ihm auch die Hosen aus, für den Fall, dass das Zeichen seiner Herkunft an eine andere Stelle gerutscht sein sollte.

»So etwas kommt vor«, sagte Leandro.

Aber da war kein Muttermal, nicht an Louis' Bauch und nicht an seinem Hintern. Leandro steckte ihm sogar einen Bleistift zwischen die Pobacken, um sie auseinanderzudrücken und ganz sicherzugehen.

»Es wäre doch möglich gewesen«, sagte er.

Als Schwester Costanza zur nächsten Stunde kam, lag

Louis Chabos splitternackt auf dem Lehrerpult. Sie wüssten auch nicht, warum er sich ausgezogen habe, sagten seine Mitschüler.

Für seinen geschmacklosen Streich wurde er zur Mutter Oberin geschickt und musste sich über den Stuhl legen.

6

Am zwölften Geburtstag wurde man in den Raum bestellt, vor dem sich jeder fürchtete, weil man ihn sonst nur für Bestrafungen betrat. Man zog dafür seine besten Hosen an, wenn man beste Hosen hatte. Säuberte sich die Hände mit Bimsstein. Dann stand man vor der Mutter Oberin, und sie teilte einem mit, welchen Beruf man im Leben haben würde. »Du bist jetzt kein Kind mehr«, sagte sie jedes Mal als Erstes. Man nannte dieses Datum im Waisenhaus den »Kein-Kind-mehr-Tag«.

»Du bist jetzt kein Kind mehr«, sagte sie zu Louis Chabos.

Vor einem zwölften Geburtstag schlossen die Freunde Wetten ab. Um einen Apfel oder um den Nachtisch am Sonntag. »Ich bin sicher, du wirst dies« oder »Du wirst das«, sagten sie. Bei Louis hatte niemand gewettet. Dazu hätte man Freunde haben müssen.

Die Giuseppini und die anderen Großen und Starken wurden Maurer oder Holzarbeiter. Berufe für Männer, die Wein tranken und auf der Straße fremden Menschen vor die Füße spuckten. Wer geschickte Hände hatte, lernte mit Nadel und Faden umzugehen. Jacopo, der bei ihren Wettrennen immer Letzter geworden war, arbeitete jetzt in der Küche. Man nannte ihn »das Fass«, weil er es als Einziger geschafft hatte, trotz der mageren Waisenhauskost dick zu werden.

»Über deine Zukunft habe ich mir besonders viele Gedanken gemacht«, sagte die Mutter Oberin. Sie sagte es jedes Mal. Sie wusste nicht, dass sich auch diese Gewohnheit im Waisenhaus herumgesprochen hatte.

»Danke«, sagte Louis. Es war seine Erfahrung, dass er damit nichts falsch machen konnte.

Ein Stimmchen wie ein Achtjähriger, dachte die Mutter Oberin. Ist er tatsächlich schon zwölf?

Aber die Papiere waren eindeutig. Chabos, Louis. Sechzehnter Dezember 1794.

Die Zeit geht zu schnell vorbei, dachte sie. War sich nicht sicher, ob sie das laut gesagt hatte. Räusperte sich deshalb.

Der Junge zuckte zusammen. Schreckhaft, dachte die Mutter Oberin. Ängstlich. Nur schon wie er dasteht. Als ob er sich vor der Welt wegducken wollte.

»Jeder Mensch«, sagte sie, »hat von Gott ein besonderes Talent für sein Leben mitbekommen. Auch du.«

»Danke«, sagte Louis.

»Der eine ist stark, der andere ist klug. Du bist …« Am kleinen Chabos war ihr nie eine besondere Fähigkeit aufgefallen. Aber es wäre unchristlich gewesen, einen Jungen zu enttäuschen, den man auf seinen Lebensweg schickt. »Du bist so wunderbar bescheiden«, sagte sie.

»Danke«, sagte Louis.

»Bescheidenheit ist eine seltene Tugend. Und deshalb …«

Bei allen anderen hatte sie rechtzeitig über einen Beruf nachgedacht. Hatte sich den Jungen mit einem Schmiedehammer in der Hand vorgestellt. Mit der Peitsche eines Fuhrmanns. Meistens hatte es nicht viel Überlegung gebraucht. Besondere Talente waren selten. Diesen Louis hatte sie übersehen. Man musste an zu vieles denken.

Ich werde alt, dachte sie. Schob den Gedanken weg.

Der kleine Chabos …

Sie hatte damals nicht erwartet, dass er seinen ersten Geburtstag überleben würde. Diese Amme … Wie hatte sie schon wieder geheißen? Diese Maria Magdalena … Innocentia … Blaue Milch, das hatte man ihr angesehen. Ungesund wie ihr Charakter. War dann von einem Tag auf den anderen verschwunden. Durchgegangen mit einem Sizilianer, der auf dem Jahrmarkt zu San Bartolomeo Tänze vorgeführt hatte. Tänze, mein Gott. Am Gedenktag für einen Apostel. Einen Märtyrer. An solchen Tagen hätte es gar keine Jahrmärkte geben dürfen, das war immer ihre Ansicht gewesen. Einfach davongelaufen. Aber der Junge wäre auch so schwächlich geblieben.

»Und deshalb …«, sagte sie zum zweiten Mal.

Das Kostgeld für achtzehn Jahre zum Voraus bezahlt, stand in den Papieren. Von einem ungenannten Wohltäter.

Louis Chabos … Ein französischer Name. Damals hatte noch niemand daran gedacht, dass die Franzosen eines Tages in Mailand … Aus dem Waisenhaus ein Hospital für Soldaten gemacht. Aber die Institution selbst nicht angetastet, immerhin. Und es war ja eigentlich ganz nützlich, dass man jetzt mitten in der Stadt …

Früher konnte ich mich besser konzentrieren, dachte sie.

Nimm dich zusammen, dachte sie. Der kleine Louis braucht einen Beruf.

»Und deshalb …«, sagte die Mutter Oberin.

Wenn man einen Satz dreimal wiederholt, das hatte ihr einmal ein Prediger verraten, merken die Zuhörer nicht, dass man nur Zeit zum Überlegen gewinnen will.

Es lag nicht nur an ihr, wenn sie sich immer wieder ablenken ließ. Der Junge war daran schuld. Man vergaß ihn, noch während er vor einem stand. Machte sich kleiner, als er ohnehin war. Als ob er versuchte, unsichtbar zu werden.

Hinterher hätte sie nicht sagen können, warum ihr in diesem Moment der Marchese einfiel.

7

Der älteste Mann, den Louis Chabos je gesehen hatte. Die Haut wie brüchiges Leder. Die schütteren Haare gelblich verfärbt. Die Handrücken voll dunkelbrauner Flecken. Aber er stand mit geradem Rücken da. Wie ein Soldat. Als ob er einmal Soldat gewesen wäre.

»Wie alt bist du?«, fragte der Marchese.

»Zwölf Jahre«, sagte Louis Chabos.

»Sprich lauter!«, sagte der Marchese. »Alles andere ist unhöflich. Merk dir das. Noch einmal: Wie alt bist du?«

»Zwölf Jahre.«

»Herr Marchese«, sagte der Marchese. Er stieß die Spitze seines Gehstocks auf den Boden. Man merkte: Er war ungeduldig. Der Stock aus schwarzem Holz. Der Knauf aus Silber. Wie das Kreuz, das die Mutter Oberin um den Hals trug.

»Ich bin zwölf Jahre alt, Herr Marchese. Seit heute.«

»Du hast Geburtstag?«

»Ich bin jetzt kein Kind mehr.«

Der Marchese machte ein Geräusch, das vielleicht ein Lachen war. »Die Obernonne hat keine Zeit verloren«, sagte er. »Wenn ich einen Wunsch habe, erfüllt sie ihn mir. Sag mir warum!«

»Ich weiß es nicht, Herr Marchese.«

»Weißt du, was ein Testament ist?«

»Nein, Herr Marchese.«

»Wenn dich heute auf dem Heimweg ins Martinitt eine Kutsche überfährt, und du bist tot, wer bekommt dann deine Spielsachen?«

»Ich habe keine Spielsachen«, sagte Louis Chabos.

»Ich hatte früher ein ganzes Zimmer voll«, sagte der Marchese. »Ich hatte alles. Jetzt ist nur noch dieser Palazzo übrig. Nicht im besten Zustand. Ich habe ein Blatt Papier genommen und darauf geschrieben: ›Nach meinem Tod soll das Waisenhaus das Grundstück bekommen.‹ Das nennt man ein Testament. Man kann es jederzeit ändern. Darum erfüllt mir die Mutter Oberin jeden Wunsch. Hast du das verstanden?«

»Nicht ganz, Herr Marchese.«

»Du hast viel zu lernen. Vielleicht kann es unterhaltsam sein, es dir beizubringen.« Wenn der alte Mann nickte, sah er aus wie ein pickender Vogel. »Fangen wir am Anfang an: Was kannst du gut?«

»Nichts«, sagte Louis Chabos.

»Das ist schon mal nützlich«, sagte der Marchese. »Auf ein leeres Blatt lässt sich gut schreiben. Hol mir ein Buch!«

In dem großen Regal standen viele Bücher.

»Irgendeines.«

Um seinen Diensteifer zu zeigen, wählte Louis einen besonders großen Band.

»Dort. Auf den Tisch.«

Als er das Buch hinlegte, stieg Staub auf.

»Das ist schon einmal eine erste Arbeit für dich«, sagte der Marchese. »Jedes Buch einzeln sauber machen.« Er schlug den Deckel des Bandes auf. Wies auf zwei Worte, die in großen Buchstaben gedruckt waren. »Kannst du das lesen?«

»*Imago Mundi*«, buchstabierte Louis.

»Was heißt das?«

»Ich weiß es nicht, Herr Marchese.«

»*Das Bild der Welt*. Landkarten von fremden Ländern. Weißt du, was der Globus ist?«

»Nein, Herr Marchese.«

»Es weiß es niemand. Sie meinen nur alle, sie wüssten es. Aber keiner sieht weiter als bis zum nächsten Kirchturm. Zum nächsten Berg. Man macht sich auf den Weg, und wenn man ankommt, ist da nur ein anderer Kirchturm. Ein anderer Berg.« Der Marchese hatte die Augen geschlossen. Als ob er zu sich selbst redete. »Irgendwann«, sagte er, »irgendwann ist man wieder dort, wo man losgegangen ist. In derselben Stadt. Im selben Palazzo. Im selben Zimmer. Man nimmt die Bücher aus dem Regal, die man schon immer aus dem Regal genommen hat, und es stehen immer noch dieselben Weisheiten darin. Nur schwerer sind die Bücher geworden. Weil man selbst schwächer geworden ist. Man schlägt sie auf und denkt: Früher war da nicht so viel Staub. Das ist das Einzige, das sich verändert. Der Globus ist nur ein Versprechen. Verstehst du, was ich dir sagen will?«

»Nein, Herr Marchese.«

»Das ist gut«, sagte der Marchese. »Ich verstehe es auch nicht.« Er öffnete die Augen und schlug den Deckel des Buches so heftig zu, dass es klang wie ein Schuss. »Weißt du, warum die Mutter Oberin dich zu mir geschickt hat?«

»Weil ich einen Beruf erlernen soll.«

»Die Mutter Oberin besucht mich alle paar Monate«, sagte der Marchese. »Um sicherzugehen, dass ich mein Testament nicht geändert habe. Beim letzten Mal haben wir darüber gesprochen, dass ich mir keine Dienstboten mehr leisten kann. Keinen Kutscher und keine Aufwärterin. Nur am Nachmittag kommt diese Frau und kocht etwas. Weißt du jetzt, welchen Beruf ich dir beibringen soll, Louis Chabos?«

Die ersten Tage hatte er während der Mahlzeiten hinter dem Marchese stehen müssen. Mit geradem Rücken und ohne sich zu rühren. Bis der irgendwann gesagt hatte: »Das Stehen scheinst du begriffen zu haben. Es wird Zeit für die nächste Lektion.« Seither aßen sie gemeinsam. Es gab viele Regeln zu beachten. Wie man das Besteck zu halten hatte. Den Mund abzuwischen. »Gute Manieren sind im Leben nützlich«, sagte der Marchese.

»Merk dir das«, sagte er.

Wenn Louis am Abend ins Martinitt zurückkam, war es ratsam, die neuen Manieren zu verstecken. Man wurde sonst verprügelt.

Der Marchese hatte ihn noch kein einziges Mal geschlagen. Auch nicht, als Louis das Kristallglas zerbrochen hatte. »Es war ohnehin schon alt«, hatte der Marchese gesagt. Dabei hatte er Louis erklärt, dass alte Dinge oft die wertvollsten waren.

Einmal hatte Louis große silberne Platten mit Zitronensaft einreiben müssen, um sie glänzend zu machen. Dann war ein fremder Mann gekommen und hatte sie gekauft. »Er hat zu wenig bezahlt«, sagte der Marchese hinterher. »In meiner Familie handelt man nicht.«

Manchmal sagte ihm der Marchese nicht, was er tun

sollte, sondern schrieb es auf ein Blatt Papier. Beim ersten Mal hatte Louis das nicht verstanden, und das Blatt war unbeachtet auf dem Tisch liegen geblieben. »Heute Abend: Fisch« hatte darauf gestanden. Der Marchese hatte ihn nicht getadelt, sondern nur gesagt: »Ein guter Diener sieht alles. Auch das ist im Leben nützlich. Merk dir das.«

Heute hatte Louis aus einem Schrank auf dem Dachboden eine samtene Jacke und eine Kniebundhose holen müssen. Er hatte versucht, die Sachen anzuziehen, aber die Hose war zu weit, und in die Jacke hatten die Motten Löcher gefressen. »Du kannst den Boden damit aufwischen«, sagte der Marchese. »Wir bekommen Besuch.«

Der Besuch war die Mutter Oberin. Louis machte die Verbeugung, die ihm der Marchese beigebracht hatte. Sie schaute an ihm vorbei. Sprach über ihn, als ob er nicht anwesend wäre.

»Sind Sie mit ihm zufrieden?«, fragte die Mutter Oberin.

»Viel hat er im Martinitt nicht gelernt«, sagte der Marchese.

»Zu viel Bildung macht faule Menschen.«

»Da haben Sie wohl recht«, sagte der Marchese. »Mich haben meine Bücher zu einem sehr faulen Menschen gemacht.«

Die Mutter Oberin nahm einen winzigen Schluck von dem Vin Santo, den ihr Louis hatte servieren dürfen. »Seien Sie streng mit ihm. Wenn man die Buben verzärtelt, werden sie aufsässig.«

»Das mag wohl sein«, sagte der Marchese. Er führte sein Glas zum Mund. Ließ es wieder sinken, ohne getrunken zu haben. »Allerdings … Es wäre mir lieb, wenn Louis auch über Nacht hierbleiben könnte. Manchmal wache ich mit trockenem Mund auf. Dann ist niemand da, der mir ein Glas Wasser bringt.«

»Das ist leider nicht möglich. Unsere Hausordnung, Sie verstehen. Bevor er nicht sechzehn ist …«

»So lang wird mein Durst nicht warten«, sagte der Marchese. »Aber ich habe volles Verständnis. Es wird sich eine andere Lösung finden.«

Er hatte einen Fleck auf seiner Manschette entdeckt und musste mit dem Fingernagel daran herumkratzen. »Dann werde ich Louis also pünktlich zurück ins Waisenhaus schicken«, sagte er.

»Wenn es Ihnen sehr wichtig ist …«

»Ganz und gar nicht«, sagte der Marchese. »Auf keinen Fall will ich Ihnen Umstände machen.« Jetzt schien auch auf seiner anderen Manschette ein Fleck zu sein. »Außerdem haben mir die Benediktiner versprochen, jederzeit jemanden zu schicken.«

Die Mutter Oberin schien diesmal einen großen Schluck genommen zu haben, denn sie verschluckte sich. »Vielleicht könnten wir in Ihrem Fall eine Ausnahme …«

»Nicht nötig«, sagte der Marchese. »Es sind sehr hilfreiche Leute, diese Benediktiner. Vielleicht ist ein Erwachsener sogar besser. Weil er Zeuge sein kann. Falls ich einmal ein offizielles Dokument aufsetzen will.«

»Was für ein Dokument?«, fragte die Mutter Oberin. Sie sieht erschrocken aus, dachte Louis.

»Falls sich die Notwendigkeit ergeben sollte.«

»Selbstverständlich kann Louis Chabos rund um die Uhr bei Ihnen bleiben«, sagte die Mutter Oberin.

»Wenn es Ihnen keine Umstände macht«, sagte der Marchese.

»Als Christin ist es meine Pflicht.«

Der Marchese schüttelte den Kopf. Auch dabei sah er wie ein Vogel aus, aber diesmal war es eine Eule. »Wenn es Ihnen nichts ausmacht«, sagte er, »wollen wir den Erlöser nicht mit dieser Angelegenheit belästigen. Ich nehme an, er hat Wichtigeres zu tun. Meinen Sie nicht auch, ehrwürdige Mutter?«

9

Allein zu schlafen war ungewohnt. Aber schon bald vermisste Louis das Schnarchen und Im-Schlaf-Reden der andern nicht mehr. Auch das Federbett roch nicht mehr muffig, seit er es in der Sonne ausgelüftet hatte.

Der nächtliche Durst des Marchese schien sich gelegt zu haben. Er hatte Louis in keiner einzigen Nacht gerufen. Obwohl da eine Glocke gewesen wäre.

Die Arbeit fing jeden Morgen gleich an. »Das hat mir am meisten gefehlt«, sagte der Marchese. »Dass ich mich nicht mehr im Bett rasieren lassen konnte.«

Er hatte Louis schon eine Menge beigebracht. Nicht so, wie Schwester Costanza und die anderen Lehrer es taten. Der Marchese machte es mit Erinnerungen. Manchmal dachte Louis: Er ist alt. Aber um all das erlebt zu haben, müsste er noch älter sein.

»Einmal – ich war damals in sizilianischen Diensten – hat mich jemand beim Kartenspiel betrogen«, sagte der Marchese. »Ich habe es gemerkt und habe es geschehen lassen. Sag mir, warum!«

»Weil der andere stärker war?«, fragte Louis.

»Das darf nie ein Grund sein«, sagte der Marchese. »Man prügelt sich nicht in einer Kneipe. Merk dir das. Außer, wenn es unbedingt sein muss. Er hatte einen Trick beim

Kartenmischen, nur waren seine Finger nicht schnell genug. Ich habe es gesehen und geschwiegen. Habe meine Schulden bezahlt und noch eine Flasche Nero d'Avola dazu. Bestell nie den Wein, den dir der Wirt empfiehlt. Auch das musst du dir merken.«

Louis Chabos hatte noch nie Wein getrunken.

»Ich habe mich höflich verabschiedet«, sagte der Marchese. »Habe draußen auf der Gasse auf ihn gewartet. Es hat lang gedauert, bis er gekommen ist. Die Flasche, die ich bezahlt hatte, war wohl nicht ihre letzte. Ich habe ihm das Gesicht aufgeschlitzt. So haben es schon meine Vorfahren mit Betrügern gemacht. Damit sie jeder erkennen konnte.«

»Und sich Ihr Geld wieder genommen.«

»Nein«, sagte der Marchese. »Ich habe es ihm gelassen. Es ging nicht um Geld, sondern um Ehre. Man hat so viel Ehre, wie man sich nimmt. Merk dir das.«

Ein paar Tage später, als Louis auf einer Leiter stand, um die Glasprismen des Kronleuchters von Staub zu befreien, sagte der Marchese: »Einmal bin ich auf so einer Leiter zu einer Frau ins Fenster gestiegen. Wir hätten uns auch heimlich treffen können, aber sie wollte von einem Helden geliebt werden. Ich war kein Held.«

Doch, dachte Louis, ganz bestimmt ist der Marchese ein Held gewesen.

»Irgendwann lässt sich nicht mehr unterscheiden, was die Welt von einem denkt, und was man wirklich ist«, sagte der Marchese. »Wenn du die anderen von deinem Mut überzeugen kannst, wirst du eines Tages wirklich mutig sein. Merk dir das.«

Louis konnte sich nicht vorstellen, wie es sich anfühlen würde, mutig zu sein.

»Sie hatte einen eifersüchtigen Ehemann«, sagte der Marchese. »Und zu dem Haus gehörte ein Rudel scharfer Hunde.« Er fuhr sich mit der Hand über die Augen. »Nein«, sagte er dann, »es war nur ein einziger Hund. Aber sich selbst darf man anlügen. Manchmal lüge ich mir vor, ich sei noch jung.«

Er rüttelte so heftig an der Leiter, dass Louis beinahe das Gleichgewicht verlor. »Hattest du jetzt Angst?«, fragte er.

»Ja, Herr Marchese.«

»Lüg dir vor, dass du keine Angst hast. Dann geht sie vorbei. Was wollte ich erzählen?«

»Sie sind zu einer Frau ins Fenster geklettert.«

»Ich wollte zu ihr ins Fenster klettern«, sagte der Marchese. »Sie hat mir nicht aufgemacht. Die Dinge enden selten so, wie sie angefangen haben. Merk dir das.«

Ein anderes Mal, als sie beim Essen saßen und Louis Chabos ein Messer benutzt hatte, wo man es nicht hätte benutzen dürfen:

»Du musst dich jederzeit so benehmen, als ob du an einem Königshof eingeladen wärst. Sonst wird niemand auf den Gedanken kommen, dich auch tatsächlich dorthin einzuladen.«

»Haben Sie einmal einen richtigen König kennengelernt, Herr Marchese?«

»Ob es ein richtiger war, weiß ich nicht«, sagte der Marchese. »Man erzählte sich, er habe sich während einer Schlacht vor Angst in die Hosen geschissen.«

Manchmal wusste man nicht, ob die Dinge wirklich so gewesen sein konnten, wie er sich an sie erinnerte.

»Wenn du einen König beeindrucken willst«, sagte der Marchese, »verneig dich weniger tief als die anderen. Merk dir das. Von denen mit der Nase am Boden kennt er genug.«

Unter dem dicken Federbett versuchte sich Louis an all die Dinge zu erinnern, die er sich merken sollte.

10

Einmal, als Louis schon mehr als zwei Jahre im Palazzo lebte, stand der Marchese mitten in der Nacht an seinem Bett und schrie ihn an.

»Faulpelz!«, schrie der Marchese. »Warum kommst du nicht, wenn ich klingle?«

Die Glocke hatte nicht geläutet. Darauf hätte Louis jeden Eid geschworen. Auch den großen, blutigen, den im Martinitt noch nie jemand gebrochen hatte.

»Steh auf, wenn ich mit dir rede!«

Louis sprang aus dem Bett.

»Ich war zu nachsichtig«, sagte der Marchese. Gab ihm eine Ohrfeige. »Aber das ändert sich jetzt.«

Als die Glocke wenig später wirklich läutete, rannte Louis mit dem Glas los, so schnell er konnte.

»Zu langsam«, sagte der Marchese. Goss ihm das Wasser über den Kopf.

Beim Frühstück musste Louis hinter seinem Stuhl stehen. Bekam nicht einmal ein Stück Brot.

»Ich habe dich zu sehr verwöhnt«, sagte der Marchese.

Im großen Regal entdeckte er eine Spur von Staub. Fegte eine Reihe von Büchern auf den Boden. »Wenn du sie nicht wieder richtig einordnest, setzt es Prügel«, sagte er.

Louis fand die richtige Ordnung nicht.

»Du gibst dir keine Mühe«, sagte der Marchese.

Am Nachmittag war der Kaffee angebrannt. Wieder wurde Louis geschlagen. Dabei hätte er den blutigen Eid geschworen, dass er nichts falsch gemacht hatte.

Auch beim Abendessen musste er zusehen.

»Wenn du ein Hund wärst, würde ich dich auspeitschen«, sagte der Marchese.

»Sie werden Ihre Gründe haben«, sagte Louis.

Der Marchese stieß die Spitze seines Gehstocks auf den Boden.

»Herr Marchese«, sagte Louis schnell.

Der Marchese schob seinen Teller weg. Stand auf. »Du enttäuschst mich, Louis Chabos«, sagte er.

»Wie Sie meinen, Herr Marchese«, sagte Louis.

»Schon den ganzen Tag bestrafe ich dich für Dinge, die keine Strafe verdienen. Warum wehrst du dich nicht?«

»Ich bin Ihr Diener«, sagte Louis.

»Du bist ein Mensch«, sagte der Marchese. »Was würde ich tun, wenn mich jemand ohne Grund schlagen würde?«

»Sie würden zurückschlagen, Herr Marchese.«

»Warum tust du es nicht?«

Darauf wusste Louis Chabos keine Antwort.

»Irgendwann werde ich tot sein«, sagte der Marchese. »Es kann in ein paar Jahren passieren oder schon morgen. Dann wirst du ins Martinitt zurückkehren, und die Mutter Oberin wird dir einen anderen Dienstherren besorgen. Vielleicht wird es einer sein, der Striemen auf der Seele hat. Das sind die Schlimmsten. Wer viel getreten wurde, will auch selbst einmal treten. Oder es gibt dort mehrere Diener, und du bist der Jüngste. Dann wirst du für den Buckel büßen, den die andern machen müssen. Verstehst du, was ich meine?«

»Nicht ganz«, sagte Louis.

»Wer seine Rechnungen nicht bezahlt, bekommt höhere«, sagte der Marchese. »Wer sich prügeln lässt, hat Prügel verdient. Habe ich heute Nacht nach dir geklingelt?«

»Ich habe es nicht gehört.«

»Habe ich, oder habe ich nicht?«

»Sie haben nicht, Herr Marchese.«

»Warum hast du das nicht gesagt?«

»Weil Sie der Marchese sind, und ich …«

»Ja?«, sagte der Marchese.

»Ich bin …«

»Weiter!«

»Ich bin nur ich.« Louis' Stimme war ganz klein geworden.

»Du bist Louis Chabos«, sagte der Marchese. »Merk dir das. Wer Louis Chabos schlecht behandelt, bekommt es mit Louis Chabos zu tun. Sag das.«

»Wer Louis Chabos schlecht behandelt …«

»Stell dich anders hin. Die Hände in die Hüften.«

Louis hatte noch nie so dagestanden.

»Sag es noch einmal!«

»Wer Louis Chabos …«

»Lauter!«

Diesmal sagte es Louis laut genug. Bekam dafür eine Ohrfeige.

»Warum schlägst du nicht zurück?«, fragte der Marchese.

Louis hätte gern geweint, aber er wusste, dass er den

Marchese damit enttäuschen würde. »Ich kann das nicht«, sagte er.

»Dann wirst du es lernen«, sagte der Marchese. »Ich habe es auch lernen müssen. Jetzt setz dich hin und iss etwas.«

Dafür sei sie nicht angestellt, sagte die Köchin. Sie habe in der Küche zu tun. Wenn der Braten nachher ausgetrocknet sei, wer bekomme dann die Vorwürfe? Und überhaupt: Ein Diener habe ihr nichts zu befehlen. Ein so junger schon gar nicht.

Der Marchese hätte ein Machtwort sprechen können, aber die Auseinandersetzung schien ihm Spaß zu machen. Heute schien ihm alles Spaß zu machen.

Schließlich gab die Köchin nach. Half Louis, den großen Teppich zusammenzurollen. Noch einmal brauche er sie aber nicht zu rufen, sagte sie.

Dort, wo der Teppich gelegen hatte, war das Parkett heller. Ein abgegrenzter Kampfplatz.

»Wir legen den Teppich nachher nicht wieder hin«, sagte der Marchese. »Er lässt sich bestimmt verkaufen.«

Gerade gestern war einer dieser Händler da gewesen und hatte dem Marchese ein Familienporträt abgeschwatzt. »Ihren Vorfahren können Sie behalten«, hatte er gesagt. »Mich interessiert nur der vergoldete Rahmen.«

Es tat Louis jedes Mal weh, wenn wieder etwas Gewohntes aus dem Palazzo verschwand.

»Als kleiner Junge bin ich hier auf Strümpfen Schlittschuh gelaufen«, sagte der Marchese. »Es war verboten, und deshalb hat es Spaß gemacht.« Er schlüpfte aus seinen Schuhen, nahm Anlauf und glitt einmal über das Parkett. Es sah leicht und selbstverständlich aus.

Dann ließ er sich von Louis aus dem Rock helfen. Am linken Ärmel – ein guter Diener sieht alles – war der Stoff eingerissen. Noch heute bringe ich das in Ordnung, nahm sich Louis vor.

Heute hatte der Marchese nicht seinen schweren Gehstock bei sich, sondern einen leichten, dünnen. Er warf ihn von der rechten Hand in die linke. Von der linken in die rechte.

Er steht da wie ein Tänzer, dachte Louis. Wie ein Degenfechter. »Jemanden mit einem Gewehr erschießen ist Handwerk«, hatte der Marchese einmal gesagt. »Ihn mit dem Degen treffen ist Kunst.«

Er hat mir so vieles beigebracht, dachte Louis.

Der Marchese zog seine Weste glatt. Obwohl sie keine Falten hatte. Man muss immer angezogen sein, als ob man wichtigen Besuch erwartet.

Louis legte den Rock über eine Stuhllehne. Strich noch einmal mit der Hand darüber. Dann gab es nichts mehr, mit dem sich die Lektion hinauszögern ließ.

»Los«, sagte der Marchese. »Schlag mich!«

»Einfach so?«

»Es ist nicht einfach«, sagte der Marchese.

Louis zögerte.

Der Stock traf seinen Arm.

»Wer Zeit verliert, verliert den Kampf«, sagte der Marchese. »Merk dir das.«

»Jawohl, Herr Marchese«, sagte Louis.

»Angriff!«, sagte der Marchese.

Diesmal traf der Stock Louis' Handgelenk.

Seinen Arm. Seine Schulter. Seine Brust. Nicht ein einziges Mal sah er den Schlag kommen.

Der Marchese war noch nicht einmal außer Atem. »Bist du jetzt wütend?«, fragte er.

»Nein, Herr Marchese.«

»Du solltest es sein.«

Der Stock konnte nicht nur schlagen, sondern auch stechen.

»Ein Kampf ist ein Tanz«, sagte der Marchese. »Man muss der sein, der den Rhythmus bestimmt.«

Arm. Schulter.

»Merk dir das«, sagte der Marchese.

Arm. Schulter. Hand.

»Gekochte Kartoffeln«, sagte der Marchese. »Zerquetschen und noch warm in ein Tuch wickeln. Das hilft gegen die blauen Flecken, die du morgen haben wirst.«

Diesmal traf der Stock sein Bein.

Mehr als fünfzig Jahre Unterschied, und Louis schaffte es nicht ein einziges Mal, seinen Gegner auch nur zu berühren.

»Hast du Angst, mir weh zu tun?«, fragte der Marchese.

»Ja«, sagte Louis.

»Dann hast du schon verloren«, sagte der Marchese.

Diesmal traf der Stock Louis' Gesicht. Noch einmal. Noch einmal.

Irgendwann stürmte Louis einfach los. Durch die Stockschläge hindurch. Stieß den Marchese zu Boden.

Dann kniete er neben ihm und half ihm beim Aufstehen.

»Es tut mir leid«, sagte Louis.

»Ich bin sehr zufrieden mit dir«, sagte der Marchese.

12

Der Marchese war im Schlaf gestorben. Als Louis mit dem Rasierzeug kam, lag ein toter Körper im Bett.

Louis weinte nicht. Das hätte dem Marchese nicht gefallen. Er stellte das Tablett mit den Schüsseln auf den Nachttisch. Faltete dem Toten die Hände über der Brust. Aber Louis hatte den Marchese nie beten sehen. Verschränkte Arme, das war besser. So sah man die bleiche Spur an seinem Finger nicht. Der Ring, der dort hingehörte, war lang verkauft.

Er kämmte den Marchese, wie der sich immer vor dem Spiegel gekämmt hatte. Eine Strähne über die kahle Stelle. Dann kam das Schwierigste. Der Marchese hätte nicht unrasiert in den Sarg gelegt werden wollen. Man muss aussehen, als ob gleich Besuch käme.

Louis machte alles, wie er es gelernt hatte. Goss heißes Wasser in die größte und in die kleinste Schüssel. In der großen weichte er das Handtuch ein, in der kleinen den Pinsel aus Dachshaar.

Meistens hatte sich der Marchese um diese Zeit noch nicht unterhalten wollen. Nur einmal hatte er gesagt: »Erzähl mir, was du geträumt hast.«

Vielleicht hat er heute Nacht seinen Tod geträumt, dachte Louis.

Das heiße Handtuch für das Gesicht musste man auswinden, bis es schön feucht war, aber nicht tropfte. Wenn Louis es richtig gemacht hatte, sagte der Marchese: »Ahhh.«

Louis sagte es für ihn.

Das Gesicht des Toten weniger kalt, als er es erwartet hatte.

Es hatte gedauert, bis er den Rasierschaum so hinbekam, wie der Marchese ihn haben wollte. »Luftig wie frisch geschlagene Sahne«, hatte er verlangt. Louis kannte geschlagene Sahne nicht. An jenem Nachmittag waren sie zusammen in die Küche gegangen, und die Köchin hatte ihnen das vorführen müssen. »Damit du weißt, wie ich meinen Rasierschaum haben will.«

Man musste sich Zeit lassen, das war das Wichtigste. »Es gibt Dinge, die muss man schnell machen«, hatte der Marchese gesagt, »und solche, die muss man langsam machen. Klug ist, wer den Unterschied erkennt.«

Die Dose mit der Rasierseife in der linken Hand, der Pinsel in der rechten.

Einmal hatten sie zusammen ein Buch mit Bildern römischer Kaiser angesehen. Alle waren glatt rasiert gewesen. »Ein Bart macht das Gesicht undeutlich«, hatte der Marchese gesagt. »Das stört, wenn man es auf Münzen prägen will.«

Er hatte alles erklären können.

Was passiert mit den Erfahrungen eines Menschen, wenn er nicht mehr lebt?

Der erste Schaum war noch nicht der richtige. Man musste ihn in die dritte Schale abstreifen und noch eine ganze Weile schlagen, so wie es die Köchin mit der Sahne gemacht hatte.

»Mit Geduld verliert man am wenigsten Zeit«, hatte der Marchese gesagt.

Als Louis das Handtuch wegnahm, war das Gesicht des Toten entspannt. Ich bilde mir das ein, dachte Louis. Sich selbst darf man belügen.

Als er dem Marchese den Seifenschaum auf die Wangen strich, war es, als ob er ihn streichelte.

Das Messer hatte er schon draußen am Leder abgezogen.

»Du musst jemandem damit die Kehle durchschneiden können«, hatte der Marchese gesagt. »Das Dumme ist nur: In dem Moment, wo du das wirklich tun willst, wirst du kein Rasiermesser haben.«

Man wusste bei ihm nie, ob er etwas ernst meinte.

Man hatte es bei ihm nie gewusst.

»Das Messer halten wie einen Geigenbogen«, hatte er einmal gesagt. Und ein anderes Mal: »Ich habe nie ein Instrument gespielt.«

Blutet ein Toter, wenn man ihn beim Rasieren schneidet?

Als Louis den Schaum vom Rasiermesser strich, kam es ihm vor, als ob er dem Marchese den letzten Rest seines Lebens wegnehmen würde.

Als seine Arbeit getan war, küsste er die glatten Wangen. Nahm das Tablett mit dem Rasierzeug. Verließ das Zimmer zum letzten Mal.

Jetzt dürfte ich weinen, dachte Louis. Aber jetzt war es nicht mehr notwendig.

Die Rasiersachen wusch er sauber ab. Das Messer steckte er ein.

Dann machte er sich auf den Weg zum Martinitt, um der Mutter Oberin den Tod des Marchese zu melden.

13

S chön, dass du wieder da bist«, sagte Leandro. Sein Gefolge hinter ihm. Sie spielten nicht mehr Krieg. Über das Alter waren sie hinaus. Aber er hatte immer noch das Kommando.

»Du hast uns gefehlt, Louis Chabos«, sagte Leandro. Die Stimme zuckersüß. Er suchte Streit.

Seine Schultern sind noch breiter geworden, dachte Louis. Die Arme noch kräftiger.

Leandro versperrte ihm den Weg.

»Willst du mir nicht ein Begrüßungsküsschen geben?«, fragte Leandro.

Sein Gefolge kicherte.

»Oder mir den Schwanz lutschen? Das hat dir dein Lehrmeister bestimmt beigebracht.«

»Lass den Marchese aus dem Spiel«, sagte Louis.

»Ach, ›Marchese‹ hat er sich nennen lassen? Nicht ›Schätzchen‹? Oder ›Liebling‹?«

»Sprich nicht so von ihm«, sagte Louis.

»Ich rede, wie ich will«, sagte Leandro.

»Du hast ihn überhaupt nicht gekannt.«

»Wenn sich ein alter Mann einen kleinen Jungen ins Haus holt und darauf besteht, dass der bei ihm schläft – dann weiß man, was das für einer ist.«

»Das nimmst du zurück«, sagte Louis.

Leandros Gefolgsleute freuten sich auf die Prügelei, die es gleich geben würde.

»Komm her, Frosch!«, sagte Leandro.

Louis wollte nach dem Rasiermesser in seiner Tasche fassen, aber das hätte dem Marchese nicht gefallen.

Wer Zeit verliert, verliert den Kampf.

Leandro war es nicht gewohnt, der Angegriffene zu sein. Louis rannte durch seine Hiebe, wie er durch die Stockschläge des Marchese gerannt war. Traf ihn zwischen den Beinen. Brachte ihn zu Fall. Kniete auf ihm und schlug ihm den Kopf auf den Boden. Zweimal. Dreimal.

Ich bin sehr zufrieden mit dir.

Leandro blieb liegen.

»Blutflecken wäscht man mit kaltem Wasser aus«, sagte Louis Chabos.

Wenn man sich vorlügt, man habe keine Angst, dann hat man keine mehr.

Er drehte sich um. Ging weg. Keiner folgte ihm. Sie mussten sich um Leandro kümmern.

Als der wieder sprechen konnte, erklärte er ihnen, dass es ein hinterhältiger Angriff gewesen sei. Eine Kampfesweise, wie sie nur Feiglinge pflegen. Etwas anderes habe man von einem Lustknaben auch nicht erwarten können. Aber Louis werde nicht davonkommen. Er habe schon einen Plan, wie er ihn bestrafen wolle. Nach dem Abendessen auf dem Hof, da werde er ihnen alles erklären. Jetzt wolle er sich erst einmal das Gesicht waschen. Manchmal bekomme er ganz plötzlich Nasenbluten.

Als sich Louis seinen Teller Suppe holen wollte, sagte

der Austeiler: »Der Topf ist leer.« Schöpfte einem anderen Giuseppino eine zweite Portion.

Am Tisch setzte sich niemand neben ihn.

Er hatte schon immer das schlechteste Bett gehabt, direkt unter dem Fenster. Dort, wo es manchmal hineinregnete. Die fleckige Matratze gönnten sie ihm, aber weder Kissen noch Decke waren aufzutreiben. »Mit dir hat niemand gerechnet«, hieß es.

Auf dem Bett kniend konnte er sehen, wie die andern um Leandro herumstanden. Was sie besprachen, verstand er, ohne es zu hören. Man braucht keinen Text, um eine Melodie zu erkennen.

Als es Schlafenszeit war, trat einer nach dem anderen an sein Bett. Alle sagten sie dasselbe. »Gute Nacht, Louis Chabos«, sagten sie.

Nur Leandro sagte etwas anderes. »Gute Nacht, Majestät«, sagte er.

Schwester Cecilia beendete das Abendgebet wie immer mit den Worten: »Und lass uns morgen gesund erwachen.« Sie verstand nicht, warum danach gelacht wurde.

Der Schlafsaal anders als in Louis' Erinnerung. Keine Unterhaltungen von Bett zu Bett. Niemand schnarchte. Als ob alle sofort eingeschlafen wären.

Irgendwann räusperte sich Leandro dreimal, da waren alle wach. Als sie zu Louis' Bett unter dem offenen Fenster schlichen, hatten manche Stöcke in den Händen. Manche nur einen Schuh.

Louis Chabos war nicht da.

14

Du hast geschickte Finger«, sagte Louis.

»Übung«, sagte das Mädchen.

»Wann hast du damit angefangen?«

»Ich war sechs«, sagte das Mädchen. »Oder sieben. Mein Bruder hat mich mitgenommen.«

»Ist er auch hier?«, fragte Louis.

»Ich weiß nicht, wo er ist«, sagte das Mädchen.

Der große Mann näherte sich. Wo er vorbeikam, verstummten die Gespräche. Fingen wieder an, wenn er weitergegangen war.

»Was machst du, wenn die Lese vorbei ist?«, fragte Louis.

»Hungern«, sagte das Mädchen.

»Gibt es keine andere Arbeit?«

»Es gibt nie Arbeit«, sagte das Mädchen.

»Was ist mit deinem Bruder?«, fragte Louis.

»Vielleicht ist er tot«, sagte das Mädchen.

»Fehlt er dir?«

»Ich weiß es nicht«, sagte das Mädchen.

Ihr Korb war voll, und sie brachte ihn zum Wagen. Als sie sich vorbeugte, um ihn in den großen Zuber zu leeren, fasste ihr der Mann an den Hintern.

Warum lässt sie es geschehen?, dachte Louis.

Als sie zurückkam, war ihr Gesicht hart.

»Dein Korb immer noch nicht voll?«, fragte sie.

»Es ist mein erster Tag«, sagte Louis.

»Wenn du nicht schneller arbeitest, wird es dein letzter sein.« Ihre Hände tanzten zur nächsten Traube. »Einmal habe ich vierzehn Körbe geschafft«, sagte sie. »Da haben wir am Abend ein Huhn gebraten.«

»Ein ganzer Tag Arbeit für ein Essen?«

»Nein«, sagte das Mädchen. »Das Huhn habe ich natürlich gestohlen.«

Als die Sonne endlich unterging, war Louis erschöpft. Die Arbeiter standen in einer Reihe, um sich ihren Lohn zu holen. Als Erste die Älteren. Als Letzte Louis und das Mädchen.

»Wie viele Körbe?«, sagte der Mann.

»Fünf«, sagte Louis.

»Einer war nicht ganz voll.«

»Ich bin auch mit dem Lohn für vier zufrieden.«

»Ich bezahle dir zwei«, sagte der Mann. »Der Rest ist Lehrgeld.«

Louis wollte widersprechen, aber das Mädchen schüttelte den Kopf. Deutete ein Kopfschütteln an.

Keine gut bezahlte Arbeit.

»Wie viele Körbe?«, sagte der Mann.

»Zwölf«, sagte das Mädchen.

»Zehn«, sagte der Mann.

»Es waren zwölf.«

Der Mann lächelte. »Lass es mich an deinen Fingern abzählen«, sagte er.

Das Mädchen hielt ihm die Hände hin.

»Ein Korb« sagte der Mann. »Zwei. Drei. Vier. Fünf.

Sechs. Sieben. Acht. Neun. Zehn.« Mit einer schnellen Bewegung fasste er in ihre Bluse. »Tatsächlich«, sagte er. »Da sind noch zwei.«

Das Mädchen machte einen Schritt von ihm weg.

»Zwölf Körbe, wenn du nett zu mir bist.«

Seine Hand an ihrem Hintern.

Sie drehte den Kopf weg. Wehrte sich nicht.

Louis kannte sich mit Mädchen nicht aus. Im Martinitt hatte es keine gegeben. Aber ein unglückliches Gesicht ist ein unglückliches Gesicht.

»Lassen Sie sie los«, sagte Louis.

Der Mann war kein Leandro, der seine Prügeleien zelebrierte. Schlug mit einer nachlässigen Bewegung zu. Die Faust traf Louis am Kopf. Ein Schuh im Gesicht. Dann zeigte der Mann kein Interesse mehr an ihm.

Hinterher wusste Louis Chabos nicht, wie lang es gedauert hatte.

Er wollte sich aufrichten. Sie drückte ihn zurück. Sagte: »Wenn man zu schnell aufsteht, muss man kotzen. Ich habe das schon gesehen.«

»Es tut mir leid«, sagte Louis. Obwohl es nichts gab, für das er sich hätte entschuldigen müssen.

»Du bist verrückt«, sagte das Mädchen.

15

Ihr Name war Maria. Wie alt sie war, wusste sie nicht genau. »Wie du«, sagte sie. Sie lebte nach einem anderen Kalender. Nach der Zeit der Trauben kam die Zeit der Pilze.

Sie fragte ihn nicht, ob er mitkommen wolle. Ging los, ohne sich umzusehen. Er verstand es als Einladung.

Zu ihrer Hütte führte ein schmaler Pfad hinauf. Er ging hinter ihr her. Dachte: Sie müsste Schuhe haben.

Die Tür aus den Angeln gebrochen. Lehnte im Rahmen.

»Diebe?«, fragte er.

»Was sollten sie stehlen?«, fragte sie.

Als er sich an das Halbdunkel gewöhnt hatte, sah er die alte Frau. Auf seinen Gruß antwortete sie nicht.

»Sie weiß nicht, dass wir hier sind«, sagte Maria.

Sie brach ein Stück Brot ab. Kaute es zu Brei. Spuckte es der Greisin in den zahnlosen Mund. Es sah aus, als ob sie sich küssen würden.

»Anders isst sie nicht«, sagte Maria. »Sie sieht nichts. Hört nichts. Kann ihren Stuhl nicht halten.«

»Deine Großmutter?«, fragte Louis.

»Ich habe keine Verwandten.«

»Einen Bruder«, sagte er.

»Vielleicht«, sagte sie.

Wenn sie den Kopf schüttelt, dachte Louis, müssten die Haare fliegen. Aber die Haare waren verfilzt.

Die Frau war schon hier gewesen, als Maria und ihr Bruder die Hütte entdeckten. Damals hatte sie noch den Mund aufgesperrt, wenn man ihr einen Löffel hinhielt. »Es wäre besser gewesen, wenn sie gestorben wäre«, sagte Maria. »Ich habe den Fehler gemacht, sie zu füttern. Jetzt kann ich nicht damit aufhören.«

»Warum wart ihr unterwegs, dein Bruder und du?«

»Warum bist du unterwegs?«

»Ich bin weggelaufen«, sagte Louis.

»So ist das«, sagte Maria. »Man läuft eben weg.«

Das Brot war von letzter Woche. Ein Laib, den der Bäcker billig hergegeben hatte. Dazu aßen sie Trauben.

»Ich kann keine Trauben mehr sehen«, sagte Maria. »Gut, dass ich morgen nicht mehr hinmuss.«

»Die Lese ist noch nicht zu Ende«, sagte Louis.

»Du meinst doch nicht, dass er mir noch einmal Arbeit gibt«, sagte Maria.

Er hätte gern gefragt, was passiert war, während er auf dem Boden gelegen hatte. »Was ist mit deinem Bruder?«, sagte er stattdessen.

»Er ist gegangen.«

»Wohin?«

»Er wollte zu den Soldaten. Dort wird man vielleicht totgeschossen, hat er gesagt, aber man stirbt nicht hungrig.«

»In welcher Armee?«, fragte Louis.

»Kommt es darauf an?«, sagte Maria.

Sie spuckte der alten Frau Wasser in den Mund.

Es sieht schön aus, wenn sie das tut, dachte Louis. Obwohl es ekelhaft ist.

»Danke, dass du mich mitgenommen hast«, sagte er.

»Du bist mir nachgelaufen.«

»Du hast dich nicht dagegen gewehrt.«

»Hätte es etwas genützt?«

»Du hast mir leidgetan.«

»Wenn ich das brauche«, sagte Maria, »kann ich es allein. Tut dein Kopf noch weh?«

»Überhaupt nicht«, sagte Louis. Es war nicht die Wahrheit.

Hartes Brot muss man lang kauen. Man hat Zeit, sich die nächste Frage zu überlegen.

»Was ist mit deinen Eltern?«

»Was ist mit deinen?«

»Ich bin im Waisenhaus aufgewachsen«, sagte Louis.

»Gut für dich«, sagte Maria. »Was man nie gehabt hat, kann man nicht verlieren.«

Er wollte ein Stück Brot für den nächsten Tag übrig lassen, aber sie meinte, das sei nicht nötig. »Morgen essen wir Besseres.«

»Womit willst du es bezahlen?«

»Sie werden alle im Rebberg sein«, sagte sie. »Das ist günstig für uns.«

»Für uns«, sagte sie.

Er half ihr, die alte Frau zu waschen. Auf der Suche nach Arbeit hatte er eine Kotgrube leer schaufeln müssen. Das war schlimmer gewesen.

»Hier gibt es nur ein Bett«, sagte Maria. »Das gehört ihr.«

»Wie lang kümmerst du dich schon um sie?«

»Ich kümmere mich nicht um sie«, sagte Maria. Ihre Stimme wütend. »Ich kümmere mich um niemanden.«

16

Wenn man nicht gesehen werden darf, setzt man die Schritte anders. Maria kannte Pfade, auf denen man niemandem begegnete.

Auf den Hügeln einzelne Gehöfte. Festungen.

Die Häuser verlassen. Menschenleer. Wer arbeiten konnte, hatte seine Hände für ein paar Scudi an die Winzer verkauft. Es gab nicht viele Wochen im Jahr, in denen sich etwas verdienen ließ. Wenig, aber besser als nichts.

Sie trafen niemanden an. Aber die Bauern hatten so selbstverständlich mit Dieben gerechnet, wie man im Winter mit Schnee rechnet. Die Tiere eingesperrt. Die Ställe verbarrikadiert. Man war auf einen Überfall vorbereitet.

»Eine Stalltür aufzubrechen ist nicht schwierig«, sagte Maria. »Aber dann suchen sie einen. Wenn ein Huhn fehlt, kann es der Fuchs gewesen sein.«

Sonst redeten sie nicht viel. Was hätte es zu reden gegeben? Ich habe Hunger. Du hast Hunger.

Warum ist ein leerer Magen in Gesellschaft leichter zu ertragen? Im Martinitt hatte es Wettbewerbe um das lauteste Magenknurren gegeben. Um den lautesten Furz.

Das Waisenhaus war ein Ort, an den er sich nur von fern erinnerte. Dabei waren es nur ein paar Wochen, seit er sich mit Leandro geprügelt hatte.

Vor einem Haus saß ein Kriegsinvalider auf einem Hocker. Mit einem Gewehr über den Knien bewachte er seine Hühner. Er hatte nur ein Bein. Vielleicht würde er nicht schießen.

Vielleicht doch.

Weiter.

In einem abgeernteten Gemüsebeet fanden sie einen vergessenen Kürbis und nahmen ihn mit.

»Daraus lässt sich etwas machen«, sagte Louis.

»Nicht genug«, sagte Maria. »Heute will ich Fleisch essen.«

»Kannst du zaubern?«

»Wenn nötig auch das«, sagte sie. Ging vor ihm her.

Dünne Beine, dachte er.

Maria kannte alle Wege. Auch dort, wo keine waren. Zeigte ihm die Stellen, wo bald Pilze wachsen würden. »Jetzt ist es zu trocken«, sagte sie. »Aber sobald es regnet … Vielleicht bist du dann noch da.«

Vielleicht, dachte er. Seit er weggelaufen war, war alles möglich.

Oder nichts. In der wirklichen Welt gab es keine Herolde, die nach Königskindern suchten.

Vor der Tür eines Gehöfts ein Paar Stiefel. Maria schlüpfte hinein. Nach ein paar Schritten zog sie die Stiefel wieder aus. »Ich muss den Boden spüren«, sagte sie.

Als sie aus einem Gehölz traten – auch so ein Weg, wo kein Weg war –, sahen sie die Ziege.

Sie musste einen Durchschlupf aus ihrem Stall gefunden haben. Es war nicht schwer, sie anzulocken. Sie war zutraulich.

Es sah aus, als ob Maria das Tier umarmen würde. Aber sie hielt es fest. Bog ihm den Kopf nach hinten.

»Schnell«, sagte sie.

Mit einem Rasiermesser muss man jemandem den Hals abschneiden können.

Das Blut pumpte aus der Wunde heraus.

»Das hätte ich dir nicht zugetraut«, sagte Maria.

Ich mir auch nicht, dachte Louis.

Louis legte sich den toten Körper über beide Schultern. Zum Glück war die Ziege noch nicht ausgewachsen. Er hätte sie sonst nicht tragen können. Wo er sie im Nacken spürte, war sie noch warm. Roch nach Haaren. Nach Blut. Nach etwas, das er nicht kannte.

Um niemandem zu begegnen, nahmen sie die schmalsten Pfade. Vor ihm warf Maria den Kürbis in die Luft und fing ihn wieder auf. Die Aussicht auf eine Mahlzeit machte sie übermütig.

Aus der klaffenden Wunde tropfte Ziegenblut auf sein Hemd.

Mit kaltem Wasser auswaschen.

Unter dem Gewicht des toten Tieres kam ihm der Weg zur Hütte steiler vor als gestern.

Die Tür der Hütte lehnte nicht mehr im Rahmen, sondern war zur Seite gestellt. Maria blieb stehen.

Aus der Hütte kam ein Soldat.

17

D a bist du ja endlich«, sagte der Soldat. Die Teile seiner Uniform passten nicht zusammen.

»Haben sie dich doch nicht totgeschossen«, sagte Maria.

»Nicht ganz«, sagte der Soldat. Er ging auf sie zu. Hinkend.

»Was ist mit deinem Bein?«, fragte sie.

»Nichts. Für einen Soldaten ist das nichts.«

Maria legte den Kürbis vorsichtig auf den Boden. Der Soldat umarmte sie. Sie ließ es geschehen. Nicht ganz so, wie sie es bei dem Mann im Rebberg hatte geschehen lassen, aber auch nicht ganz anders.

Louis ließ das tote Tier ins Gras fallen.

»Wer ist der?«, fragte der Soldat.

»Er hat die Ziege getötet. Mit einem Rasiermesser.«

»Töten kann man mit allem«, sagte der Soldat. »Hat er einen Namen?«

»Ich heiße Louis.«

Der Soldat hob die Hand zu einem halben Salut. »Luigi.«

»Nein, wirklich Louis. Es ist französisch.«

»Ich wäre auch besser zu den Franzosen gegangen«, sagte der Soldat.

»Das ist mein Bruder Ambro«, sagte Maria.

»Ambrosio«, sagte der Soldat.

Die Geschwister sahen sich an und schwiegen.

»Dann koche ich jetzt den Kürbis«, sagte Maria schließlich.

»Und du hilfst mir, Luigi«, sagte Ambro.

Sie versuchten nicht, der Ziege das Fell abzuziehen. »Das geht besser, wenn sie ein paar Tage tot sind«, sagte Ambro. »Man kommt auch von innen an das Fleisch heran.«

An seinem Gürtel hatte er ein großes Messer. Von einer Art, wie es Louis noch nie gesehen hatte.

»Das ist ein Bajonett«, sagte Ambro.

Als er der Ziege den Bauch aufschnitt, quollen mehr Eingeweide heraus, als Louis sich hätte vorstellen können.

»Bei Menschen sieht es gleich aus«, sagte Ambro. »Manchmal versuchen sie, ihre Därme zurückzustopfen. Wenn es eigene Leute sind, erschießt man sie dann.«

Sie machten ein großes Feuer. Legten die herausgeschnittenen Stücke in die Flammen. Später war das Fleisch außen verbrannt und innen roh. Aber es war Fleisch. Sie hatten Hunger.

Der Kopf der Ziege lag auf dem Boden. Schaute ihnen zu.

»Einmal gab es so viele tote Pferde«, sagte Ambro, »wir hätten jeder ein eigenes haben können.«

Das Feuer wärmte angenehm. Sie blieben auch noch sitzen, als sie zum Kotzen satt waren. Der alten Frau hatte Maria gekochten Kürbis in den Mund gespuckt.

»Ich habe dir etwas mitgebracht«, sagte Ambro.

Eine Kette mit einem Medaillon. Das Porträt einer Frau.

»Echtes Gold«, sagte Ambro. »Ich habe einen gefragt, der sich damit auskennt.« Er legte Maria die Kette um den Hals.

»Wer soll das sein?«, fragte sie. »Die Madonna?«

»Seine Frau, nehme ich an.«

»Die Frau von wem?«

»Er hat mir seinen Namen nicht gesagt. Das tun sie selten, wenn man sie erschießt.«

»Ich will das nicht«, sagte Maria. »Das ist eine Witwe. Witwen bringen Unglück.« Sie wollte die Kette abnehmen. Ambro ließ es nicht zu.

»Eine Flasche Schnaps hat man mir dafür geboten«, sagte er. »Ich habe sie nicht genommen, weil du meine Schwester bist. Also wirst du die Kette jetzt anbehalten.« Es wäre nicht klug gewesen, ihm zu widersprechen.

»Wie du willst, Ambro«, sagte Maria.

»Den Schnaps hätte ich gern gehabt«, sagte er.

Später sang er ein Lied. Von dem Namen, der auf jeder Kugel steht, für jeden Soldaten einer. »Einmal wird es meiner sein«, sang er, »aber heute ist es deiner.«

»Ist es schlimm im Krieg?«, fragte Louis.

»Manchmal«, sagte Ambro.

»Würden sie auch mich nehmen?«

»Sie nehmen jeden, der sechzehn ist«, sagte Ambro. »Du musst nur zwei Handbreit größer werden.«

Der Marchese ist auch Soldat gewesen, dachte Louis.

»Einmal wird es meiner sein«, sang Ambro.

18

Sie waren am Morgen ohne Hoffnung losgegangen. Kamen am Abend ohne Erfolg zurück. Maria hatte ein paar Pilze gefunden. Das war alles.

»Wenn Ambro nicht genug zu essen bekommt«, sagte sie, »ist es schwierig mit ihm.«

»Wie war er früher? Bevor er Soldat wurde?«

»Er hat nie genug zu essen bekommen«, sagte sie.

Der Wind blies, als ob er es eilig hätte, woanders hinzukommen.

»Ich mag es nicht, wenn es Winter wird«, sagte Louis.

»Oder Frühling«, sagte Maria. »Oder Sommer. Oder Herbst.«

Unter einem Baum wollten sie Nüsse auflesen. Alle waren taub.

»Wie immer«, sagte Maria.

Irgendwo konnte man ein Feuer riechen.

»Jemand röstet Kartoffeln«, sagte Louis.

»Nicht für uns«, sagte Maria.

Als sie den Pfad zur Hütte hinaufgingen, begann es zu schneien. Weiße Ascheflocken. Je höher sie kamen, desto wärmer wurde es. Heißer.

Die Hütte ein großer Scheiterhaufen. Schon halb in sich zusammengefallen. Nur die Tür lag unbeschädigt im Gras.

Ambro stocherte mit einem dicken Ast in der Glut herum. Wie man es tut, wenn man sicher sein will, dass ein Feuer ganz ausbrennt. Der Rauch schien ihn nicht zu stören. Daran hatte er sich wohl im Krieg gewöhnt. Seine Haare weiß von der Asche.

»Wie ist es passiert?«, fragte Maria.

Ganz ruhig.

»Die alte Frau ist gestorben«, sagte Ambro.

»Im Feuer?« Louis stellte sich so einen Tod schrecklich vor.

»Nein«, sagte Ambro. »Sie ist gestorben, und darum habe ich die Hütte angezündet.«

»Über ihr?«

»Sonst hätte es keinen Sinn gehabt«, sagte Ambro.

»Aber warum?«

»Ich will keine Gräber mehr graben.«

Während er erzählte, starrten sie in die Glut. Er hatte Wasser geholt, sagte er, war mit dem leeren Eimer den Pfad hinunter bis zum Bach gegangen und mit dem vollen Eimer wieder hinauf. Als er in die Hütte zurückkam, lag die alte Frau auf dem Boden. Neben dem Stuhl, auf den man sie am Morgen hinsetzte und von dem man sie am Abend zum Bett trug. War schon vor dem Sturz tot gewesen. Mit solchen Sachen kannte sich Ambro aus. »Jeder Soldat möchte so sterben«, sagte er.

Sie war kein Soldat, dachte Louis.

»Was ist mit ihren Sachen?«, fragte Maria.

»Was man verkaufen kann, liegt dort drüben«, sagte Ambro. »Viel ist es nicht. Aus deinem Zeug habe ich ein Bündel gemacht.«

Maria nickte. »Die Pilze werden schlecht, wenn sie nicht bald gekocht werden«, sagte sie.

»Wirf sie ins Feuer«, sagte Ambro.

Er hatte zwei Decken aus der Hütte gerettet, die rollte er aus. Betten für ihn und Maria. Louis suchte sich einen Platz weiter weg, aber dort wurde es bald zu kalt. Irgendwann hörte er Ambro schnarchen und legte sich zu ihnen. Maria machte ein Geräusch wie eine Katze.

Als sich Ambro im ersten Licht zu rühren begann, stand Louis schnell auf. Die Geschwister waren von Ascheflocken zugedeckt wie von einem Tuch.

Der Marchese hatte ihm ein Buch gezeigt, in dem solche liegenden Figuren abgebildet waren. Pompeji hatte die Stadt geheißen.

Ambro machte sich nicht die Mühe, die Asche abzuklopfen. Rollte die Decken zusammen. Band sie sich auf den Rücken wie einen Tornister. Die beiden Töpfe, die er aus der Hütte mitgenommen hatte, hängte er sich über die Schulter. Maria trug ihr Bündel in der Hand.

»Dann gehen wir jetzt«, sagte sie.

»Wohin?«, fragte Louis.

Ambro antwortete für beide. »Ich wollte schon immer in der Stadt leben«, sagte er.

»Man braucht auch dort Geld«, sagte Louis.

»Die Kette ist aus Gold«, sagte Ambro. »Da sie dir ja nicht gefällt …«

»Nein«, sagte Maria. »Sie gefällt mir nicht.«

»Für den Anfang wird das reichen.«

Louis hatte sich noch nie von jemandem verabschiedet. Er wusste nicht, wie man das macht.

»Ja«, sagte er. »Dann geht ihr jetzt wohl.«

»Und du?«, sagte Maria.

»Ich weiß es nicht«, sagte Louis Chabos.

19

E r war in der fremden Stadt angespült wie Treibholz.
Am Vormittag hatte man das Standbild eines Schutz-
patrons durch die Straßen getragen. Er hatte sich mit den
anderen bekreuzigt. Ohne den Heiligen zu kennen. Nach
der Prozession waren die Leute auf den Jahrmarkt ge-
strömt. Jetzt, wo sie gesegnet waren, wollten sie feiern.

Er roch Fleisch.

Frisches Brot.

Er roch auch Dreck und Hundekot. Aber das interessierte seinen Hunger nicht.

An einem Stand wurden Fische gebraten. Die wegge-
worfenen Gräten knirschten unter den Schuhen.

Ein paar Schritte weiter: Würste. Er sah zu, wie ihre Haut
über den heißen Kohlen aufplatzte. Wie das Fett herauslief.

Einem kleinen Jungen fiel die angebissene Wurst aus
der Hand. Louis wollte sie aufheben, aber ein Hund war
schneller. Der kleine Junge weinte. Louis hätte gern mit
ihm geweint.

Wenn man Hunger hat, riecht man alles stärker. Die Frau,
die gerade an ihm vorbeiging: Schweiß und Rosenöl. Der
Mann: Pfeifentabak und Wein. »Biscotti!«, rief der Mann.
Die beiden drängelten zu einem Stand, an dem kleine runde
Kuchen verkauft wurden. Mandelgeruch.

An einer Stange aufgehängt das Bild eines Mannes, der eine riesige Hantel in die Höhe stemmte. *Ercole, der stärkste Mann der Welt.* Der Gewichtheber unsichtbar hinter dem Kreis der Zuschauer. Louis hörte ihn stöhnen. Etwas Schweres fiel auf ein Holzpodest. Die Leute riefen: »Bravo!«

Vor einer Madonnenstatue kniete ein blinder Mann auf dem Boden. Die Hand bittend ausgestreckt.

Betteln werde ich nie, nahm sich Louis vor.

An einer Schaukel stießen junge Männer große Gondeln immer höher. Ihre Freundinnen kreischten, als ob sie Angst hätten.

Bunt bemalte Pferde auf einem Karussell. Die Geschirre mit kleinen Spiegelscherben verziert. Auf einem Pferd zwei exakt gleich gekleidete Mädchen. Zwillinge.

Vier Burschen, keiner älter als er, drehten das Karussell im Kreis. Sie würden sich am Abend etwas zu essen kaufen können.

Alter Hunger fühlt sich an, als ob man einen Pflasterstein verschluckt hätte.

Eine Frau, die einem Säugling aus einer Saugflasche zu trinken gab. Sogar das machte ihn neidisch.

Ein Mann in einer grünen Jacke verkaufte Früchte. Äpfel. Birnen. Orangen. Zwei betrunkene Matrosen prügelten sich zum Spaß. Stießen dabei den Stand um. Die Früchte rollten überallhin. Den Leuten unter die Füße. Die Matrosen lachten. Legten sich die Arme um die Schultern. Gingen laut singend weiter. Man machte ihnen Platz.

Louis half, die Ware einzusammeln. Das meiste war zertreten.

Der Verkäufer beschwerte sich bei einem Uniformierten. Gestikulierte. Der Beamte, ein älterer Mann, antwortete nichts. Breitete die Arme aus. Die leeren Handflächen sagten: »Da kann man nichts machen.« Die Jahrmarktsbesucher bildeten einen Kreis um die beiden. Als es nicht zu Schlägen kam, löste sich der Kreis wieder auf.

Wo sie gestanden hatten, lag ein Apfel auf dem Boden. Unversehrt trotz all der Stiefel. Als ob der Schutzpatron der Stadt ihn beschützt hätte. Für Louis.

Er bückte sich und hob ihn auf. Als er hineinbiss, legte ihm der Mann mit dem Zweispitz die Hand auf die Schulter.

Als Louis abgeführt wurde, schimpfte der Obstverkäufer immer noch.

Die Leute klatschten dem Wachmann mit den Fingerspitzen höhnischen Beifall.

Louis wurde in einen Abstellraum gesperrt. Anders als in den Geschichten von Dottor Mauro bekam er weder Wasser noch Brot. Als er danach fragte, sagte der Wachmann: »Morgen.«

In einem Raum ohne Fenster merkt man nicht, wenn es draußen hell wird.

Der Richter fragte nach seinem Namen. Nach dem Datum seiner Geburt. Mehr wollte er nicht wissen. Setzte beides in ein vorbereitetes Dokument ein.

»Unsere Bürger müssen vor Verbrechern geschützt werden«, sagte er.

»Es war nur ein Apfel«, sagte Louis.

»Diebstahl ist Diebstahl«, sagte der Richter.

20

Der Wachmann hatte schon zum Frühstück Wein getrunken. Louis konnte es riechen.

»Hast du Geld?«, fragte der Wachmann.

»Würde ich dann einen Apfel stehlen?«, sagte Louis.

»Möglich ist alles«, sagte der Wachmann.

Führte ihn durch eine Tür. Eine Treppe hinunter. Einen Gang entlang.

»Wo bringen Sie mich hin?«, fragte Louis. »Ins Gefängnis?«

»Wir sind eine kleine Stadt«, sagte der Wachmann. »Wir haben nur die eine Zelle.«

Ich werde mit Verbrechern zusammenleben müssen, dachte Louis. Mit Mördern vielleicht. Gefährlichen Menschen. Ich muss ihnen von Anfang an zeigen, dass ich mich zu wehren weiß. Wer Schwäche zeigt, hat schon verloren.

Der Wachmann hatte ihn nicht durchsucht. Das Rasiermesser immer noch in der Tasche.

Noch eine Treppe. Ein anderer Gang. Dann standen sie vor einer gewöhnlichen Tür. Holz, nicht Eisen. Der Schlüssel steckte von außen, was Louis verwunderte. Er hatte sich einen schweren Schlüsselbund vorgestellt.

»Seid nett zueinander«, sagte der Wachmann. Öffnete die Tür. Schob ihn hinein. Sperrte zu.

Ein Geräusch wie das Knurren eines Hundes.

Auf einer Pritsche schlief ein dicker Mann. Lag mit offenem Mund auf dem Rücken, die Hände hinter dem Kopf verschränkt. Eine breite Narbe vom Mundwinkel bis zum Ohr.

Das Schnarchen brach ab. Bei einem Lied hätte man gesagt: mitten im Takt. Der Mann öffnete langsam die Augen. Zuerst das rechte, dann das linke. Sah Louis an.

»Jetzt schicken sie schon Kinder hierher«, sagte der Mann.

»Ich bin kein Kind«, sagte Louis. Stellte sich breitbeinig hin. Eine Hand am Griff des Rasiermessers.

Der Mann blieb liegen. Lächelte ihn an. Die Narbe verlängerte die Linie seines Mundes zur rechten Seite hin. Ein halber Pantalone. »Was hast du in der Tasche?«, fragte er.

»Wollen Sie es herausfinden?«, sagte Louis. Er hoffte, dass seine Stimme drohend klang.

»Es eilt nicht«, sagte der Mann. »Wir werden noch viel Zeit miteinander verbringen. Zwölf Monate, stimmt's?«

»Woher wissen Sie ...?«

»Die gibt er meistens. Er ist nicht sehr einfallsreich.«

»Ein ganzes Jahr«, sagte Louis. »Für einen Apfel.«

Der Mann lachte. »Wie kann man so blöd sein und einen Apfel stehlen?«

»Ich hatte Hunger.«

»Warum nicht ein Stück Stockfisch?«, sagte der Mann. »Eine Salami?«

Es war, als ob alle Gerüche des Jahrmarkts auf einmal in Louis' Nase stiegen. »Wann gibt es hier zu essen?«, fragte er.

»Lang nichts bekommen?« Der Mann las die Antwort aus Louis' Gesicht. Trat, ohne aufzustehen, mit dem Fuß gegen die Tür. »Das werden wir gleich haben«, sagte er.

Der Wachmann kam herein. Ohne seinen Zweispitz sah er aus wie einer der ausgedienten Soldaten, die immer noch die alte Uniform anhaben, wenn sie vor den Kaffeehäusern Domino spielen.

»Unser junger Kollege braucht etwas zu essen«, sagte der Mann mit der Narbe. »Was kannst du auftreiben?«

»Er hat kein Geld«, sagte der Wachmann.

»Schreib's auf meine Rechnung.«

Die Bewegung des Wachmanns war fast ein Salutieren. Als er hinausgegangen war, wartete Louis auf das Geräusch des Schlüssels.

»Wenn er gleich wiederkommen will, schließt er nicht ab«, sagte der dicke Mann.

»Ich wusste nicht, dass so etwas in einem Gefängnis möglich ist.«

»In einem richtigen Gefängnis nicht«, sagte der Mann. »Aber in einem Städtchen wie diesem ... das sich einen einzigen schlecht bezahlten Wachmann leistet ... Für ein anständiges Trinkgeld macht er dir den Handstand.«

»Sie haben Geld?«

»Keinen Soldo«, sagte der Mann. »Ich habe Freunde.« Er richtete sich auf, prustend, als ob er aus einer Badewanne steigen würde. Setzte sich an den Rand der Pritsche. »Du wirst mir die Langeweile vertreiben«, sagte er. Er streckte Louis die Hand hin. »Ich heiße Pasquale.«

Der Wachmann brachte Brot und Käse.

21

Die Suppe, die es am Abend gab, kippte Pasquale in den großen Eimer in der Ecke. »Dafür ist sie brauchbar«, sagte er. »Es stinkt dann weniger, wenn man hineinpisst.«

Weil es Louis' erster Tag war, bestellte Pasquale ein besonderes Essen. »Immer werden wir nicht so schlemmen«, sagte er. »Bei besonderen Gelegenheiten muss man sich etwas gönnen.«

Als der Wachmann die zugedeckte Schüssel auf den Tisch stellte, sagte er: »Ich könnte mir das nicht leisten.«

»Ich mir auch nicht«, sagte Pasquale. »Ich leiste es mir trotzdem. Das ist der Unterschied zwischen uns.«

Mit einer eleganten Bewegung hob er den Deckel. Die gleiche Geste hatte Louis einmal auf dem Bartolomeo-Markt bei einem Zauberkünstler gesehen. »Weißt du, was das ist?«, fragte Pasquale.

»Ein Huhn.«

»Das ist so sehr ein Huhn«, sagte Pasquale, »wie eine Trüffel eine Kartoffel ist. Das ist ein Kapaun. Das feinste Fleisch der Welt. Ich werde dir jetzt zeigen, wie man ein so edles Tier tranchiert.«

»Darf ich das machen?«, fragte Louis.

»Kannst du überhaupt mit Messer und Gabel umgehen?«

»Ich habe nicht immer Äpfel stehlen müssen«, sagte Louis.

Er machte alles so, wie es ihm der Marchese beigebracht hatte. Fand die Gelenke von Schenkel und Flügel auf Anhieb. Setzte den Brustschnitt so präzis wie ein Chirurg. Als er Pasquale den perfekt angerichteten Teller servierte, tat er es mit einer kleinen Verneigung aus der Hüfte. Wünschte guten Appetit. Aß mit seinen besten Palazzo-Manieren.

»Du bist eine Wundertüte«, sagte Pasquale. »Jemanden wie dich kann ich brauchen.«

»Wofür?«, fragte Louis.

»Später«, sagte Pasquale. »Während der heiligen Handlung wird nicht geplaudert.«

Als vom Kapaun nur die abgenagten Knochen übrig waren, der letzte Rest der Soße mit Brot aufgetunkt, war er wieder zu einer Unterhaltung bereit. »Was meinst du, warum ich hier bin?«, fragte er.

Louis betrachtete die Narbe, die sich quer über die rechte Backe seines Gegenübers zog. »Beim Kartenspiel geschummelt?«, fragte er.

»Kartentricks …«, sagte Pasquale verächtlich. »Ein Fiorillo spielt keine Kinderlieder.«

Louis wusste nicht, wer Fiorillo war. Es schien ihm nicht der Moment zu sein, danach zu fragen.

»Ich bin ein Virtuose«, sagte Pasquale. »In meinem Fach.« Er rülpste. »Zu viel Fett. Erinnere mich daran, dass wir das nächste Mal bei einer anderen Garküche bestellen. Was wollte ich erzählen?«

»Warum du hier bist.«

»Ich habe bei einem Goldschmied einen Ring gestohlen.«

Unter einem Virtuosen hatte sich Louis etwas anderes vorgestellt.

»Und bist dabei erwischt worden«, sagte er.

»Natürlich«, sagte Pasquale. »Darum habe ich den Ring ja gestohlen. Ich musste mich verdammt ungeschickt anstellen, bis der Goldschmied endlich etwas gemerkt hat. Er war kurzsichtig.«

Pasquale genoss Louis' Verblüffung, wie der Zauberkünstler damals auf dem Markt das Staunen seiner Zuschauer genossen hatte. »Manchmal ist es nützlich, für eine Weile nicht auffindbar zu sein«, sagte er. »Wo ist man unsichtbarer als in einem Gefängnis?«

»Wenn jemand beim Gericht nachfragt?«

Pasquale machte ein beleidigtes Gesicht. »Dann fragt er nach dem falschen Namen. Du denkst doch hoffentlich nicht, dass ich tatsächlich Pasquale heiße?« Sprach den Namen im schwerfälligen Dialekt der Bergler aus. »Pasquale! So heißt ein Bauernknecht, kein Künstler.«

»Und das hat funktioniert?«

»Wenn ich erwischt werden will, werde ich erwischt. Wenn ich nicht erwischt werden will …« Er ließ seine Hände wegflattern wie Vögel. »Außerdem … Hältst du es für schwierig, von hier zu verschwinden?«

Louis dachte an die Tür, die der Wachmann schon zweimal aus Bequemlichkeit nicht abgeschlossen hatte. »Sehr schwierig kann es nicht sein.«

»Richtig«, sagte Pasquale. »Aber noch nicht gleich. Erst wenn alle überzeugt sind, ich hätte mich wer weiß wohin abgesetzt. Wenn es draußen nicht mehr so kalt ist. Das hier ist kein schlechter Ort zum Überwintern.«

22

Immer am späten Morgen durften sie im Innenhof des Gebäudes ein paar Schritte machen. Den schmalen Durchgang zur Straße sicherte der Wachmann mit einem Gewehr.

»Sieh dir seine Flinte an«, sagte Pasquale beim ersten Mal. »Mit der kann er nicht mal Hasen jagen. Außer wenn der Hase nur drei Beine hat.«

Sie gingen im Kreis. Immer in dieselbe Richtung. Obwohl die andere nicht verboten war. Manchmal lehnten sie sich gegen die Mauer. In der Ecke, wo die Sonne hinkam. Wenn das Licht günstig war, konnte man hinter den Fenstern auf der anderen Seite Menschen erahnen. Beamte oder Schreiber. Graue Jacken. »Die sind wirklich eingesperrt«, sagte Pasquale.

Einmal fragte Pasquale unvermittelt: »Kannst du über einen Schuhbändel stolpern?« Er demonstrierte den Stolperer, und Louis musste ihn üben. Mit den ersten Versuchen war Pasquale nicht zufrieden. »Man darf nicht sehen, dass du es absichtlich machst«, sagte er.

Beim Hofspaziergang sagte Pasquale: »Jetzt!« Louis stolperte über seinen Schuhbändel. Er machte es so gut, dass er sich auf dem Kiesboden die Hand aufschürfte. Der Wachmann drehte sich zu ihm hin. Genau wie Pasquale es vorausgesagt hatte. »Nichts passiert!«, rief Louis.

Zurück in der Zelle, sagte Pasquale: »Du lernst schnell.«

»Wofür war das gut?«

»Dafür«, sagte Pasquale. Er zog ein zusammengefaltetes Papier aus dem Ärmel. »Es muss keiner wissen, wie ich meine Post bekomme.«

»Wir haben Grund zum Feiern«, sagte Pasquale. »Was möchtest du heute Abend essen?«

»Die einfachsten Dinge sind die besten«, hatte der Marchese gesagt. Sie aßen Risotto mit Luganighe. Obwohl Pasquale fand, Louis hätte ruhig ein bisschen mehr Fantasie walten lassen können. Zum Ausgleich beschloss er, Louis das Weintrinken beizubringen. Nach dem Essen war Louis schwindlig. Pasquale war betrunken. Was ihn gesprächiger machte, als er wollte.

»Du bist doch im Martinitt aufgewachsen«, sagte er. »Sehe ich aus wie der Direktor eines Waisenhauses?«

»Nicht wirklich«, sagte Louis.

»Du musst mich anders angezogen denken. Als Geistlicher. *Padre* Pasquale.«

»Du bist betrunken«, sagte Louis.

»Vor Glück«, sagte Pasquale. »Auf diese Nachricht habe ich lang gewartet. Was darin steht, verrate ich dir nicht. Das verrate ich niemandem.« Dann trank er noch ein Glas Wein und verriet es doch.

Pasquale hatte einen Freund. Einen Geschäftspartner. Einen Komplizen. Den hatte er in eine andere Stadt geschickt. Nicht sehr weit weg. »Gerade weit genug«, sagte er. Dort war es dessen Aufgabe, sich teuer zu kleiden und Geld auszugeben. »Wer verdienen will, muss investieren«, sagte Pasquale. Auf die Frage, wo er sein Vermögen herhabe, musste sein Partner geheimnisvoll lächeln. Keine Antwort geben. Bis jemand mit den Fragen gar nicht wieder aufhören wollte. Bei dem musste er sich dann im Suff verplaudern. »Nicht wirklich betrunken natürlich«, sagte Pasquale. »Nicht wie ich.«

Er beschloss, auch noch die letzte Flasche aufzumachen. Louis musste ihm dabei helfen. Pasquales Finger kamen mit dem Korkenzieher nicht mehr zurecht.

Er trank das nächste Glas auf einen Zug leer und erzählte dann weiter. Sein Komplize musste dem Neugierigen von einem großen Geheimnis erzählen. Ihn tausend Eide schwören lassen, niemandem, aber auch wirklich niemandem ein Wort davon zu verraten. »Je länger du sie hinhältst, desto geiler werden sie«, sagte Pasquale.

Er habe in der großen wohltätigen Lotterie gewonnen, das war das Geheimnis. Dreimal schon. Er werde noch dreimal gewinnen oder auch fünfmal. So oft er wolle. Weil in dieser Lotterie, der Santa Stefania, nicht alles so sauber ablaufe, wie man es verkünde. Wenn die Waisenkinder auf dem Platz vor dem Dom öffentlich die Zahlen zögen, dann seien diese Zahlen nicht zufällig. Oder doch nur zum Teil. Wenn man die richtigen Leute besteche, erfahre man sie rechtzeitig.

Jetzt habe ein Fisch angebissen, sagte Pasquale. Ein großer Fisch. Den müsse man nur noch eine Weile zappeln lassen, damit er sich umso fester im Haken verbeiße. Dann dürfe er den Waisenhausdirektor kennenlernen, der die Ziehung organisiere. »Wir werden wohl bald eine kleine Reise machen müssen.«

»Wir?«, sagte Louis.

23

Sie brachen nicht aus. Gingen einfach. Schickten den Wachmann nach einer Flasche Wein. An einem Sonntag, als niemand sonst im Gebäude war. Verließen sich darauf, dass er für die zehn Minuten die Tür nicht abschließen würde. Nahmen den Weg über den Innenhof, wo heute niemand den Durchgang zur Straße bewachte.

Für den Wachmann ließ Pasquale eine Banknote auf der Pritsche liegen. »Er wird seine Stelle verlieren«, sagte er. »Da hat er ein Trinkgeld verdient.«

Vor ein paar Tagen war Louis wieder über seinen Schnürsenkel gestolpert, und Pasquale hatte einen Umschlag eingesteckt. Diesmal war Geld darin gewesen. Mehr Geld, als Louis je gesehen hatte.

»Ohne Kapital kein Geschäft«, sagte Pasquale.

Es war die Tageszeit, zu der man in dieser Stadt seine Promenade machte, also promenierten sie. In einer Kastanienallee sagte Pasquale: »Die haben mir am meisten gefehlt.« Er meinte nicht die rosafarbenen Blüten, sondern die aufgeputzten Frauen.

Obwohl Sonntag war, öffnete sich die Tür eines Kleiderladens für sie. Man schien Pasquale dort zu kennen. Er sagte: »Ich bin nicht hier.«

Für Louis kaufte Pasquale nicht einen Anzug, sondern

zwei. Dazu einen Mantel.»Wer ohne Gepäck reist, ist verdächtig«, meinte er. Für sich selbst eine Soutane und einen weißen Kragen. Schuhe, die sich auf Hochglanz polieren ließen.

Ein Priester kam aus dem Laden. Ein junger Mann trug ihm den frisch gekauften Koffer.

Sie kamen an einer Kirche vorbei. »Ein Gebet für die Reise«, sagte Pasquale. Ließ eine Bibel unter der Soutane verschwinden.

Sie übernachteten in einem Gasthaus, auf das nirgends ein Schild hinwies. Verließen die Stadt am nächsten Morgen mit der Postkutsche. Als sie an dem Gebäude mit dem einen vergitterten Fenster vorbeikamen, schlug Pasquale segnend das Kreuz. Während der Fahrt las er in seiner Bibel.

Nach der Ankunft ließen sie sich vom Kutscher die beste Herberge am Ort empfehlen. In diesem Punkt dachte Pasquale gleich wie der Marchese: »Man hat so viel Ehre, wie man sich nimmt.« Eine billige Unterkunft macht billige Menschen.

»Weck mich zum Abendessen«, sagte Pasquale. Bald hörte Louis ihn schnarchen.

Sie bestellten *capretto al forno*. »Wer die Zicklein-Zeit verpasst, hat den Frühling verschwendet«, sagte Pasquale. Während des Essens durfte nicht gesprochen werden. Erst als sie an ihren Cantuccini knabberten, begann er, Louis für den nächsten Tag zu instruieren.

»Wenn man dich zum Sitzen auffordert, bleibst du stehen«, sagte Pasquale.

»Untertänig«, sagte Louis.

»Bescheiden«, sagte Pasquale. »Du bist ein frommer

Zögling. Ab und zu werde ich etwas Lateinisches sagen, und du antwortest Lateinisch. Ich werde dir die Worte beibringen.«

Das erwies sich als überflüssig. Louis war bei Nonnen aufgewachsen.

»Vielleicht werden sie dich fragen, wie du ins Waisenhaus gekommen bist. Weißt du eine Antwort?«

»Ich kann eine erfinden«, sagte Louis. Zuerst war der Vater gestorben und dann die Mutter. Nur der Herold des Königs war noch immer nicht gekommen.

»Du hast selbst ein paarmal an der Ziehung teilgenommen«, sagte Pasquale. »Als kleiner Unschuldsengel. Jetzt bist du zu groß dafür. Du kennst den Ablauf und kannst ihn beschreiben. Wie man mit verbundenen Augen auf das Podest geführt wird. Wie man einen Zettel aus der Schüssel fischt. Immer nur einen. Wie man den Zettel dem Notar übergibt. Wie der ihn auseinanderfaltet und die Zahl vorliest.«

»Das Auseinanderfalten kann ich nicht gesehen haben«, sagte Louis. »Nicht mit verbundenen Augen.«

»Sehr gut«, sagte Pasquale. »Du denkst mit. Wenn du den Zettel gezogen hast, wird dir die Binde abgenommen. Weil jedes Waisenkind nur eine Zahl zieht.«

»Das ist besser«, sagte Louis.

»Man muss an alles denken«, sagte Pasquale.

»Und wie funktioniert der Betrug?«

»Es gibt keinen Betrug«, sagte Pasquale. »Unser Kunde soll nur denken, dass es einen gibt. Vielleicht ist der Notar bestochen.«

»Das glaubt niemand«, sagte Louis.

»Das glaubt jeder«, sagte Pasquale. »Jeder, der bereit ist, mitzubetrügen. Jeder Mensch ist bestechlich. Es kommt nur auf die Summe an. Bei unserem Wachmann haben ein paar Soldi gereicht. Für einen Bürgermeister braucht es mehr. Und so weiter.«

»Ich will das nicht glauben«, sagte Louis. »Das ist nicht anständig.«

»War die Welt jemals anständig zu dir?«, sagte Pasquale.

24

Am nächsten Morgen ließen sie den Barbier kommen. »Nichts verändert ein Gesicht wie ein neuer Haarschnitt«, sagte Pasquale.

Es war Zeit für ihre Verabredung, aber Pasquale wollte unbedingt einen Regenschirm mitnehmen. Der Hausdiener musste loslaufen und einen besorgen.

»Es sieht nicht nach Regen aus«, sagte Louis.

»Ein Pfarrer hat immer einen Regenschirm dabei«, sagte Pasquale. »Wie sehe ich aus?«

»Die Narbe stört«, sagte Louis.

»Sie ist die Erinnerung daran, dass ich unseren tapferen Helden auf dem Schlachtfeld die Letzte Ölung gegeben habe«, sagte Pasquale.

Auf dem Weg zur Osteria ging er anders als sonst. Watschelte. Auch das sah überzeugend aus, fand Louis.

Pasquales Komplize begrüßte ihn mit einem Handkuss. »Das ist mein Freund, der *avvocato* Respoli«, stellte er vor. »Und das ist Don Pasquale, von dem ich Ihnen erzählt habe.«

Respoli war ein Mann von vielleicht fünfzig Jahren. Ein aufgedunsenes Gesicht. Fleischige Lippen. Er streckte Pasquale die Hand hin, aber der nahm sie nicht.

»*Laudetur* Jesus Christus«, sagte Pasquale.

»Amen«, murmelte Louis.

»Ja, natürlich, das wollte ich sagen.« Respoli wischte sich mit einem Taschentuch den Schweiß von der Stirn. »Ich habe mir erlaubt, eine Flasche Wein für uns …«

»Ich trinke nur Wasser«, sagte Pasquale. »Man muss Vorbild sein.«

»Selbstverständlich«, sagte Respoli. »Es stört Sie doch nicht, wenn ich …«

»Es sollen alle Krüge mit Wein gefüllt werden«, sagte Pasquale. »So steht es beim Propheten Jeremia.«

»Ich lasse Sie allein«, sagte Pasquales Komplize.

Respoli fuhr sich mit der Zunge über die Lippen. Hüstelte. Wischte sich schon wieder den Schweiß ab. Pasquale wartete mit einem milden Lächeln. Die wie zum Gebet gefalteten Hände auf den Griff des Schirms gestützt.

»Ich wollte …«, sagte Respoli schließlich. »Ich habe gehört, dass Sie …«

»Ja?«, sagte Pasquale.

»Ihr Waisenhaus ist doch der Ort, wo … viermal im Jahr …«

»Sie meinen die Auslosung zur Santa Stefania?«, sagte Pasquale. »Ja, Seine Exzellenz, der Herr Bischof, hat uns mit dieser Aufgabe betraut. *Opus domini operatur.*«

»*In aeternitatem*«, murmelte Louis.

»Eine sehr verdienstvolle Aufgabe«, sagte Respoli. »Deshalb wollte ich … wollte ich fragen …«

»Sie wollen unser Waisenhaus mit einer größeren Spende unterstützen«, sagte Pasquale. »So hat man es mir berichtet. Im Namen meiner Zöglinge danke ich Ihnen dafür. *Benedicat tibi Dominus.*«

»*Et custodiat te*«, murmelte Louis.

Respoli holte schon wieder sein Taschentuch hervor. »Ich habe das Geld mitgebracht«, sagte er. »Aber ich möchte ... gewissermaßen als Gegenleistung ...«

»Ich bin sicher, der Herr wird Sie dafür segnen. Vielleicht schon bei der nächsten Ausspielung. Wie hieß doch gleich wieder der Mann, der nach seiner großzügigen Spende fünfzigtausend Soldi gewonnen hat?«

Louis wurde von der Frage überrascht. Es dauerte einen Moment, bis ihm ein Name einfiel. »War das nicht Dottor Mauro?«, sagte er schließlich.

»Genau.« Pasquale nickte. »Und es gab so viele andere. Die alle vorher gespendet hatten. Unerforschlich sind die Wege des Herrn.«

»Amen«, murmelte Louis.

»Und wie ... ich meine ... Woher weiß man, welche Zahlen ...«

»Sie werden einen Brief bekommen. In der Woche vor der Ziehung. Von einer Verwandten auf dem Lande. In diesem Brief werden Zahlen vorkommen. Sie wird Ihnen zum Beispiel mitteilen, dass sie Sie in vier Tagen besuchen will. Und dann zwölf Tage bleiben. Dass sie dieses Jahr dreiundzwanzig Hühner hat. Sie verstehen?«

Respoli schwitzte schon wieder. »Und diese Zahlen ...?«

»Haben schon manchem frommen Christen Glück gebracht.«

»Dann möchte ich ... möchte ich auch ...« Seine Finger hinterließen feuchte Abdrücke auf dem dicken Umschlag, den er aus der Tasche holte.

»*Deo gratias*«, sagte Pasquale.

»*Proficiat ad salutem*«, murmelte Louis.

»Wollen Sie nicht nachzählen?«, sagte Respoli.

»Das wird nicht notwendig sein«, sagte Pasquale. »Wo kämen wir hin, wenn wir unseren Mitmenschen nicht vertrauten?«

25

Auf der Straße warteten Bewaffnete auf sie.

Ein Offizier sagte: »Du hast uns lang genug an der Nase herumgeführt, Tommaso.«

Tommaso?

»Oder ist dir ein anderer Name lieber?«, sagte der Offizier. »Maestro Perano? Professor Baffi?«

»Sie verwechseln mich«, sagte Pasquale.

»Tue ich das?«, sagte der Offizier. »Schau mal, wer vor Gericht gegen dich aussagen wird!« Pasquales Partner. Die Hände gefesselt.

»Sie haben mich gezwungen«, sagte der Komplize.

Pasquale hob seinen Regenschirm in die Höhe, als ob der ein Argument wäre. »Ich habe nur eine fromme Spende entgegengenommen.« Spielte immer noch seine Rolle. Obwohl das Stück schon abgesetzt war.

»Dann entschuldige ich mich ergebenst für das Missverständnis«, sagte der Offizier. Zuckersüß wie Leandro.

Jetzt kam auch der *avvocato* Respoli aus der Osteria. Der kein *avvocato* war.

»Wie ist es gelaufen?«, fragte der Offizier.

»In Uniform fühle ich mich wohler.«

»Du warst der richtige Mann für die Aufgabe«, sagte der Offizier. »Mit deinem Betrügergesicht.«

Beide lachten.

»Hat er das Geld genommen?«

»Und eingesteckt.«

»Dann haben wir ihn«, sagte der Offizier.

»Ich weiß nicht, wovon Sie reden«, sagte Pasquale. Hatte immer noch nicht aufgegeben.

»Davon«, sagte der Offizier. Wollte mit der Hand in Pasquales Soutane fassen. Der stieß ihn weg. Rannte los. Schneller, als Louis es ihm zugetraut hätte.

Zwei Schüsse.

»Das erspart uns den Prozess«, sagte der Offizier.

Während alle auf die Leiche starrten, rannte auch Louis los. Hinter ihm schoss niemand her. Er war nicht wichtig.

Er beschloss, in der Stadt zu bleiben. Die Landstraßen wurden bestimmt überprüft.

Sein Anzug zu vornehm für die Gegend. Bei einem Händler, der von einem Karren alte Kleider verkaufte, tauschte er ihn gegen eine Bauernhose und eine Bauernjacke. Der Verkäufer so freundlich, dass Louis wusste: Er wurde betrogen.

In meiner Familie handelt man nicht.

Noch keine zwei Tage, seit er in einer anderen Stadt mit Pasquale promeniert hatte. Die Kastanien hatten auch dort geblüht.

Auf einem Kiesplatz schaute er ein paar Männern beim Boccia-Spielen zu. Sie betrieben das Spiel mit großer Ernsthaftigkeit. Er war nicht der einzige Zuschauer. Wo es keine Arbeit gibt, sind die Tage lang.

Der Mann neben ihm nicht viel älter als er. Kaute auf einer leeren Tabakpfeife herum. Fasste immer wieder an den leeren Pfeifenkopf. Ein Raucher, der sich keinen Tabak leisten kann.

»Was bist denn du für einer?«, fragte der Mann.

»Ich bin weggelaufen«, sagte Louis. »Ich war auf dem Internat, aber die Lehrer waren mir zu streng.«

»Das Weglaufen glaube ich dir«, sagte der junge Mann. »Aber nicht das Internat. Wer war Benedetto Sforza?«

»Wer?«

»Den müsst ihr im Geschichtsunterricht durchgenommen haben. Benedetto. Der älteste Sohn von Francesco Sforza. Der die Schlacht bei Montefiore gewonnen hat.«

»Ach so, der. Ja, natürlich kenne ich den.«

»Interessant«, sagte der Mann. »Wo es nie einen Benedetto Sforza gegeben hat. Oder eine Schlacht bei Montefiore. Das Lügen haben sie dir nicht beigebracht an deinem Internat. Ich weiß, warum du hier bist.«

Louis fasste nach dem Rasiermesser in seiner Tasche.

»Du willst es nur nicht sagen, weil du weißt, dass viele Leute etwas dagegen haben. Mir kannst du es ruhig verraten. Ich gehe morgen auch hin.«

»Wohin?«, fragte Louis.

»Zur französischen Kommission«, sagte der Mann. »Wo man sich freiwillig zur Armee melden kann. Aber dich werden sie nicht nehmen. Ein Soldat muss größer sein als sein Tornister.«

26

Er würde sich hinstellen, wie der Marchese es haben wollte. Mit durchgedrücktem Rücken. »Gerade sechzehn geworden«, würde er sagen. Die fehlenden Monate einfach vergessen.

Wer zur Aushebung ins Rathaus ging, wurde auf der Straße von den alten Männern schief angesehen. Sie hatten zu Österreich gehört und zur Cisalpinischen Republik. Jetzt gehörten sie zum Königreich Italien. Sie wollten aber Mailänder sein, sonst gar nichts. Die neumodische Fahne mit dem französischen Adler gefiel ihnen nicht. Das große N übersetzten sie sich mit *Nessuno*. Niemand.

Aber die Fahne hing nun mal vom Balkon, dagegen halfen keine bösen Blicke. In dem Zimmer, in dem sonst die Kommissionen tagten, saß ein *capitaine* hinter einem Tisch. Im Saal der Stadtverordneten sammelten sich die Bewerber, die er bereits für die Grande Armée angenommen hatte.

Er nahm alle an.

Einer hatte ein kurzes Bein. Kam trotzdem mit hochgerecktem Daumen aus dem Kommissionszimmer zurück. Auch Louis' Bekannter vom Boccia-Platz war jetzt Soldat.

Dann kam er an die Reihe.

Gerade stehen, das durfte er nicht vergessen. Nicht auf Zehenspitzen, das würde auffallen. Aber sich recken, wie es nur ging. Die Armee war seine einzige Chance für ein neues Leben.

Der *sous-lieutenant,* der ihn gebracht hatte, blieb vor einer Tür stehen. Sagte etwas Französisches, das Louis nicht verstand. Eine Geste machte deutlich: Es war die Aufforderung einzutreten.

Er würde Französisch lernen müssen.

Vor dem Uniformierten hinter dem großen Tisch wäre Ambro nicht strammgestanden. Ein Beamter. Neben ihm ein Mann in Zivil. Tintenflecken an den Fingern.

»Name?«, sagte der Offizier.

»Louis Chabos.«

»Franzose?«

»Ich weiß es nicht«, sagte Louis.

»Schreiben Sie: Königreich Italien.«

Der Schreiber, man konnte es deutlich sehen, notierte nur zwei Buchstaben. Eine Abkürzung.

»Beruf?«

Diese Antwort hatte er sich vorher überlegt. Diener würde man bei der Armee nicht brauchen. Aber Soldaten müssen rasiert werden.

»Barbier«, sagte Louis.

»Egal«, sagte der Offizier. Und zum Schreiber: »Keine nützlichen Vorkenntnisse.«

Drei Buchstaben.

»Kannst du mit einer Waffe umgehen?«, fragte der Offizier.

»Ich kann es lernen«, sagte Louis.

Der Offizier wandte sich zum Schreiber, aber der kam ihm zuvor. »Ich weiß«, sagte der Schreiber.

Diesmal nur ein Strich.

»Alter?«

»Ich weiß«, sagte der Schreiber.

Zwei Zahlen.

Das war alles.

»Soll ich dir den Eid französisch oder italienisch vorlesen?«, fragte der Offizier.

»Wie Sie wollen«, sagte Louis Chabos.

»Verstehst du Französisch?«

»Nein«, sagte Louis.

»Egal«, sagte der Offizier. Er las den Text so schnell, dass auch Französischkenntnisse nichts genutzt hätten. »Heb die Hand zum Schwur, und sag: Ich schwöre es!«

»Ich schwöre es«, sagte Louis Chabos.

»Willkommen in der Grande Armée«, sagte der Offizier.

»Darf ich etwas fragen?«

»Wenn es schnell geht.«

»Was für eine Art Soldat bin ich jetzt?«, sagte Louis. »Ich meine: ein Kanonier oder …?«

»Voltigeur«, sagte der Offizier. »Leute deiner Größe werden Voltigeure.«

»Ich weiß nicht, was das ist«, sagte Louis Chabos.

»Du wirst es erfahren«, sagte der Offizier.

27

Der *sergent* war kein richtiger *sergent,* das hatte er ihnen von Anfang an erklärt. »Ein richtiger *sergent*«, hatte er gesagt, »jagt euch über den Platz, bis ihr vor Erschöpfung umfallt. So nett bin ich nicht. Wenn ihr nicht mehr könnt, blase ich euch Pfeffer in den Hintern. Was ich euch beibringen soll, werdet ihr lernen. Wenn ihr es nicht lernt – auf dem Soldatenfriedhof ist Platz genug für euch halbe Menschen.«

In der Kompanie war keiner größer als Louis. Danach hatte man sie ausgesucht.

»Die anderen Unteroffiziere sind ihr Leben lang beim Militär gewesen«, sagte der *sergent.* »Ich bin durch eine härtere Schule gegangen. Man hat mir diese Schulterstücke gegeben, damit ihr mir gehorcht, und das werdet ihr tun, wenn euch euer Leben lieb ist. In der Schenke werden die Leute sagen: ›Das sind die Voltigeure.‹ Blaue Jacken, gelbe Kragen. Mein eigenes Kostüm«, sagte er und hatte ein ganz anderes Gesicht, wenn er davon sprach, »mein eigentliches Kostüm hat silberne Litzen und Rockaufschläge aus purpurrotem Samt. Kein *maréchal d'Empire* hat ein eleganteres.«

Er war beim Zirkus gewesen. Wenn man ihn dazu brachte, davon zu erzählen, war es wie beim Dottor Mauro. Er vergaß, dass er ihnen etwas beibringen sollte. Sie konnten durchatmen.

»Beim Zirkus«, sagte er, »geht man über das hohe Seil und kommt auf der anderen Seite an. Oder man verliert das Gleichgewicht und ist tot. Entweder oder. Etwas Drittes gibt es nicht. Applaus oder Totenmesse. Den Zuschauern ist es egal. Sensation ist Sensation. Dafür sind sie gekommen. Auf dem Schlachtfeld bekommt ihr keinen Applaus. Da ist es besser, ihr sterbt hier vor Erschöpfung.«

Er redete ununterbrochen, auch mit den Pferden. Sie schienen ihn besser zu verstehen als seine Rekruten. Blieben auf ein Zungenschnalzen stehen. Trabten los, wenn er es wollte.

Manchmal, wenn er gut gelaunt war oder besonders traurig, führte er ihnen ein Kunststück vor. Ließ auf dem Pferderücken ein Springseil wirbeln. Stand auf einem Bein. »Das müsst ihr nicht lernen«, sagte er, »aber in vollem Galopp hinter einem Dragoner aufspringen, das muss ein Voltigeur im Schlaf können. Auf dem Pferderücken stehen. Damals im Zirkus hatten wir einen dressierten Affen, der hat das auch gelernt. Was so ein Vieh kann, werdet ihr auch schaffen. Achmed hieß der Affe«, sagte er. »Sein bester Freund war ein Löwe. Bis der ihn eines Tages aufgefressen hat. Hunger ist stärker als jede Freundschaft.«

Der *sergent* ließ die Pferde an ihnen vorbeitraben. Wieder und wieder. Sie mussten hinter den Reitern aufspringen. Wieder und wieder. Nur dass es keine Reiter waren, sondern in den Sätteln befestigte Strohpuppen. »Die richtigen Dragoner braucht der Kaiser für seine Kriege«, sagte der *sergent*. »So wie er euch brauchen wird, wenn ihr eure Lektion gelernt habt. Die Voltigeure sind seine Idee. Ein Einfall mit doppeltem Nutzen. Zwei Reiter auf einem

Pferd. Den hinteren sieht der Feind nicht, weil er so klein ist. Und keiner kann sich mehr wegen seiner Größe vor der Aushebung drücken.«

Noch anstrengender wurde es, als sie das Aufspringen mit voller Ausrüstung üben mussten. Tornister und Gewehr. »Beklagt euch nicht«, sagte der *sergent*, »euer Marschgepäck ist leichter als das der anderen Soldaten. Auch daran hat der Kaiser gedacht. So ein Kaiser«, sagte er, »ist wie ein Zirkusdirektor. Wenn er auftritt, klatschen die Zuschauer, aber während er ihnen zuwinkt, denkt er darüber nach, wo er den Hafer für seine Pferde hernehmen soll. Ob er den Jongleur, der schon zweimal seine Keulen hat fallen lassen, entlassen soll oder ihm noch einmal eine Chance geben. Den *fildefériste* das nächste Mal mit verbundenen Augen aufs Seil schicken, weil da noch ein anderer Zirkus unterwegs ist. Die größere Sensation schlägt die kleinere. Für so einen Kaiser ist die ganze Welt ein Zirkus.«

Einer aus der Kompanie schaffte den Sprung nicht. Ein Pferdehuf traf ihn am Kopf.

»Im Zirkus wäre er wieder aufgestanden«, sagte der *sergent*. »Ihr seid eben keine Zirkusleute, sondern jämmerliche Rekruten. Damals«, sagte er, und sie sahen seinem Gesicht an, dass sie sich eine Minute lang würden ausruhen können, »damals hatten wir auch so eine Truppe Leute wie ihr, nur waren sie noch kleiner. Keiner größer gewachsen als bis zu eurem Bauchnabel. Sie konnten nichts Besonderes, aber die Zuschauer haben sie geliebt, weil man sie so wunderbar auslachen konnte. So wie man euch auslachen wird, wenn ihr weiter faul auf euern Hintern sitzt.«

Ließ die Pferde wieder antraben.

28

Einen aus der Kompanie nannten sie »das Kind«, weil er nachts im Schlaf nach seiner Mutter rief. Der *sergent* hatte ihnen verboten, sich über ihn lustig zu machen. Sie taten es trotzdem.

Eines Tages hielt das Kind den Drill nicht mehr aus. Lief davon. Er kam nicht weit. Zwei Bauernknechte brachten ihn zurück. Wurden dafür bezahlt. Zum festgelegten Preis. Die Armee hat für alles ihre Vorschriften.

Weil er nicht der Erste war, der weggelaufen war, auch nicht der Zweite oder Dritte, beschloss man an höherer Stelle, ein Exempel zu statuieren. In Kriegszeiten kann man auf keinen Soldaten verzichten. Sie nannten es Desertion. Verurteilten ihn zum Tod.

»Sie wollten ihn gleich erschießen«, sagte der *sergent*. »Ich habe darum gebeten, dass es seine eigene Kompanie machen darf. Jetzt könnt ihr zeigen, wie gut ihr das Schießen gelernt habt.«

Sie verstanden ihn nicht. Wo er das Kind doch immer beschützt hatte.

Zur Ausrüstung der Voltigeure gehörte das *mousqueton*, ein kurzes Gewehr für kurze Leute. Bei einem längeren hätte der Schaft an die Kruppe des Pferdes geschlagen. Auch daran hatte der Kaiser gedacht. Man hatte sie so lang gedrillt, bis sie den Ablauf mit geschlossenen Augen hätten ausführen können. Das Ende der Papierpatrone abbeißen. Die Kugel im Mund behalten. Die Hälfte des Schwarzpulvers auf die Pfanne schütten. Die Pfanne verschließen. Den Rest des Pulvers in den Lauf schütten. Die Kugel hinterher. Das Papier als Pfropfen. Mit dem Ladestock andrücken. Den Hahn spannen.

Schießen.

Wieder von vorn.

Drei Schuss pro Minute, das war das Ziel. Die besten von ihnen schafften alle drei Minuten einen Schuss. Bisher.

»Ich habe die Musketen schon für euch geladen«, sagte der *sergent*. »Ihr müsst nur den Hahn spannen und abdrücken.«

Damit keiner das Pulver verschüttet, wenn ihm vor Aufregung die Hände zittern.

Das Kind hatten sie an einen Pfahl gebunden. Ihn mit Stricken festgezurrt. Auch dafür gab es Vorschriften. Wenn er vor Angst zusammensackte, würde das den Ablauf stören.

Voltigeure, aufstellen. Zehn Schritt Abstand.

Mit einer Muskete kann man einen Menschen auf hundert Schritt töten. »Wartet trotzdem, bis der Feind direkt vor euch steht«, hatte man ihnen beigebracht.

Das Kind stand direkt vor ihnen.

Man hatte ihm – auch dafür gab es Vorschriften – die Uniformjacke ausgezogen. Aus den Hosen würden sich die Blutflecken auswaschen lassen, aber ein Dutzend Einschusslöcher sind nicht zu stopfen.

An seinem Hemd befestigte der *sergent* ein Stück Papier.

Auf der linken Brustseite. Sorgfältig in Herzform ausgeschnitten. Sie verstanden ihn immer weniger.

Das Kind murmelte Unverständliches. Ein Gebet oder das letzte Gespräch mit seiner Mutter.

Der *sergent* verlas das Urteil des Kriegsgerichts. Louis hatte noch nicht genug Französisch gelernt, um mehr zu verstehen als »Im Namen Seiner Majestät« und »im Angesicht des Feindes«.

Dann gab der *sergent* die Kommandos. So wie sie nach den Vorschriften gegeben werden mussten.

Spannt die Hähne.

Legt an.

Feuer.

Das Kind sackte zusammen. Aber da war kein Blut.

»Im Zirkus war die Nummer immer ein großer Erfolg«, sagte der *sergent*. »Ich habe die Pulvermischung von einem Kunstschützen gelernt. Es knallt, aber die Kugel bleibt im Lauf. Bindet ihn schon los, verdammt noch mal! Worauf wartet ihr?«

Die Vorschriften besagen, dass niemand für dieselbe Tat zweimal hingerichtet werden darf. Wenn der Strick des Henkers reißt oder das Erschießungskommando versagt, gilt der Verurteilte als begnadigt.

Nur dass sich dann herausstellte, dass die Rettung keine Rettung gewesen war. Der Mann, den alle »das Kind« nannten, hatte die eigene Hinrichtung überlebt, aber er hatte dieses Überleben nicht bemerkt. Redete immer weiter mit seiner Mutter. Auch noch am nächsten Tag und am übernächsten. Mit Laudanum konnte man ihn in den Schlaf zwingen. Sobald er aufwachte, ging es wieder los. Die Zeit war für ihn stehen geblieben. Exakt in dem Moment, als er das Kommando zum Feuern gehört hatte.

Schließlich musste man ihn entlassen. Als Soldat war er nicht mehr zu gebrauchen.

»Manchmal misslingt ein Trick«, sagte der *sergent*.

29

Bei ihrem ersten Krieg kamen sie nie an. Es gab zu viele davon. Vielleicht hatte der Kaiser den Überblick verloren.

Pferde, auf die sie hätten aufspringen können, gab es keine. Nicht für sie. Sie marschierten und marschierten. Wenn sie am Morgen geweckt wurden, pissten sie als Erstes in ihre Schuhe. Das sollte gegen die Blasen helfen. Vielleicht war es ein Aberglaube.

Wohin sie unterwegs waren, sagte man ihnen nicht. Am späten Nachmittag brannte ihnen die Sonne in die Augen. Also ging es nach Westen. Spanien oder Portugal, hieß es. Louis konnte sich unter beiden Ländern nichts vorstellen. »Ein anderer Berg und ein anderer Kirchturm«, hatte der Marchese gesagt.

Hinter ihnen folgten die Karren mit dem Proviant. Hätten die Karren mit dem Proviant folgen sollen. Die Ration Zwieback im Tornister durfte nicht angerührt werden. Die Offiziere langweilten sich. Hatten Zeit für Kontrollen.

Die Bauernhöfe entlang der Straße leer geplündert. Man nannte es »requirieren«. Wenn sich etwas Brauchbares fand, bekamen die Besitzer Requisitionsscheine. Mit denen sie sich den Hintern abwischen konnten.

Wenn sich nichts fand, ging man davon aus, dass die

Bauern ihre Vorräte versteckt hatten. Bauern haben immer Vorräte. Man suchte danach, wie es Leandro getan haben würde. Nahm sich den Bauern vor. Noch besser seine Frau. Am allerbesten seine Tochter. Hübsch oder nicht, das spielte keine Rolle. Der Soldat nimmt, was er kriegen kann.

Beim ersten Mal hätte er dazwischengehen wollen. Später schämte er sich, dass er es nicht getan hatte.

Noch später schämte er sich nicht mehr. Man gewöhnt sich.

Das Mädchen etwa so alt, wie Maria es gewesen war. Die beiden Soldaten, die sie festhielten, fassten sie nicht nur an den Armen.

Der Bauer sprach ein schwer verständliches Französisch. Das kam ihnen gelegen. Je fremder jemand scheint, desto leichter fällt es, ihn zu misshandeln.

Der Anführer ihres Trupps – nicht von oben bestimmt, nicht von unten gewählt – war einer, dessen Namen Louis nicht kannte. Kein Offizier, noch nicht einmal ein *brigadier*. Im Gegenteil: Wenn einer von denen in der Nähe war, gab er sich unterwürfig. Aber hier war er der Anführer. So wie im Martinitt die Giuseppini die Anführer gewesen waren.

»Wo hast du die Lebensmittel versteckt?«, fragte der Anführer.

»Bitte, lassen Sie meine Tochter los«, sagte der Bauer. Er war einen Kopf größer als die Voltigeure. Aber er hatte keine Muskete.

»Wo?«, sagte der Anführer.

»Wir haben nichts versteckt«, sagte der Bauer.

»Schade«, sagte der Anführer. »Dann müssen wir deine

Tochter mitnehmen. Es wird uns schon einfallen, was sich mit ihr anstellen lässt.«

Ja, bestätigten die Soldaten, in diesem Punkt würde es ihnen nicht an Fantasie fehlen.

Sie ließen das Mädchen noch ein bisschen weinen, dann gab der Bauer nach. Ein Sack Kartoffeln, im Boden des leeren Stalls vergraben.

Wer keine Lerchen hat, frisst Krähen.

»Wir werden verhungern«, sagte der Bauer.

»Noch ein Wort, und wir nehmen deine Tochter trotzdem mit«, sagte der Anführer.

Manchmal machten sie ihre Drohung wahr. Schleppten ein Mädchen mit sich fort. Louis beteiligte sich nicht an dem, was dann passierte. Er hörte nur die Schreie.

»Frauen brauchen das«, sagte der Anführer.

Als sie bei einem Gebirge angekommen waren und die Straße nur noch bergauf ging, kam ein Meldegänger angeritten. Der Kaiser hatte seine Meinung geändert. Sie wurden in einem anderen Krieg gebraucht. In einer anderen Himmelsrichtung.

Wenn sie jetzt in den Abend hineinmarschierten, wärmte ihnen die untergehende Sonne den Rücken.

Sie nahmen denselben Weg, auf dem sie gekommen waren. Kamen wieder an dem Bauernhof mit dem Mädchen und den Kartoffeln vorbei. Der Hof war verlassen. Vielleicht hatte der Bauer nicht gelogen, und die Familie war verhungert.

30

So war Louis Chabos' erstes Gefecht:

Man hatte sie auf vieles vorbereitet. Auf den Pulverdampf. Den Lärm. Sogar auf die Toten.

Vom Blutgestank hatte keiner etwas gesagt. Kein Wort von dem metallischen Geruch, der sich in den Vordergrund drängte, wie sich beim Chorgesang im Martinitt der schrille Sopran von Schwester Cecilia in den Vordergrund gedrängt hatte.

Kein Wort von der Verwirrung. Krieg ist Verwirrung. Das hätten sie einem sagen müssen.

Avancez! Avancez!

Sie waren zusammmen losmarschiert. Wie sie es gelernt hatten. Sie hatten nicht genug gelernt. Links und rechts von ihm niemand mehr, den er kannte.

Wenn sie in der Ausbildung angegriffen hatten, zu Fuß oder hinter einem Dragoner, hatten sie das in einer Linie getan. In festgelegtem Abstand. »Gerade so weit auseinander, dass ihr euch nicht mit dem Ladestock erschlagt.«

Wenn sie in der Ausbildung geschossen hatten, zuerst mit Kugeln aus Holz und später mit richtigen, hatten alle im Takt die gleichen Bewegungen gemacht.

Wenn sie in der Ausbildung Krieg gespielt hatten, war eine Ordnung darin gewesen.

Jetzt waren die Regeln abgeschafft.

Er marschierte vorwärts, weil auch andere vorwärts marschierten. Atmete stoßweise. Ein Kind, das gleich beginnen wird zu weinen.

Einmal trat er auf etwas Weiches. Stellte sich vor, was es gewesen sein könnte, und traute sich nicht hinzusehen.

Keine zwei Schritte vor ihm schrie einer Unverständliches. War er in die feindlichen Linien geraten? Aber es war kein Russisch. Überhaupt keine Sprache. Ein französischer Füsilier, der seinen Schmerz hinausbrüllte. Eine Kugel hatte ihm den Bauch aufgerissen.

»Wenn es einer von den eigenen ist, erschießt man ihn«, hatte Ambro gesagt. Louis brachte es nicht fertig.

Eine Kanonenkugel fliegt schneller, als man schauen kann. Trotzdem hätte er geschworen, er habe eine über sich hinwegfliegen sehen. Hatte den Abschuss gehört und stellte sich den Einschlag vor.

Avancez!

Ein feindlicher Soldat rannte mit aufgepflanztem Bajonett auf ihn los. Louis hätte schießen müssen, aber sein Körper hatte vergessen, wie man das macht. Er schwang die Muskete wie eine Keule.

Russisches Blut riecht nicht anders als französisches.

Zwei Pferde galoppierten so nah an ihm vorbei, dass ihm der Schaum aus ihren Mäulern ins Gesicht flog.

Vor ihm oder hinter ihm ein Trompetensignal. Er konnte es nicht deuten. Ein eigenes oder ein fremdes?

Ein anderer Voltigeur hatte sich flach auf den Boden gelegt. Hatte die Angst nicht mehr ausgehalten. Louis drehte ihn auf den Rücken, um zu sehen, wer es war.

Es konnte jeder gewesen sein. Der Mann hatte kein Gesicht mehr.

Avancez!

Sie hatten sich gefragt, ob man die Kugel pfeifen hören würde, die einen traf. Ein *adjudant* hatte sie ausgelacht. »Wenn ihr sie pfeifen hört, ist sie schon vorbei.«

Zwei Franzosen, die zwischen sich einen dritten schleppten. Seine Beine schleiften über den Boden.

Ein Feuer. Wie konnte es ein Feuer geben, mitten auf einem Schlachtfeld?

Avancez!

Immer weiter.

Dann nicht mehr.

Die andern gingen langsamer. Wenn sie noch gehen konnten. Blieben stehen.

Nur noch vereinzelte Schüsse. Nicht mehr in der Nähe.

Soldaten, die sich auf den Boden setzten. Sich fallen ließen. Louis machte es ihnen nach.

In der Stille der eigene Atem. Das eigene Röcheln.

Der Ärmel seiner Uniformjacke voller Blut. Nicht sein eigenes. Gott sei Dank. Nicht sein eigenes.

Als das Signal zum Umkehren ertönte, hätte er nicht sagen können, wie lang er im Matsch gelegen hatte. Das Aufstehen brauchte alle Kraft, die er noch hatte. Der Weg zurück unendlich lang.

Vielleicht hatten sie gesiegt. Vielleicht auch nicht.

Er kam auch wieder an dem Soldaten mit dem aufgerissenen Bauch vorbei. Der Mann schrie immer noch.

Diesmal erschoss er ihn.

31

Zehn Schritte. Hundert Schritte. Tausend Schritte.
Das Land flach und leer.

Wenn das Wetter trocken war: Staub. Wenn es regnete: Morast.

Mücken. Wolken von Mücken.

»Hunger«, sagte Louis.

»Erzähl mir etwas Neues«, sagte der Voltigeur neben ihm.

»In Frankreich haben wir Bauernhöfe geplündert. Aber hier in Russland …«

»In Russland gibt es keine Bauernhöfe«, sagte der andere. »Weil hier nichts wächst.«

Zehn Schritte. Hundert Schritte.

»Wovon leben die Menschen?«, fragte Louis.

»Hast du hier Menschen gesehen?«, fragte der andere.

»Warum erobern wir so ein Land?«

»Weil wir sonst schon alles erobert haben«, sagte der andere. »Weil der Kaiser noch ein paar Verwandte zu versorgen hat. Weil er sich in seinem Palast langweilt. Ich weiß es doch auch nicht.«

Hundert Schritte. Tausend Schritte.

»Wenigstens die ganz große Schlacht ist uns erspart geblieben.«

»Wir kommen auch noch dran.«

»Weißt du, wo Borodino liegt?«

»Was hätte ich davon, wenn ich es wüsste?«

»Es soll ein großer Sieg gewesen sein.«

»Es ist immer ein großer Sieg«, sagte der andere.

»Ich habe gehört, Moskau ist sehr schön«, sagte Louis.

»Das ist das Schlimmste für eine Stadt«, sagte der andere. »Ein hässliches Dorf will keiner erobern.«

»Woher kommst du?«, fragte Louis.

»Davon will ich nicht reden«, sagte der andere. »Ich kann vieles aushalten. Fast alles. Nur nicht, wenn ich dabei an zu Hause denke.«

Er ging schneller, als ob er Louis davonlaufen wollte. Dann wartete er doch auf ihn. »Du?«, fragte er.

»Ich bin nie irgendwo zu Hause gewesen.«

»Vom Himmel gefallen?«

»So ähnlich«, sagte Louis.

Wenn man sich unterhielt, flogen einem die Mücken in den Mund. Aber man konnte nicht immer nur schweigen.

Noch einmal tausend Schritte.

»Sie haben uns beigebracht, auf Pferde aufzuspringen«, sagte Louis. »Und jetzt gibt es keine Pferde.«

Seit Borodino hieß die Reiterei Kavallerie zu Fuß.

»Sie haben uns auch beigebracht, wie man Menschen umbringt«, sagte der andere. »Menschen gibt es immer genug.«

»Nicht hier«, sagte Louis.

»Russland ist groß.«

»Zu groß für uns?«

»Ich war einmal an einer Hochzeit eingeladen«, sagte der andere, »da war ein Kunstfresser. Der hat gewettet, dass er sieben gebratene Hühner hintereinander aufessen kann.«

»Hat er gewonnen?«

»Er ist verhungert«, sagte der andere. »Ein Knochen ist ihm im Hals stecken geblieben, und sie haben ihn nicht herausgekriegt.«

Noch tausend Schritte.

»Warum ist dir dieser Kunstfresser eingefallen?«, fragte Louis.

»Er hätte auch gewettet, dass er Russland verschlucken kann.«

Der Himmel hatte sich verdunkelt. Es war deshalb nicht kühler geworden. Von fern hörte man das Donnern eines Gewitters.

»Klingt wie Kanonen«, sagte Louis.

Der Wind blies ihnen Staub ins Gesicht wie einen zweiten Mückenschwarm.

»Bei der Aushebung habe ich gedacht, dass sie mich nicht nehmen würden«, sagte Louis. »Weil ich so klein bin. Dann bin ich gerade deshalb Voltigeur geworden.«

»Ich bin Voltigeur geworden, weil ich so dumm bin«, sagte der andere. »Zu dumm, um mich vor der Aushebung zu drücken.«

»Ich habe mich freiwillig gemeldet.«

»Dann bist du noch dümmer.«

»Wenn der Kaiser sich hätte stellen müssen – meinst du, sie hätten ihn auch zum Voltigeur gemacht?«

»Nein«, sagte der andere. »Dafür ist er ein zu großer Mann.«

Tausend Schritte. Hundert Schritte. Zehn Schritte.

Dann fing es an zu regnen.

32

Sie waren in Moskau einmarschiert. Die Stadt hatte gebrannt. Jetzt waren sie auf dem Rückzug.

Den Anschluss an die eigene Kompanie hatte Louis verloren. Die Waffengattungen waren durcheinandergeraten. Den Offizieren war es egal. Sie hatten es noch eiliger als ihre Truppen.

Auch Frauen waren dabei. Kinder. Krieg ist ein Magnet.

Gefangene in russischen Uniformen trieben Kühe. Die Tiere bis auf die Knochen abgemagert.

Manchmal gab es Angriffe. Kleine Trupps, die sich gleich wieder zurückzogen.

Ich verstehe die Russen nicht, dachte Louis. Warum halten sie uns auf? Sie müssen doch froh sein, dass wir uns zurückziehen.

Wenigstens keine Mücken mehr. Dafür war es zu kalt geworden.

Wenn einer am Straßenrand lag, verwundet oder einfach erschöpft, hielt man deswegen nicht an. Es gab zu viele davon.

Einmal durchbrach Louis diese Regel. Da lag ein Voltigeur. Nicht aus seiner Kompanie. Aber er hatte die blaue Jacke mit dem gelben Kragen.

Das Gesicht des Mannes aufgedunsen. Blaue Flecken auf der Haut. Fieber.

Er konnte nur mit Mühe sprechen. »Kopfschmerzen. Furchtbare Kopfschmerzen.«

Louis sah die Krankheit nicht zum ersten Mal. »Der Tod ist ein Russe«, sagte man.

Er gab dem Kameraden Wasser zu trinken. Mehr konnte er nicht für ihn tun. Wollte weitergehen, als er mitten in der Kolonne einen Kastenwagen kommen sah. Er hatte von dieser neuen Einrichtung erzählen hören. Angetroffen hatte er sie noch nie. Ein zweirädriger Karren. Doppelt bespannt. Das dunklere Dach gewölbt wie der Deckel einer Kleiderkiste. Weiße Buchstaben.

Ambulance.

Der Mann auf dem Bock trug eine Uniformjacke, Unpassend für einen Kutscher. Zwei rote Streifen auf den Epauletten. *Colonel en second.* Hatte sie wohl einem Toten abgenommen, weil sie wärmer war als die eigene.

Als Louis sich dem Karren in den Weg stellte, schlug der Kutscher mit der Peitsche nach ihm. Trieb die Pferde an. Sie waren besser genährt, als man sie sonst antraf. Edle Tiere. Wie aus dem Kutschstall eines Grafen.

»Ich schicke dir Hilfe«, sagte Louis zu dem Kranken. Der hörte ihn nicht mehr.

Man lagerte, wo man konnte. Hielt an, wenn es dunkel wurde. Die Erschöpfung zu groß. Wenn man Holz fand, machte man ein Feuer. Zündete auch schon mal eine Hütte an. So wie es Ambro gemacht hatte.

Der Ambulanzkarren war auf der verstopften Straße nicht weiter gekommen als er. Die Pferde immer noch im

Geschirr. Umgehängte Futtersäcke. Wo es doch nirgends mehr Futter gab.

Den Kutscher sah Louis von Weitem an einem Feuer sitzen. Außer ihm saßen dort nur Offiziere. Sie glaubten ihm wohl seine Uniform.

Später, als alles schlief, schlich Louis zum Ambulanzkarren. Die hintere Klappe war mit einem Vorhängeschloss gesichert. Eine der Fensterluken ließ sich anheben. Mit einem brennenden Ast leuchtete er ins Innere.

Kisten und Säcke. Ein großes goldenes Kreuz. Heiligenbilder in juwelenbesetzten Rahmen.

In Moskau geplündert.

Der *colonel*, überlegte Louis, war tatsächlich ein *colonel*. Die Offiziere, die an der Glut des Lagerfeuers schliefen, wussten Bescheid. Hatten sich zusammengetan, um ihr Beutegut zu retten. Wenn schon der Krieg nicht zu gewinnen war. Versteckt in einer Ambulanz.

Die Kranken konnten am Straßenrand verrecken.

Er musste etwas unternehmen.

Für das, was ihm schließlich einfiel, schämte er sich, schon während er es tat. Er konnte nicht zulassen, dass sie mit ihrer falschen Ambulanz einfach weiterfuhren.

Mit Pferden hatte er umgehen gelernt, dafür hatte der *sergent* gesorgt. Sie ließen ihn an sich herankommen, ohne nervös zu werden. Ließen sich tätscheln und streicheln. Hoben, als er sie dort anfasste, das Vorderbein, wie man es ihnen für das Beschlagen beigebracht hatte.

Unterhalb des Wurzelgelenks lassen sich Sehnen und Bänder leicht durchtrennen. Man braucht nur ein Rasiermesser.

Am nächsten Morgen brach Louis vor den Offizieren auf.

33

Da war eine Brücke, die überquert werden musste.
Nur noch diese eine Brücke. Dann war man in Sicherheit.

Da war keine Brücke.

Gestern, hieß es, war der Fluss noch gefroren gewesen.
Vorgestern. Zu Fuß hätte man ihn überqueren können. Das
Eis hätte auch die allergrößte Kanone getragen. Mit sechs
vorgespannten Pferden.

Hieß es.

Dann war dieses verdammte Tauwetter gekommen.
Auch Petrus war ein Russe. Tagelang hatte er sie schlottern
lassen. Jetzt, wo sie die Kälte brauchten, schickte er ihnen
warme Winde.

Ein paar Leute, hieß es, hätten versucht, von Eisscholle
zu Eisscholle zu springen. Gelungen sei es keinem.

Ich hätte es geschafft, dachte Louis. Das Springen habe
ich gelernt.

Da war keine Brücke, aber alle drängten zu ihr hin. Ließen
sich von einer doppelten Reihe Grenadiere nicht aufhalten.

Der Kaiser, hieß es, hatte auch dafür vorgesorgt. Hatte
Pontoniers nach Russland mitgenommen. Holländische
Pontoniers. Die bauten dir über jeden Fluss einen Steg. So
schnell, dass man nur staunen konnte.

Aber, hieß es auch, so wie es für die Feldküchen nichts mehr zu kochen gab, gab es für die Pontoniers keine Pontons mehr. Man hatte sie verbrannt, damit sie nicht dem Feind in die Hände fielen. Weil man ihre Zugtiere für die Kanonen brauchte, die ans andere Ufer gerettet werden mussten.

Über das Eis, das es nicht mehr gab.

Da war eine Stadt. Zwischen ihren Häusern führte die Straße zum Fluss. Zehnmal breiter wäre sie zu eng gewesen.

Nur ein paar Schritte von Louis entfernt wurde eine Frau von den Füßen gerissen. Stand nicht mehr auf. Ein paar Schritte von ihm entfernt.

Der Kaiser, hieß es, ließ auch ohne Pontons eine Brücke bauen. Mehrere Brücken. Eine für die Kanonen. Eine für die Soldaten. Eine für was auch immer. Was der Kaiser befahl, wurde gemacht.

Die Leute redeten nicht miteinander, dazu hatten sie keine Zeit. Hörten trotzdem alles, was geflüstert wurde.

Dass der Kaiser tot war. Geflohen. Dass er für die feindlichen Heere eine Überraschung vorbereitete, die den Zaren um Gnade winseln lassen würde.

Auf der anderen Seite des Flusses.

Je näher man dem Ufer kam, desto heftiger wurde das Gedränge. Steigerte sich noch einmal, als man sehen konnte, dass da tatsächlich etwas war.

Ein Steg.

Zu dem man nur über die sumpfige Uferböschung gelangte.

Gestern war sie noch gefroren gewesen. Hieß es. Vorgestern. Man hätte sich auf den Hintern setzen und hinunterrutschen können. Hätte über das Eis laufen können wie über einen gepflasterten Weg.

Heute versanken die Füße im Matsch. Wer hinfiel, stand nicht mehr auf. Man ließ ihn nicht aufstehen. Man hatte es eilig.

Der Steg war schmal. Die Horde der Flüchtenden quetschte sich zusammen wie in einem Trichter.

Louis warf seinen Tornister weg. Das *mousqueton*. Er war nicht der Erste, der es so machte. Mit dem, was da im Dreck lag, hätte man mehrere Kompanien ausrüsten können.

Seinen Platz in der Reihe verteidigte er mit dem aufgeklappten Rasiermesser.

Dann war er auf dem Steg.

Rohes Holz. Knüppel.

Nicht stolpern. Nicht ausrutschen.

Auf dem hohen Seil kommt man auf der anderen Seite an. Oder man bricht sich den Hals.

Einer war den andern zu langsam. Wurde ins Wasser gestoßen. Das gestern noch gefroren gewesen war. Vorgestern. Er zappelte nicht lang.

Einen Fuß vor den andern. Nicht zu langsam. Nicht zu schnell.

Der Lärm der Menge immer weiter entfernt. Er hörte den Atem seines Hintermanns.

Die Hälfte geschafft. Mehr als die Hälfte.

So breit war der Fluss gar nicht. Wenn man jetzt ins Wasser fiel, würde man das Ufer erreichen können.

Irgendwie.

Als der Steg zusammenbrach, geschah das ganz langsam.

Ein Segment.

Das nächste Segment.

Ein Loch, das sich zu ihm hin fraß.

Keine Schreie. Als der Boden unter ihm wegbrach, fragte er sich immer noch, warum man keine Schreie hörte.

34

Heiße Kartoffeln«, sagte der Marchese. »Kartoffeln. Kartoffeln. Kartoffeln. In ein Tuch wickeln und auflegen.«

Mit seinem Stock schlug er auf Louis' Hand. Wieder. Wieder. Wieder. Leandro hielt ihn fest. Blutete aus der Nase. Hielt ihn fest.

»Es ist keine Suppe mehr da«, sagte Leandro.

»Wer keine Suppe isst, hat den Frühling verpasst«, sagte Pasquale. Wo ihn die Kugeln getroffen hatten, konnte man in ihn hineinsehen. »Kommen Sie, sehen Sie, staunen Sie. Der stärkste Mann der Welt.«

Die Leute drängten sich. Jeder Blick ein Scudo.

In meiner Familie handelt man nicht.

Der Marchese schlug wieder auf Louis' Hand. Schlug im Takt. Die Mutter Oberin schlug im Takt. »Leg dich über den Stuhl«, sagte sie. »Du bist jetzt kein Kind mehr.«

Seine Hand wie Feuer. Ambro hatte die Stadt angezündet, um eine Ziege zu braten. Der Ziegenkopf lag auf dem Boden. Sang ein Lied. »Einmal wird es meiner sein«, sang der Ziegenkopf. Eine Narbe vom Mund bis zum Ohr.

»Ich bin ein Pfarrer«, sagte der Ziegenkopf. »Ich bin ein Bischof. Ich bin der Papst.«

Ziegenkopf. Pferdekopf. Ziegenkopf. Pferdekopf.

Das Pferd hinkte. Das Vorderbein ein Spazierstock aus schwarzem Holz. Der Knauf aus Silber.

»Wir wollen nur Gold«, sagte der *colonel.* Zwei rote Streifen auf den Epauletten. Saß auf dem Kutschbock und schlug Louis mit der Peitsche. Auf die Hand. Auf die Hand.

Aber er hatte doch keine Hand mehr.

»So erntet man keine Trauben«, sagte Maria.

An den Reben wuchsen Äpfel. Fielen zu Boden. Wurden nicht zertrampelt. Man konnte sie aufheben.

»Ein Jahr«, sagte der Richter.

»Ich bin zwölf Jahre alt, Herr Marchese.«

»Meine Tante hat zwölf Hühner«, sagte Pasquale. »Bei der nächsten Ziehung werden sie gezogen.«

Louis lag in der Schüssel mit den Losen. Die Schüssel schwankte hin und her. Hin und her.

Wenn eine Kanonenkugel einschlägt, bebt der Boden. Wenn man sie hört, ist sie schon vorbei.

Seine Hand war eine Glocke. Er musste ihre Schläge zählen. Eins. Zwei. Drei. Vier.

Weil du geweint hast, müssen wir von vorn beginnen.

Eins. Zwei.

Er konnte alles hören. Auch die unsichtbare Bombe in seiner Tasche. Alles hörte er.

Pferdegetrappel hörte er.

Reiter aus Stroh.

»Das sind die besten Soldaten«, sagte der *sergent.* »Zirkussoldaten. Es stört sie nicht, wenn man sie erschießt. Ich habe die Mischung von einem Kunstschützen.«

»Erschießen ist keine Kunst«, sagte der Marchese.

»Töten kann man mit allem«, sagte Ambro.

Mit einem Rasiermesser muss man jemandem die Kehle durchschneiden können.

Der Schaum wie frisch geschlagene Sahne.

Warum hatte er keinen Hunger? Jemand hatte seinen Hunger gestohlen.

Das Kind des Königs aus der Wiege gestohlen. Das Kind des Königs heißt Louis Chabos.

»Franzose oder Italiener?«

Der Steg ist nur für Franzosen da.

»Du bist kein Franzose. Du bist ein Frosch.«

Alle Frösche sind Voltigeure.

Springen und schießen. Springen und schießen. Springen und schießen.

Weil es der Kaiser so haben will.

Der Kaiser.

Louis war nicht wach gewesen und schlief trotzdem ein. Schlief lang.

Bis er eine Stimme sagen hörte: »Wenn Sie einmal schauen wollen, Herr Doktor? Ich glaube, er wacht auf.«

35

F ür einen Arzt ist der Krieg eine Chance«, sagte Docteur Dutoit. »Nirgendwo sonst hat ein Wissenschaftler für seine Forschungen so viel Material zur Verfügung.«

Seine Zuhörerinnen waren keine Studenten. Den Lehrstuhl an der Universität hatte er nie bekommen. Dort waren nur Rindviecher gefragt, die am Futtertrog ihrer Professur längst überholte Thesen wiederkäuten.

Er hielt keine Vorlesungen, sondern Vorträge. Mit praktischen Demonstrationen. Für Damen der gebildeten Stände. Ein bescheidener Kursbeitrag zur Deckung der Unkosten.

»Wie viele zerschmetterte Knochen sieht ein gewöhnlicher Arzt in seinem ganzen Leben? Zwanzig? Dreißig? Aber im Feld …«

Er sagte gern: »Im Feld.« So wie er auch die Heimkehr aus Russland gern dramatisch schilderte.

Die Flucht, nun ja. Wenn böswillige Menschen es so nennen wollten – es war unter seiner Würde, darüber zu diskutieren.

Bei der Armee hatte man ihn sofort genommen. Hatte ihm einen imposanten Titel verliehen. *Chirurgien-major.* Als *major* war man Stabsoffizier.

Die Verwundeten waren dankbar gewesen, wenn er ihnen ein Bein amputierte. Einen Arm. Sie wussten, dass sie ihm ihr Leben verdankten.

»Im Feld habe ich Schreckliches gesehen«, sagte Docteur Dutoit. »Dinge, die ich hier nicht beschreiben kann, ohne die Gefühle meiner Zuhörerinnen zu verletzen. Aber ich habe auch die Befriedigung erlebt, vielen tapferen Soldaten das Leben retten zu dürfen.«

Natürlich, die meisten starben später an Wundbrand. Aber im Prinzip …

»Bei meiner Arbeit habe ich Dinge erfahren, die man an keiner Universität lernen kann. Die mich an vielem zweifeln ließen, das man mir beigebracht hatte. Wie sagte doch der weise Descartes? *Dubium sapientiae initium.*«

Er streute gern lateinische Sätze in seine Vorträge. Er wusste, dass seine Zuhörerinnen kein Latein verstanden.

»Zweifel ist der Weisheit Anfang«, übersetzte er. »Ein Wissenschaftler muss jederzeit bereit sein, Althergebrachtes infrage zu stellen. Scheinbare Gewissheiten neu zu überprüfen. Der eigenen Beobachtung zu vertrauen.«

Ein Wissenschaftler wie er.

»Manchmal, nach einer großen Schlacht, arbeiteten wir vierundzwanzig Stunden ohne Pause. Und konnten doch nicht alle verwundeten Soldaten behandeln.«

Weil die Offiziere den Vorrang hatten.

»Bei vielen konnten wir nicht mehr tun, als ihre Schmerzen mit einer Opiumtinktur zu lindern. Die Wunden mit Umschlägen vor Miasmen zu schützen. Aus dieser Not heraus«, sagte Docteur Dutoit, »und aus dem festen Entschluss, unsere Helden auch unter schwierigsten Umständen nicht im Stich zu lassen, habe ich eine Entdeckung gemacht, die – lassen Sie mich das in aller Bescheidenheit sagen – eine Revolution in der medizinischen Wissenschaft bedeutet. Ein Umsturz, der mehr als einen Lehrstuhl ins Wanken bringen wird.«

Er trank ein Glas Wasser. Ein guter Redner steigert die Spannung durch kunstvoll gesetzte Pausen.

Als er ihre volle Aufmerksamkeit hatte, setzte er seinen Vortrag fort. »Uns waren auf dem langen Feldzug die Heilmittel ausgegangen, aber ein Arzt hat seine Pflicht zu tun wie ein Soldat. Wenn man keine Kugeln mehr hat, kämpft man mit dem Säbel weiter. Mit dem Bajonett. Wenn nötig mit bloßen Händen.«

Seine Zuhörerinnen sahen ihn an, wie man einen Helden ansieht.

»In meiner Not fiel mir ein Satz von Paracelsus ein: ›Zu jeder Krankheit, die Gott erschuf, erschuf er auch die Medizin.‹ Ich habe aus der Not eine Tugend gemacht. Aus Honig, Kräutern und anderen einfachsten Elementen habe ich eine Latwerge gemischt, die wir auf die Verletzungen aufgetragen haben. Die genaue Liste der Zutaten werden Sie in der wissenschaftlichen Arbeit nachlesen können, an der ich arbeite. *Die Geheimnisse der Altvordern im Zeitalter der Wissenschaft.*«

Von Docteur Alexandre Dutoit, *chirurgien-major*.

Professeur Alexandre Dutoit.

»Ich habe wundersame Heilungen erlebt«, sagte er. »Nicht in jedem Fall, natürlich nicht. Aber mehr als einmal haben wir nach Entfernung des Verbands festgestellt, dass kein chirurgischer Eingriff mehr notwendig war. Dass die zwei wichtigsten Verbündeten des Arztes ihren Dienst getan hatten: die Natur und die Zeit. Und so wage ich es, Ihnen heute einen Patienten zu präsentieren, den ich nach der Methode Dutoit behandelt habe. Ich bin sicher, Sie werden sich mit ihm über seine Genesung freuen können.«

Hinter ihm öffnete der Pfleger die Tür.

Frauen. Starrten ihn an.

Er war Menschen nicht mehr gewohnt. All die Tage – Wochen? Monate? – hatte er außer Docteur Dutoit niemanden gesehen. Den Pfleger, ja. Aber ein Pfleger war ein Diener. Diener zählen nicht.

Dutoit hatte immer wieder an seiner Pritsche gestanden. Louis musste ihm dankbar sein, weil er ihn im Lazarettkarren hierhergebracht hatte. Er hasste ihn, weil er immer nur sagte: »Der Schmerz ist ein Zeichen der Heilung.«

Wenn man ihn sehr darum bat, träufelte er eine klare Flüssigkeit auf einen Löffel. Dann konnte man ein paar Stunden schlafen.

Aber im Schlaf kamen die Träume.

»Kommen Sie nur, mein lieber Louis«, sagte Dutoit. Die Stimme zuckersüß. Wo hatte er so eine Stimme schon einmal gehört?

»Setzen Sie sich auf diesen Stuhl.« Zu den Frauen: »Der Patient ist noch sehr schwach. Das ist nur natürlich.«

Krieg ist natürlich. Ein einstürzender Steg ist natürlich.

»Bevor wir gewissermaßen zur Enthüllung schreiten …« – die Zuhörerinnen lachten – »… möchte ich Ihnen unseren Probanden kurz vorstellen. Name?«

»Louis Chabos.«

»Stammend aus?«

»Mailand. Das heißt … Ich weiß es nicht.«

»Leichte Verwirrung wird als Nebenwirkung oft beobachtet«, sagte Dutoit. »Militärische Einteilung?«

»Ich bin Voltigeur. War Voltigeur.«

»Entstehung der Verletzung?«

»Da war kein Boden mehr unter meinen Füßen«, sagte Louis Chabos.

Eine der Zuhörerinnen rief: »Lauter!«

»Wir wollen den Patienten nicht überfordern«, sagte Dutoit. »Lassen Sie mich die medizinische Vorgeschichte kurz zusammenfassen.«

In seiner Erzählung hatte es an dem Fluss keine Flucht gegeben. Eine strategische Umgruppierung. Der Steg war nicht eingestürzt, weil sich zu viele Menschen auf ihm gedrängt hatten, sondern weil er von einer Kanonenkugel getroffen worden war. Aber was Dutoit von Louis' Verletzung erzählte, das konnte so gewesen sein.

Louis erinnerte sich an nichts. Nur daran, dass das Wasser kalt gewesen war.

»Die Holzplanken müssen sich verkeilt haben«, sagte Docteur Dutoit. »Müssen seine Hand eingeklemmt haben. Sie geradezu zerrieben. Wie in einem Mörser, wenn Sie mir den Vergleich gestatten.«

Noch einmal ein Schluck Wasser. Seine Zuhörerinnen sollten Zeit haben, sich das Bild vor Augen zu führen. Er machte sich nichts vor: Die bürgerlichen Damen kamen wegen der Scheußlichkeiten.

»Wie der Patient ans Ufer gelangt ist, wissen wir nicht. Er konnte damals nicht befragt werden und leidet auch heute noch unter partiellem Gedächtnisverlust. Sein ganzer Körper war stark unterkühlt. Multiple Verletzungen. Die unterdessen alle gut ausgeheilt sind. Bis auf die rechte Hand.«

Bis auf die Hand.

»Die Entzündungszeichen *rubor, tumor, dolor, calor* und *functio laesa* sowie eine ausgeprägte *crepitatio* ließen mehrfache Frakturen der *ossa metacarpi,* der *corpora phalangis,* der *phalanx media* und der *phalanx distalis* vermuten. Ich kann Ihnen die Fachausdrücke nachher gern am Skelett erläutern.«

Das Skelett war immer eine Attraktion.

»Ein Schulgelehrter«, sagte Docteur Dutoit und hoffte, dass das Wort verächtlich genug klang, »ein Schulgelehrter hätte nichts anderes gewusst, als das ganze Körperglied zu amputieren. Ich bin anders vorgegangen. Habe die verletzte Hand in meine spezielle Latwerge gepackt und luftdicht verbunden. Dann habe ich der Natur Zeit gegeben. Viel Zeit. Sieben mal sieben Tage. Das ist die Zahl, die schon die Alten in ihren Schriften empfehlen. Die Weisen der Antike waren keine dummen Leute. Der Heilungsprozess hat in dieser Zeit große Fortschritte gemacht.«

»Es tut weh«, sagte Louis.

»Das ist gut«, sagte Docteur Dutoit.

Dann machte er sich mithilfe des Pflegers daran, den Verband abzunehmen. Ohne Beeilung. Das war die praktische Demonstration, die er seinen Zuhörerinnen versprochen hatte.

Die Stoffbinde aufschneiden.

Sich nicht ablenken lassen, wenn der Patient bei jeder Berührung zusammenzuckt.

Schicht um Schicht abwickeln.

»Gleich können Sie mit eigenen Augen sehen, wie mirakulös die Methode Dutoit funktioniert.«

Die letzte Schicht.

Als Louis' Hand, oder was von ihr übrig war, sichtbar wurde, begann eine Frau zu würgen.

II

37

Seit Louis Chabos beschlossen hatte, sich umzubringen, ging es ihm besser. Er wusste nur noch nicht, wie er es anstellen sollte.

Sich erschießen? Er hatte zu oft gesehen, was eine Kugel aus einem Körper machen kann.

Ins Wasser? Diesen Tod war er schon gestorben.

Sich mit dem Rasiermesser die Pulsadern aufschneiden? Das hätte der Marchese nicht gewollt.

So wie er müsste man es machen können. Sich ins Bett legen und nicht mehr aufwachen.

Die neue Heilmethode hatte nicht funktioniert. Docteur Alexandre Dutoit war kein Genie gewesen. Man hatte Louis die halbe Hand abschneiden müssen. Mit den drei Fingern waren auch die Schmerzen verschwunden. Kein Trost für die Gewissheit, dass er jetzt ein Krüppel war.

Die anderen Kriegsinvaliden im Park, der mit dem Holzbein und der ohne Augen, sagten: »Du hast Glück gehabt.« Louis Chabos war der Meinung, er habe in seinem ganzen Leben kein Glück gehabt.

Weil sich mit ihm keine wundersame Heilung beweisen ließ, hatte ihn Dutoit fortgeschickt. »Ich bin ein großzügiger Mensch«, hatte er gesagt. Hatte ihm zwanzig Francs in die Hand gedrückt.

Louis hatte davon noch nichts ausgegeben. Er brauchte das Geld für seinen Selbstmord.

Der Apotheker ein schmächtiger, kurzsichtiger Mann. »Opiumtinktur?«, sagte er. »Zu welchem Zweck?«

»Gegen die Schmerzen«, sagte Louis.

»Haben Sie Geld?«

»Zwanzig Francs.«

»Dafür werden Sie keine tödliche Dosis bekommen.«

»Davon ist nicht die Rede.«

»Es ist nie davon die Rede«, sagte der Apotheker. »Ein junges Mädchen will seine Bauchschmerzen mit Rizinusöl und Chinin behandeln. Von dem ungeborenen Kind ist nicht die Rede. Ein Müller kauft Rattengift, um seine Kornvorräte zu schützen. Von seiner Frau ist nicht die Rede. Einem Apotheker macht man nichts vor.«

Eine dicke Frau verlangte eine Flasche von dem Stärkungsmittel, das ihr beim letzten Mal so gutgetan habe.

Als sie wieder gegangen war, sagte der Apotheker: »Auch bei ihr ist von etwas nicht die Rede.«

»Das interessiert mich nicht«, sagte Louis.

»Ich weiß«, sagte der Apotheker. »Es interessiert Sie nichts außer Ihrem Gift. Sie sollen es auch bekommen. Eine ausreichende Dosis. Aber Sie müssen mich davon überzeugen, dass es keinen besseren Weg gibt, Monsieur Chabos.«

»Woher kennen Sie meinen Namen?«

»Meine Frau«, sagte der Apotheker. »Sie bildet sich. Redet sich ein, dass sie sich bildet. Geht zu allen möglichen Vorträgen. Auch bei Docteur Dutoit. Sie hat mir von Ihrem Fall erzählt. An der Hand habe ich Sie erkannt. Da sind Sie einem rechten Scharlatan aufgesessen.«

»Ich habe ihn mir nicht ausgesucht«, sagte Louis. »Er hat mir das Leben gerettet.«

»Das Sie jetzt wegschmeißen wollen«, sagte der Apotheker.

Ein alter Mann verlangte ein Mittel gegen seinen Husten. Bekam eine Tüte Lutschbonbons.

»Sie werden ihm nicht helfen«, sagte der Apotheker. »Seine Lunge ist kaputt. Ich habe mit dem Arzt gesprochen. Irgendwann wird er ersticken. Kein schöner Tod. Sie haben sich etwas Angenehmeres ausgesucht.«

»Können Sie nicht einfach …?«

»Einfach ist nichts«, sagte der Apotheker. »Ich schließe meinen Laden gegen acht. Klopfen Sie dreimal an die Tür. Dann setzen wir uns ins Hinterzimmer und reden darüber. Wir werden uns Zeit nehmen. Vielleicht ist es ja Ihr letztes Gespräch.«

38

In den Regalen: Porzellangefäße mit lateinischen Beschriftungen. Dunkelgrüne Flaschen.

Auf dem Tisch: ein weißes Tischtuch. Kerzen. Ein langes Brot. Käse. Wein. Ein kaltes Huhn, in handliche Stücke zerteilt.

»Ich habe mir gedacht: Mit nur einer Hand ist es so einfacher«, sagte der Apotheker.

»Ich bin nicht zum Essen gekommen«, sagte Louis.

»Glauben Sie mir«, sagte der Apotheker. »Hungrig stirbt es sich nicht leichter.«

Das Brot frisch aus dem Ofen.

Nach dem ersten Glas fragte Louis: »Was wollen Sie von mir?«

»Eine Erklärung«, sagte der Apotheker. »Sehen Sie, ich bilde mir ein, Menschenkenner zu sein. In meinem Beruf gehört das dazu. Zum Beispiel die Frau heute: Stark wie ein Pflugochse, klagt aber über Schwäche. Warum? Antwort: Sie betrinkt sich gern, schämt sich aber dafür. Mein patentiertes Stärkungsmittel enthält Alkohol. Weil es aus der Apotheke kommt, heilt es auch ein schlechtes Gewissen. Rätsel gelöst.«

»Und ich?«

»Sie sind ein komplizierterer Fall. Darum interessieren Sie

mich.« Der Apotheker zerteilte ein Stück Käse so sorgfältig, als käme es, wie bei einer medizinischen Mixtur, auf jedes Zehntelgramm an. »Einerseits – das ist der einfache Teil – wollen Sie jeden Centime, den sie besitzen, für Opiumtinktur ausgeben. Gegen die Schmerzen, sagen Sie. Natürlich wollen Sie sich damit umbringen, da brauchen wir nicht darum herumreden. So weit nichts Besonderes. Obwohl es bei Menschen Ihres Alters sonst meist um Liebeskummer geht. Andererseits ...« Jetzt musste auch die Rinde entfernt werden. Dazu brauchte er seine ganze Konzentration.

»Andererseits?«, sagte Louis Chabos. Ungeduldig.

»Eigentlich würden Sie gern weiterleben«, sagte der Apotheker. »Fragen Sie mich nicht, woher ich das weiß. Menschenkenntnis.«

»Das Leben hat mir nichts mehr zu bieten«, sagte Louis.

»Haben Sie schon einmal diesen Époisses aus dem Burgund probiert? Es gibt noch viele andere köstliche Käsesorten.«

»Wenn Sie mir jetzt erklären wollen, dass man auch als Krüppel schöne Dinge erleben kann ...«

»Will ich nicht. Sie werden Mühe haben, Arbeit zu finden. Es gibt den Erlass des Präfekten, dass Kriegsverletzte bei der Anstellung als Straßenfeger Vorrang haben sollen – aber Sie können ja keinen Besen halten.«

»Sehen Sie«, sagte Louis.

»Ich sehe etwas anderes«, sagte der Apotheker. »Dass zu so einem Selbstmord sehr viel Egoismus gehört.«

Vor Überraschung verschüttete Louis seinen Wein. »Entschuldigen Sie«, sagte er, »aber mit der linken Hand ... Ihr Tischtuch ...«

»Das muss Sie nicht mehr kümmern, wenn Sie morgen tot sind. Ich habe das Mittel für Sie bereit gemacht. Damit schlafen Sie ein, und im Schlaf hören Sie auf zu atmen. Völlig schmerzlos. Sie müssen mich nur überzeugen. Was wollte ich sagen?«

»Sie haben behauptet, ich sei Egoist.«

»Richtig. Weil Sie nicht an die Menschen denken, die unter Ihrem Tod leiden könnten. Ihre Eltern, zum Beispiel.«

»Ich hatte nie Eltern«, sagte Louis.

»Ein medizinisches Wunder.«

»Sie haben mich im Waisenhaus abgegeben. Ich habe nie mehr etwas von ihnen gehört.«

»Haben Sie sich darum bemüht?«

»Ich kenne nicht einmal ihre Namen.«

Der Apotheker schenkte Wein nach. »Waisenhäuser haben Verwaltungen«, sagte er. »Verwaltungen führen Listen. Haben Sie dort nachgefragt?«

»Ich bin von dort weggelaufen.«

»Jetzt laufen Sie wieder weg«, sagte der Apotheker. »Immerhin konsequent. Sie kommen aus Mailand, sagt meine Frau.«

»Spielt das eine Rolle?«

»Vielleicht«, sagte der Apotheker. »Wenn Sie bis Russland marschiert sind, werden Sie sich auch bis Mailand durchschlagen können. Oder sind Sie überhaupt nicht neugierig darauf, zu wissen, wo Sie herkommen?«

Der Wein war stark.

Nach einer langen Pause sagte Louis: »Es war alles so klar. So einfach.«

»Ich gebe Ihnen Ihr Mittel mit«, sagte der Apotheker.

»Sie müssen es nicht bezahlen. Wenn Sie in Mailand feststellen, dass Sie wirklich nicht neugierig sind, ziehen Sie einfach den Korken.«

39

Eine Baustelle, dort, wo der Palazzo gestanden hatte. Die Bäume des kleinen Parks gefällt. Der Anblick machte ihn zu seiner Verwunderung nicht traurig.

Ein Mann kam auf die Straße hinaus. Fragte ihn: »Suchst du Arbeit?« Sah Louis' Hand und sagte: »Nein, natürlich nicht.«

»Nein«, sagte Louis. »Natürlich nicht.«

Der Weg zum Martinitt kürzer als in seiner Erinnerung. Wenn man bis nach Russland marschiert ist, sind alle Wege kurz.

Im Flur des Waisenhauses salutierte ein kleiner Junge vor der Uniform.

An der Tür zum Zimmer der Mutter Oberin war jetzt ein Klopfer angebracht. Sonst hatte sich nichts verändert.

Es war alles noch da. Das Kruzifix an der Wand. Der Schrank mit der geschnitzten Tür, den nie jemand offen gesehen hatte. Der Stuhl, über den man sich legen musste.

Aber hinter dem Schreibtisch saß Schwester Costanza.

»Ihr Gesicht kommt mir bekannt vor«, sagte sie.

»Stellen Sie sich vor, ich sei nackt und liege auf Ihrem Lehrerpult.«

»Louis Chabos«, sagte Schwester Costanza. »Ich habe mich oft gefragt: Warum hast du das damals gemacht?«

»Ich habe es nicht gemacht«, sagte Louis. »Man hat es mit mir gemacht. Leandro.«

»Ah, Leandro«, sagte Schwester Costanza. Als ob damit alles erklärt wäre.

»Wo ist die Mutter Oberin?«

»Ich bin jetzt die Mutter Oberin.«

Er hätte sie mit »ehrwürdige Mutter« anreden müssen, aber er brachte es nicht fertig.

»Sie haben doch Aufzeichnungen«, sagte er. »Akten. Wo drin steht, wie jemand ins Martinitt gekommen ist.«

»Du meinst: deine Herkunft?«

»Wenn ich eine habe. Ja.«

Er hatte es sich schwierig vorgestellt, und dann war es ganz einfach. In dem Schrank lagen Stapel von Umschlägen aus Pappe. Die meisten ganz dünn. Dazwischengeklemmt kleine Zettel mit den Buchstaben des Alphabets. Schwester Costanza hatte den richtigen Umschlag schnell gefunden. Er enthielt ein einziges Blatt Papier.

Das Band der Lorgnette um ihren Hals verhedderte sich mit der Kette, an der das silberne Kreuz hing. Sie sah Louis vorwurfsvoll an. Als ob er an dieser Unordnung schuld wäre.

Dann las sie vor, was es über ihn zu wissen gab. »Geboren 16. Dezember 1794 im Katharinen-Hospiz. Das Kostgeld für achtzehn Jahre im Voraus bezahlt. Wenn du deshalb gekommen bist – wer wegläuft, hat keinen Anspruch auf Rückerstattung.«

»Es geht nicht um Geld«, sagte Louis.

Schwester Costanza sah ihn zweifelnd an. Es geht immer um Geld, schien ihre Miene zu sagen.

»Ich will nur wissen ... Steht da drin, wer meine Eltern waren?«

»N. N.«, sagte Schwester Costanza. »*Nullum nomen*. Es kommt vor, dass die Erzeuger nicht genannt werden wollen.«

»Dann ist es also unmöglich, herauszufinden, wer ...«

»Du könntest es im Katharinen-Hospiz versuchen. Vielleicht liegen dort noch Akten aus der Zeit.«

Akten aus der Zeit. Es klang wie »aus fernster Vergangenheit«. Dabei war Louis erst neunzehn.

Mit den Fingern liebkoste er die kleine Flasche in seiner Tasche.

Als er schon wieder unter der Tür stand, fragte Schwester Costanza: »Warum bist du damals weggelaufen?«

»Leandro«, sagte er.

»Ah, Leandro«, sagte sie.

Dann, wieder auf der Straße, begegnete er ihm. Leandro hatte nur noch einem Arm.

»Guten Tag, Leandro«, sagte Louis.

»Guten Tag, Louis«, sagte Leandro.

»Auch Russland?«, sagte Louis.

»Ein Unfall auf der Baustelle«, sagte Leandro.

Er war dick geworden. Aufgeschwemmt. Jemand, der sich angewöhnt hat, nach der Arbeit Wein zu trinken, und die Gewohnheit auch ohne Arbeit weiterführt.

»Wo wohnst du jetzt?«, fragte Louis.

»Je nachdem«, sagte Leandro.

Mehr hatten sie sich nicht zu sagen.

40

Er war dann doch nicht *accoucheur* geworden. Obwohl er die Lehrbücher studiert hatte wie kein anderer. Schon nach der ersten Demonstration von Professor Moscati hatte er gewusst, dass er für die Geburtshilfe nicht geschaffen war. Zu sensibel.

Er hatte bei Moscati trotzdem Karriere gemacht. Wenn ihn jemand nach ihrer Beziehung fragte, sagte er: »Ich bin sein Amanuensis.« »Sekretär« war ein zu prosaisches Wort. Schließlich hatte er Medizin studiert. War daran gewesen, Medizin zu studieren.

Amanuensis und Biograf. Später einmal würde er über das Leben des Professors ein Buch schreiben. Würde beide unsterblich machen. Den Beschreiber und den Beschriebenen. Vasari und Michelangelo.

Den Titel wusste er schon. *»Pietro Moscati – Arzt und Politiker«*. Schade, dass die Politik immer wichtiger geworden war. Staatsrat. Senator. Großoffizier der Ehrenlegion. Vierundsiebzig Jahre alt und keinen Moment untätig.

Andererseits: Wenn Moscati in Staatsgeschäften unterwegs war, blieb mehr Zeit, um die medizinischen Unterlagen zu ordnen. Allein über neunhundert Geburten. Jede einzelne dokumentiert. Im Buch würde man sie nur tabellarisch aufführen können. Schade, die tausend würden sich wohl nicht mehr erreichen lassen.

Er mochte keine Störungen bei der Arbeit. Der Besucher hatte sich nicht abwimmeln lassen. Ein junger Kriegsinvalider mit einer kaputten Hand. Immer noch in Uniform.

»Sind Sie der Buchhalter vom Katharinen-Hospiz?«, fragte der Soldat.

Sagte tatsächlich: »Buchhalter«.

»Ich leite das Sekretariat von Professor Moscati.«

Der Name schien dem Mann nichts zu sagen. Ungebildet.

»Man sagt mir: Sie haben eine Liste aller Geburten im Hospiz.«

»Wenn der Professor daran beteiligt war.«

»Wenn nicht?«

Er antwortete mit einer Geste, die bedeutete: Es gibt so viele Kinder auf der Welt. Man kann sich nicht jedes einzelne merken.

»Sind diese Listen nach Datum geordnet?«

»Auch. Vor allem nach den medizinisch interessanten Aspekten.«

»16. Dezember 1794«, sagte der Besucher. »Schauen Sie nach.«

Als ob man nichts anderes zu tun hätte.

Er ging dann doch in den Keller. Das Archiv war sein Stolz. Perfekt geordnet. Ein Biograf darf keine Fehler machen.

Als er wieder hereinkam, das Karteiblatt in der Hand, stand der Mann immer noch in der gleichen Position da. Heruntergekommen sah er aus. Schlief wohl auch in seiner Uniform.

»Sie haben Glück. Für jenen Tag ist nur eine von Professor Moscati durchgeführte Geburt dokumentiert. Erfolgreich abgeschlossen, trotz extremer Fehlstellung des Kindes.«

Eine Geburt, das realisierte er erst in diesem Augenblick, die er sehr gut kannte. Die ein eigenes Kapitel rechtfertigen würde. Die Hand des Professors bis zum Ellenbogen …

»Die Mutter«, sagte der Soldat. »Ich will wissen, wer die Mutter war.«

Dass die Leute immer so ungeduldig sein mussten.

Er schaute noch einmal auf das Papier. Wieder zu dem Soldaten. Das Alter konnte stimmen.

»16. Dezember 1794 – sind Sie das?«, fragte er.

»Ja«, sagte der Soldat.

»Dann war ich …« Er konnte es kaum fassen. »Dann war ich bei Ihrer Geburt dabei. Die allererste Vorlesung des Professors, die ich miterlebt habe.«

Die einzige. Er war für diesen Beruf nicht gemacht. Hatte sich an die Wand lehnen müssen und …

Der Invalide unterbrach seine Gedanken. »Die Mutter«, wiederholte er. »Steht da der Name meiner Mutter?«

Ein Gesicht hinter einem Vorhang. *Mulieris pudor.* Aber sie hatte einen Namen.

»Marianne Banzori«, las er vor.

Banzori.

Wieso dann Chabos?

»Wohnhaft …« Er zögerte. An den Angaben konnte etwas nicht stimmen.

»Wohnhaft?« Unhöflich in seiner Ungeduld.

»In Rätien. Ein Ort namens Reichenau.«

»Wo ist das?«

»In der Helvetischen Republik oder wie das jetzt heißt. Es hat sich so vieles geändert in den letzten Jahren. Ich verstehe nicht, warum sie für die Geburt nach Mailand gekommen ist.«

»Ich werde es herausfinden«, sagte der Soldat.

anzori? Nie gehört.«

Die Türen schlugen schneller zu, als sie geöffnet wurden.

Das machte die verdreckte Uniform. Als ob er ganz allein alle Schlachten des Kaisers verloren hätte. Schon in Mailand war er sich wie ein Landstreicher vorgekommen. Verlaust und verludert. Jetzt noch der Weg hierher. In Russland hatte es wenigstens keine Berge gegeben.

»Banzori?«

Kopfschütteln.

Ich kann die Leute verstehen, dachte er. Wenn jemand wie ich an meine Tür klopfte …

Um eine Tür zu haben, braucht man ein Zuhause.

»Banzori?«

Eine alte Frau auf der Straße. Lachte, als sie den Namen hörte. »Risotto«, sagte sie. »Banzori Risotto.«

Nur von den Irren bekam man Antwort.

»Banzori?«

Eine Hand auf seiner Schulter. Wie damals auf dem Jahrmarkt. Ein bärtiger Mann. Dunkelgrüne Uniformjacke. Ledertschako. Grenadiersäbel.

Seine Sprache hatte Louis noch nie gehört. Er verstand sie trotzdem. »Wer bist du? Was willst du hier? Mitkommen!«

Ein behäbiger Mann. Die Autorität mit der Uniform angelegt wie zu einem ländlichen Maskenfest. Jemand, der seinen Säbel noch nie zum Kampf aus der Scheide gezogen hatte. Es wäre nicht schwer gewesen wegzulaufen.

Wohin?

Louis ließ sich abführen. Wo man ihm die Türen vor der Nase zugeschlagen hatte, waren jetzt neugierige Gesichter. Ein Landstreicher, soso. Man würde etwas zu tratschen haben.

Über dem Fluss, nicht weit von der Brücke, ein Schloss. Der Gendarm – Soldat war so einer nicht – klopfte an eine Tür. Nicht das große Hauptportal, so breit, dass man hätte hineinreiten können. Eine kleine Nebenpforte. Das Anklopfen so bescheiden, wie man an die Tür der Mutter Oberin klopfte. Auch ein Fremder merkte, dass der Gendarm hier nichts zu befehlen hatte.

Der Mann, der die Tür öffnete, trug keine Livree, aber einen Diener erkannte Louis auch so. Er wollte den Gendarmen nicht eintreten lassen. Die Herrschaft dürfe nicht gestört werden.

Der Gendarm wies auf Louis, mit einer Geste, die nur heißen konnte: »Wo ich doch aber diesen Verbrecher gefasst habe!«

Ein zweiter Mann kam dazu. Jung. Gut gekleidet. Der Lakai verstummte mitten im Satz. Der Gendarm nahm Haltung an.

Der junge Mann sah sich die Situation an und wusste Bescheid. »Was wollen Sie?«, sagte er zu Louis.

Sagte es französisch. Hatte die Uniform erkannt. Oder es gespürt. Manche Leute spüren so etwas.

»Ich suche jemanden«, sagte Louis.

»Hier im Schloss?«

»In Reichenau.«

Während seiner Dienstzeit hatte Louis die französische Sprache gut gelernt. Trotzdem erkannte der junge Mann seinen Akzent.

»Wen suchen Sie?« Sagte es italienisch.

»Eine Frau«, sagte Louis. »Ich weiß von ihr nur, dass sie vor neunzehn Jahren hier gewohnt hat. Vor zwanzig Jahren.«

»Haben Sie Hunger?«, sagte der junge Mann.

Die Frage so unerwartet, dass Louis wie ein Idiot antwortete: »Wieso?«

»Sie sehen so aus«, sagte der junge Mann. »Hatten Sie sich keinen Proviant in den Postwagen mitgenommen?«

»Den Wagen hätte ich nicht bezahlen können«, sagte Louis. »Ich bin zu Fuß gekommen. Aus Mailand.« Straffte, ohne es zu wollen, den Rücken. Er hatte es mit einem Herrn zu tun.

»Dann sollten wir uns unterhalten, wenn Sie etwas gegessen haben«, sagte der Herr. »Und sich gewaschen, wenn Sie mir den Vorschlag nicht übel nehmen. Harschier!«

War das der Name des Uniformierten? Oder sein Amt?

Es brauchte nur wenige Worte, dann salutierte der Gendarm. Ging weg.

Auch der Lakai bekam einen Befehl. Der Auftrag passte ihm nicht, das sah man ihm an. Für das Gesicht, das er machte, hätte ihn der Marchese getadelt. Ein Diener hat zu gehorchen.

»Wir unterhalten uns nachher«, sagte der junge Mann.

42

Satt. Endlich wieder einmal satt.

Der Raum, in den ihn der Lakai führte, hätte dem Marchese gefallen.

Familienporträts an getäfelten Wänden. Ernste Männer. Strenge Frauen. Eine Wappenscheibe mit einem geflügelten Fantasietier. »Von Tscharner«. Louis wusste nicht, welche Sorte Adel das war.

»Ich habe Sie warten lassen. Entschuldigen Sie. Bitte setzen Sie sich doch.«

Der junge Mann sprach mit Louis von Gleich zu Gleich. Die Sorte Höflichkeit, die man nicht erlernen kann.

»Ich danke Ihnen für Ihre Gastfreundschaft«, sagte Louis.

»Eigennutz. Man hat hier nicht viel Abwechslung. Ich denke schon die ganze Zeit darüber nach: Was kann das für eine Frau sein, die er sucht? Die vor achtzehn oder neunzehn Jahren hier oben gelebt haben soll? Sie können nicht viel älter sein.«

»Wenn man mich richtig informiert hat«, sagte Louis. »war diese Frau meine Mutter.«

»Eine Frau aus Reichenau? Aber Sie sind doch Italiener, nicht? Oder höre ich das falsch?«

»Ich bin in Mailand aufgewachsen.«

»Entschuldigen Sie. Meine Neugier kann warten. Ihre wird größer sein. Wie war der Name dieser Frau?«

»Marianne Banzori«, sagte Louis.

»Risotto«, sagte der junge Mann. Und gleich hinterher: »Ich muss mich schon wieder entschuldigen. Das war unhöflich. Risotto war ihr Spitzname.«

»Sie haben sie gekannt?« Ungläubig.

»Ich habe sie geliebt. Wie man als kleiner Bub eine Frau liebt, die einem Leckerbissen zusteckt. Marianne Banzori war unsere Köchin. Wir Kinder haben sie Risotto genannt. Weil das ihre Spezialität war.«

»Köchin.« Louis sprach das Wort aus, als ob er es zum ersten Mal gehört hätte.

»Enttäuscht Sie das?«

»Es macht mich glücklich«, sagte Louis. »Alles, was ich über sie erfahren kann, macht mich glücklich. Wie sah sie aus?«

Der Mann, der ihm gerade das größte Geschenk seines Lebens gemacht hatte, zögerte. »Als Kind sieht man Erwachsene nicht so, wie sie sind. Mehr von unten herauf, wenn Sie verstehen, was ich meine. Ich habe eine schöne Frau in Erinnerung. Lange schwarze Haare. Keine Fee, dazu war sie zu kräftig. Konnte stundenlang in einem Kessel rühren, ohne müde zu werden. Groß. In dem Alter kommt einem jeder Erwachsene groß vor, aber ich glaube, sie war es wirklich. Größer als Sie auf jeden Fall, wenn ich das sagen darf.«

»Ich weiß, dass ich kein Riese bin«, sagte Louis Chabos.

»Sie muss damals etwa so alt gewesen sein wie ich jetzt. Eine junge Frau.« Er wies auf die Gemälde an der Wand.

»Schade, dass immer nur von der Familie Bilder gemalt werden. Da hängen ein paar Onkel und Tanten, ohne die mein Leben auch nicht anders wäre. Während Risotto … Entschuldigen Sie. Ich wollte sagen: Während Ihre Mutter … Wir haben uns zu ihr geflüchtet, wenn uns der Unterricht zu streng wurde. Mein Vater hatte hier im Schloss eine Schule eingerichtet. Das Philanthropinum. Sollte bessere Menschen aus uns machen. Na ja. Das Projekt hat nicht lang existiert.«

»Man hat keine Köchin mehr gebraucht.«

»Sie verschwand vorher. War von einem Tag auf den andern nicht mehr da. Ihre Nachfolgerin haben wir gehasst. Sie schlug einem mit dem Kochlöffel auf die Finger, wenn man naschen wollte.«

»Und meine Mutter?«

»Man hat uns nie gesagt, warum sie weggegangen ist.«

»Vielleicht wegen mir. Man hat sie rausgeschmissen, weil sie schwanger war.«

»Möglich«, sagte der junge Tscharner. »Über solche Dinge wurde bei uns nicht gesprochen. Nicht mit uns Kindern. Wenn es so war, hat man ihr wohl Geld gegeben, damit sie nach Mailand zurückgeht. Da kam sie her. Meine ersten Worte Italienisch habe ich von ihr gelernt.«

Es passte alles zusammen.

»Wissen Sie …?«, sagte Louis. Konnte die richtigen Worte nicht finden. »Haben Sie eine Idee, wer …?«

Tscharner war so höflich, dass er die Frage beantwortete, obwohl sie nicht wirklich gestellt worden war. »Ich habe keine Ahnung. Wie gesagt, ich war damals sieben. Oder acht. Nicht mehr. Es tut mir leid, Herr Banzori.«

»Ich heiße nicht Banzori«, sagte Louis. »Mein Name ist Chabos.«

Im Waisenhaus hatte man ihn für den Namen verprügelt. Beim Militär hatte man ihn wegen seines italienischen Akzents dafür ausgelacht. Gestaunt hatte noch niemand darüber.

»Chabos?«, sagte Tscharner. »Dann weiß ich, wer Ihr Vater ist.«

43

Der Weg ist leicht zu finden«, hatte Tscharner gesagt. »Immer dem Rhein entlang.«

Ein höflicher junger Mann. Diskret. Hatte nicht nach Louis' fehlenden Fingern gefragt.

»Es sind nur ein paar Stunden«, hatte er gesagt.

Für einen Soldaten sind ein paar Stunden eine Kleinigkeit. Wenn man nicht immer wieder stehen bleiben müsste. Seine Gedanken ordnen. Er hatte an diesem Tag so viel Neues erfahren.

Monsieur Chabos, hatte Tscharner gesagt, war Lehrer am Philanthropinum gewesen. War aus Paris gekommen. Zumindest hatten die Schüler das angenommen. Weil seine Hemden aus so feinem Stoff waren, wie man ihn in Reichenau noch nie gesehen hatte. Jeden Tag zog er ein frisches an. Jeden Tag.

Er hatte oft die Hemden gewechselt. Mehr wusste Louis nicht über seinen Vater. Er musste ein vornehmer Mann gewesen sein. An feines Tuch auf der Haut gewöhnt.

Wann haben Sie dieses Hemd zum ersten Mal angezogen? Heute nach dem Aufstehen? Dann müssen Sie mein Vater sein. In den Geschichten von Dottor Mauro kamen solche Sachen vor.

Nur in Geschichten.

Vielleicht war sein Vater schon lang verstorben. Obwohl … Er war damals ein ganz junger Mann gewesen, hatte Tscharner gesagt. Sagen wir: zwanzig. Dann wäre er heute …

Ein Mann in den besten Jahren.

Eine Köchin.

Die Marianne hieß und vielleicht immer irgendwo noch in Töpfen rührte.

Das waren also seine Eltern. Die Eltern von Louis Chabos.

Wenn man sich auf einen Stein setzte und die Augen schloss, konnte man sich einbilden, dass da nicht nur einfach der Fluss rauschte. Stimmen konnte man sich einbilden. »*Mon fils, mon fils, mon fils.*«

Unsinn. Sie hatten ihn im Martinitt abgegeben, um ihn loszuwerden. Ein für alle Mal. Hatten das Kostgeld bezahlt, um ihr Gewissen zu erleichtern. Hatten sich das Recht erkauft, ihn zu vergessen. Aus den Augen, aus dem Herzen.

Aber warum hatten sie ihn dann Chabos genannt? Sie hätten einen Allerweltsnamen in seine Papiere eintragen lassen können. Irgendeinen. Im Martinitt fragte keiner nach. Aber nein: Chabos. Hatte sein Vater gehofft, dass sein Sohn ihn eines Tages …?

Er musste aufhören zu träumen. Musste sehen, dass er heute noch nach Zizers kam.

»Dort wohnt der einzige Mensch, der Ihnen mehr Informationen geben kann«, hatte Tscharner gesagt. »Wenn überhaupt jemand etwas über Monsieur Chabos weiß, dann Aloys Jost. Er hat damals die Schule geleitet.«

Aloys Jost.

»Ein Freund meines Vaters. Die beiden haben zusammen … Das wird Sie nicht interessieren. Sie wollen mehr über Ihre Eltern erfahren. Fragen Sie ihn. Wie ich höre, ist er mit den Jahren ein bisschen seltsam geworden, aber Sie werden sich bestimmt gut mit ihm verstehen. Er war auch einmal Soldat. Wie Sie in französischen Diensten.«

Aloys Jost in Zizers.

Das war mehr als einfach nur der nächste Berg und der nächste Kirchturm. Das war ein Name und ein Ziel.

»Den Weg finden Sie leicht«, hatte Tscharner gesagt. »Wenn Sie morgen früh aufbrechen, können Sie gegen Mittag dort sein.«

Er hatte nicht bis zum nächsten Morgen warten wollen. Ein Fehler. Es gibt Dinge, die muss man schnell machen, und solche, die muss man langsam machen.

Als man in der Dunkelheit den Weg nicht mehr erkannte, fand sich Louis zwischen zwei Dörfern. Sich für eine Nacht ins Gras zu legen, machte ihm nichts aus. Das war er gewohnt. Aber wenn man im Krieg im Freien biwakierte, war da nicht diese Ungeduld. Gedanken wie spitze Steine, die einen nicht zur Ruhe kommen ließen.

In dieser Nacht träumte Louis Chabos von einem Mann in einem langen weißen Hemd. Das ein Totenhemd sein konnte. Oder die neuste Mode aus Paris.

44

In Zizers wies man ihm den Weg zu einem abgelesenen Weinberg. Ein Mann ging von Rebe zu Rebe. Als ob er mit den Pflanzen ein Gespräch führte. Bäuerisch gekleidet. Der Kopf eines Gelehrten. Kein wirklich alter Mann. Und hatte doch etwas Greisenhaftes.

»Monsieur Jost?«, fragte Louis.

»Wer will das wissen?«, sagte der Mann. Abweisend.

»Ich möchte Sie etwas fragen«, sagte Louis.

»Ich habe keine Arbeit zu vergeben«, sagte der Mann.

»Ich bin nicht deshalb gekommen.«

»Suchst keine Arbeit, aha. Willst mir nur Jammergeschichten auftischen. Die kaputte Hand aufhalten. Wenn sie dir im Dorf erzählt haben, bei mir sei etwas zu holen, dann haben sie dich angelogen. Ich bin kein Wohltäter. Kein Weltverbesserer. Die Welt will nicht verbessert werden. Wenn man es versucht, schlagen sie einem das Haus kaputt.«

Redete wie einer, der oft vor Versammlungen gestanden hat.

»Wenn du Hunger hast«, sagte der Mann, »geh zu meiner Frau. Sie kocht heute Gerstensuppe. Da wird ein Teller für dich übrig sein. Mehr ist bei uns nicht zu holen. Was ist das für eine Uniform?«

»Ich war Voltigeur.«

»Neumodisches Zeug«, sagte der Mann. »Wir hatten rote Jacken mit blauem Besatz. Weiße Hosen. Die Bünder Garde des Königs. Regiment Salis-Marschlins. Eine Elitetruppe. Was ist mit deiner Hand?«

»Russland«, sagte Louis.

»Bist mit Napoleon mitgelaufen, aha. Mit dem Rattenfänger. Ich bin ihm einmal begegnet. Kein schlechter Kopf, aber er will die Welt verändern. Die Welt lässt sich aber nicht verändern. Ich habe es versucht. Die Menschen wollen keine Veränderungen. Sind zu dumm dafür.«

Oder nur einer, der mit dem Reden nicht aufhören kann, weil ihm schon lang niemand mehr zuhört?

»Ich möchte etwas von Ihnen erfahren«, sagte Louis.

»Ich habe keine Weisheiten zu verbreiten«, sagte der Mann. »Habe nichts zu sagen. Ich dachte einmal, es sei anders, aber ich habe meine Lektion gelernt.«

»Man hat mir gesagt: Diese Frage kann nur Aloys Jost beantworten.«

»Hat man dir gesagt, aha. Es geht also um Politik. Um das Veltlin, habe ich recht? Wenn man auf mich gehört hätte, hätten wir es nicht verloren.«

»Es geht um meine Eltern«, sagte Louis Chabos.

»Eltern?«, sagte Jost. »Damit ist mir noch keiner gekommen. Was habe ich mit deinen Eltern zu tun?«

»Sie haben sie gekannt. Sie haben doch diese Schule in Reichenau geleitet.«

»Schule.« Jost sprach das Wort aus, wie sich ein Bekehrter an alte Sünden erinnert. »Das war auch so ein falscher Gedanke. Die Welt besser machen, indem man junge Köpfe mit klugen Ideen füllt. Die Dummen sind stärker.«

»Aber Sie waren in Reichenau.«

»Ich war überall«, sagte Jost. »Wenn ich hier in Zizers geblieben wäre, hätte ich gleich viel erreicht. Nämlich nichts.«

»Kannten Sie eine Marianne Banzori?«

»Eine schöne Frau. Damals war sie schön. Heute …«

»Sie lebt noch?«

»Wenn man das so nennen will. Es ist nicht immer erstrebenswert, am Leben zu bleiben.«

»Wo kann ich sie finden?«, fragte Louis.

Jost schien ihn nicht gehört zu haben. Nahm ein Rebmesser aus einem Halfter an seinem Gürtel. Schnitt einen Trieb ab.

»Wo?«, sagte Louis noch einmal.

»Gar nicht weit weg«, sagte Jost. »Sehr weit weg.«

Nicht nur geschwätzig, sondern auch verwirrt.

»Ich habe meine Mutter nie kennengelernt«, sagte Louis.

»Manchmal ist das besser. Geh zu meiner Frau und iss Gerstensuppe.« Wendete sich ab. Als ob es nichts mehr zu beantworten und zu erklären gäbe.

Der Zorn stieg in Louis so plötzlich auf, wie er damals unter den Stockschlägen des Marchese in ihm aufgestiegen war. Er packte Jost an den Schultern und schüttelte ihn. Schrie ihn an. »Ich habe das Recht zu erfahren, wer meine Eltern sind.«

»Das Recht, aha«, sagte Jost. Schien sich nicht bedroht zu fühlen. »Ich mag Leute, die um ihr Recht kämpfen. Auch wenn sie sich damit selten etwas Gutes tun. Wenn du darauf bestehst, werde ich dir sagen, wo du deine Mutter finden kannst.«

»Und meinen Vater. Monsieur Chabos.« Plötzlich ka-

men Louis die Tränen. »Ich weiß nicht einmal seinen Vor-
namen«, sagte er.

»Er hatte keinen«, sagte Jost. »Es schien mir damals
nicht nötig, einen für ihn zu erfinden.«

45

Mein Mann schreibt noch«, sagte Frau Jost. Ihr Italienisch voller Fehler, aber Louis verstand sie gut. »Beim Schreiben kann er besser nachdenken, sagt er. Sortiert die Probleme in erstens und zweitens und drittens. Sein ganzer Schreibtisch ist voller Papiere.«

»Und wer bekommt das alles zu lesen? Nur Sie?«

»Ich kann nicht lesen«, sagte Frau Jost. »Nicht wirklich. Ich kann kochen. Waschen. Das Haus in Schuss halten. Darum hat er mich geheiratet, damals, als seine Frau gestorben ist. Ich war die Haushälterin. Die Gouvernante. Er denkt praktisch. Man merkt es ihm nicht an, weil er so viel redet, aber es ist so. Ein Weinhändler muss praktisch denken.«

Eine mütterliche Frau. Die Hände rot und rissig. Jemand, auf den man sich verlassen konnte.

»Haben Sie Kinder?«, fragte er.

»Er hat einen Sohn. Er sagt: Auch so ein gescheitertes Projekt. Sprechen Sie ihn nicht darauf an. Sonst kommen wir nie zum Essen.«

»Es tut mir leid, dass ich Ihnen Arbeit mache.«

»Er bringt oft Gäste mit nach Hause«, sagte Frau Jost. »Schimpft über die Zumutung und lädt sie dann doch ein. Er ist ein guter Mensch, wissen Sie. Er hat nur zu viele Prinzipien. Damit hat er viel erreicht, und es ist wenig davon übrig geblieben.« Sie hob den Deckel von der Schüssel. Steckte einen Finger hinein, ganz selbstverständlich. Leckte ihn ab. Rief: »Die Suppe wird kalt!«

»Gleich!«

Frau Jost deckte die Schüssel wieder zu. Ihr Gesicht sagte: Da kann man nichts machen.

»Wenn Sie Hunger haben, nehmen Sie schon einmal ein Stück Brot.«

»Ich kann warten«, sagte Louis.

»Sie werden das bestimmt dauernd gefragt, aber … Was ist mit Ihrer Hand passiert?«

Sonst war er dieser Frage immer ausgewichen. Bei ihr hatte er Lust zu erzählen. Sie war eine gute Zuhörerin. Würde viel Gelegenheit gehabt haben, das Zuhören zu üben.

Als er von Docteur Dutoit berichtete, sagte sie: »Auch einer, der meint, etwas besser zu wissen als alle andern. Mein Mann sagt, die Welt ist voll von solchen Leuten.«

»Zählt er sich selbst dazu?«

»Er ist geheilt, sagt er. Aber ich meine: Das Besserwissen ist wie dieses Fieber, das manche Leute aus Louisiana heimbringen. Man denkt, man ist es los, aber es bricht immer wieder aus.«

Eine kluge Frau.

»Wissen Sie etwas über diese Schule in Reichenau? Über die Köchin dort?«

»Ich habe meinen Mann damals noch nicht gekannt.«

Sie stand auf, ging zur Tür und rief die Treppe hinauf: »Aloys! Wirklich!«

»Ja doch.«

Jost hatte Tintenflecken an den Fingern. »Warum teilst du nicht endlich die Suppe aus?«, sagte er. Erst als sein Teller leer war, wandte er sich an Louis.

»Ich habe mir deine Bitte überlegt«, sagte er. »Von allen Seiten. Es ist nicht so einfach, wie du es dir vorstellst. Du meinst: Wir tauschen Fragen gegen Antworten, und dann sind wir quitt. Aber die Sache betrifft auch andere. Das macht es schwierig.«

Louis merkte, dass sein Mund trocken wurde.

»Erstens«, sagte Aloys Jost, »deine Mutter. Ich rate dir davon ab, sie kennenzulernen, aber es ist dein Recht. Wenn du darauf bestehst, bringe ich euch zusammen.«

Marianne Banzori.

»Zweitens: dein Vater. Ich könnte behaupten, dass ich nichts über ihn weiß. Aber es wird zu viel gelogen auf der Welt. Ich habe die Antwort und darf sie dir nicht geben. An einen Schwur muss man sich halten.«

»Aber …«

»Das ist meine Entscheidung«, sagte Aloys Jost.

46

Ich brauche die Sachen nicht mehr«, sagte Jost. »Verkleidungen für offizielle Anlässe. Ich will kein offizieller Mensch mehr sein.«

Die Hosen zu lang. »Catharina macht das schon«, sagte Jost. Es war Louis nicht angenehm, dass seine Gastgeberin vor ihm knien musste, um die Hosenbeine mit Nadeln abzustecken.

»In Uniform darfst du nicht hingehen«, sagte Jost. »Es gibt dort jemanden, der Angst vor Uniformen hat.« Mehr wollte er nicht erklären. Auch über Marianne Banzori gab er keine weiteren Auskünfte.

»Ich habe dir geraten, sie nicht zu besuchen«, sagte er. »Du hast beschlossen, es trotzdem zu tun. Man muss die Menschen ihre eigenen Fehler machen lassen. Nur so viel: Sie wird dir nicht gefallen.«

»Sie ist meine Mutter«, sagte Louis.

»Eben darum«, sagte Jost.

Als Louis an sich heruntersah, kam es ihm vor, als ob dieser Körper jemand anderem gehörte. Einem Menschen, der sich einen Anzug leisten konnte. Einen Mantel.

»Das bin ich nicht«, sagte er.

»Als ich damals aus der Garde ausschied, ging es mir genauso«, sagte Jost. »Die Uniform wird zur eigenen Haut.

Gewohnheit ist stärker als Wahrheit. Das hat Voltaire gesagt. Hast du Voltaire gelesen?«

Louis wusste nicht, wer Voltaire war.

»Wenn du zurückkommst, werde ich dir einen Band leihen. Er ist wie süße Medizin. Lässt sich leicht schlucken und brennt dann im Hals. Du wirst so eine Medizin nötig haben.«

Seine Frau brachte ein Paar Handschuhe. »Wo Ihnen die Finger fehlen, habe ich Wolle hineingestopft«, sagte sie. »Wenn Sie sie anziehen, sieht man nichts mehr davon. Ihre Uniform werde ich waschen. Die zerrissenen Stellen nähen, so gut es geht.«

»Es lohnt die Arbeit nicht«, sagte Jost. »Es ist kein Staat mehr damit zu machen. Seit der großen Schlacht bei Leipzig geht es mit deinem Napoleon zu Ende.«

»Er ist nicht mein Napoleon«, sagte Louis.

»Er ist niemandes Napoleon«, sagte Jost. »Nur haben das viele Leute noch nicht gemerkt.«

Als Louis sich schon auf den Weg machen wollte, brachte Frau Jost Brot und geräucherten Speck. »Mit Proviant in der Tasche hat man weniger Hunger«, sagte sie.

Dann, überraschend, gab sie ihm einen Kuss auf die Stirn. »Viel Glück«, sagte sie.

Erst als Louis das Brot und die Handschuhe in die Manteltaschen steckte, fiel ihm ein, dass sein Rasiermesser in der Uniformjacke geblieben war.

Das Rasiermesser und das kleine Fläschchen.

Auf dem Weg nach Maienfeld überholte er eine Frau, die einen kleinen Jungen an der Hand führte. Der Bub quengelte. Seine Mutter versuchte, ihn zu beruhigen.

Man muss eine Sprache nicht kennen, um das Wort »Hunger« zu verstehen. Louis wickelte das Brot mit dem Speck aus und hielt es dem Kind hin. Der Bub versteckte sich hinter den Röcken seiner Mutter. »*Il giavel!*«, schrie er. Immer wieder: »*Il giavel!*«

»Es ist wegen Ihrer Hand«, sagte die Frau.

Erst jetzt merkte Louis, dass er das Brot mit der rechten Hand hingehalten hatte. Er hatte sich an die fehlenden Finger so sehr gewöhnt, dass er oft nicht mehr an sie dachte. Man konnte es einem Kind nicht übel nehmen, wenn es meinte, eine Teufelsklaue zu sehen.

»Der Krieg«, sagte er.

»Immer dieser Krieg«, sagte die Frau. »Sein Vater war Kanonier.«

»Tot?«, fragte Louis.

»Tot.«

»Es tut mir leid.«

Die Frau strich dem weinenden Buben über die Haare. »Sie dürfen ihm nicht böse sein«, sagte sie.

»Geben Sie ihm das Brot«, sagte Louis.

Ich muss diese Handschuhe anziehen, dachte er.

Drehte sich im Weitergehen noch einmal um. Sah, wie die Frau einen Bissen nahm. Übertrieben kaute. Schluckte. Sich über den Bauch strich. Eine Pantomime wie im Theater. Ihr Sohn schaute eine ganze Weile zu, dann griff er gierig nach dem Brot.

Es muss schön sein, eine Mutter zu haben, dachte Louis.

47

Maienfeld.
Der Weg war nicht weit gewesen. Das Pfrundhaus
leicht zu finden.

Neben dem Eingang saß ein alter Mann in der schwachen Sonne. Sein Gesicht, als ob er gerade geweint hätte. Gleich weinen würde. Hinter ihm die aufgetürmten Steine der alten Stadtmauer. Saß mit vorgebeugtem Oberkörper da. Den Hals vorgestreckt, die Hände links und rechts aufgestützt. Bereit, jederzeit aufzuspringen. Zu fliehen.

Louis wollte ihn ansprechen. Ihn nach Marianne Banzori fragen. Der Mann reagierte nicht.

Aus einer der kleinen Straßen näherte sich Musik.

Der Greis hob den Kopf. Hielt den Atem an.

Gesang, der sich als Musik ausgab. Kinderstimmen. Imitierte Trompeten. »Rampadam, rampadam« für die Trommeln. Militärische Klänge.

Der alte Mann sprang schreiend auf. Die Stimme überraschend hoch. Wandte sich hin und her wie ein verängstigtes Tier. Auf der Suche nach einem Ausweg, den es nicht gab.

Nicht für ihn.

Ein Trupp marschierender Buben. Ein zerrissener Lappen als Fahne. Stecken, als Gewehre geschultert.

Der alte Mann schrie immer noch. Die Augen weit aufgerissen.

»Rampadam, rampadam«, machten die Trommeln.

Das Opfer ließ sich auf die Knie fallen.

»Rampadam, rampadam.«

Der Greis hob die Arme. Einer, der um Gnade fleht.

Die Buben lachten. Stellten sich in einer Reihe auf. Legten ihre Steckengewehre an und zielten auf den Mann. Der Größte von ihnen – es gibt immer einen Leandro – zog ein Holzscheit aus dem Gürtel. Es sollte wohl einen Offiziersdegen darstellen.

Der Greis lag auf dem Boden. Das Gesicht auf das schmutzige Pflaster gedrückt. Als ob er sich darin verkriechen wollte. Die Hände schützend über dem Kopf.

»Spannt die Hähne«, befahl der Maienfelder Leandro.

»Rampadam.«

Ein Herz aus weißem Papier hatte der *sergent* ausgeschnitten.

»Legt an.«

»Rampadam, rampadam, rampadam.«

Es waren Kinder. Aber Louis prügelte auf sie ein. Zerbrach den Offiziersdegen über dem Knie. Verteilte Ohrfeigen. Jagte sie in die Flucht. Versuchte ungeschehen zu machen, was er damals nicht hatte ungeschehen machen können.

Als er wieder bei sich war, kniete ein Mann neben dem wimmernden Greis. Louis hatte ihn nicht kommen sehen. Der Mann redete beruhigend auf den Verängstigten ein. Wie man ein Kind in den Schlaf redet.

Louis hatte das Gefühl, sich rechtfertigen zu müssen. »Sie haben ihn gequält«, sagte er.

»Kinder sind grausam«, sagte der Mann.

»Menschen sind grausam«, sagte Louis.

»Er hat mitansehen müssen, wie Soldaten seine Familie ermordeten. Sein Versteck haben sie nicht gefunden, aber er hat alles gesehen. Wie sie seinen Sohn totschlugen. Seine Tochter. Er konnte ihnen nicht helfen. Seine Enkelin war zwölf, und sie haben sie …«

»Bitte nicht«, sagte Louis.

»Seither hat er Angst vor Uniformen. Die Buben wissen das und machen sich ein Spiel daraus.«

»Ich hätte früher dazwischengehen müssen«, sagte Louis. Er meinte nicht das, was gerade geschehen war.

»Ich danke Ihnen dafür«, sagte der Mann. »Ich versuche aufzupassen, aber ich bin nicht nur für das Pfrundhaus zuständig. Man hat ihn in seine Heimatgemeinde abgeschoben. Wie man seinen Abfall in einen fremden Garten kippt. Wir dürfen uns nicht beschweren. Wir machen es genauso, wenn einer kein Geld mehr hat. Oder keinen Verstand.«

»Ich suche jemanden«, sagte Louis. »Eine Frau. Man hat mir gesagt, dass ich sie im Pfrundhaus finden kann.«

»Besuch? Das kommt bei uns nicht oft vor.«

»Sie heißt Marianne Banzori. Kennen Sie sie?«

»Die Marianne kennt jeder«, sagte der Mann.

48

Ein kalter Raum. Der kleine eiserne Ofen nicht geheizt. Ein Stuhl mit aufgeschlitztem Lederpolster. Ein anderer, dem ein Bein fehlte. Eine Krücke, gegen die Wand gelehnt. In einem Regal drei kaputte Kochtöpfe nebeneinander. Ordentlich aufgereiht, wie zu einer Ausstellung. Gerümpel.

Ein Abstellraum.

Ein Besuchszimmer. Für Leute, die keinen Besuch bekamen. »Das kommt bei uns nicht oft vor.«

Louis hatte sein Leben lang versucht, sich seine Mutter vorzustellen. »Eine schöne Frau«, hatte sich Tscharner erinnert. »Damals«, hatte Jost hinzugefügt. Hatte ihn davon abbringen wollen, sie zu besuchen. Sie musste sich zum Schlechten verändert haben.

Egal. Sie war seine Mutter.

Vielleicht war ihr etwas zugestoßen, das sie entstellt hatte. Es gab Krankheiten, die den schönsten Menschen hässlich machten. Unfälle. Eine Narbe wie bei Pasquale. Schlimmeres. Vielleicht gehörte die Krücke zu ihr.

So etwas konnte jedem passieren. Leandro hatte nur noch einen Arm. Und er selbst … Der kleine Junge hatte ihn für den Teufel gehalten.

So eine Veränderung war kein Grund, sich von ihr fernzuhalten.

Nicht für ihren Sohn.

Wie alt war seine Mutter jetzt? Er musste es an den Fingern abzählen, weil ihm die Gedanken davonliefen. Wenn sie damals zwanzig gewesen war … Fünfundzwanzig. Dann war sie jetzt …

Keine alte Frau. Aber sie lebte im Pfrundhaus. Bei den Greisen und den Verrückten. Warum?

Er hätte den Verwalter danach fragen müssen. Aber sein Kopf hatte immer nur gedacht: Endlich, endlich, endlich.

Der Raum war fünf Schritte lang. Nicht mehr. Auf der einen Seite die Tür, auf der anderen das kleine Fenster. Links ein Bilderrahmen ohne Bild. Rechts das Regal.

Die Löcher in den Töpfen waren nicht durchgerostet. Jemand hatte sie mit einem spitzen Gegenstand hineingeschlagen. Bei jedem Topf an der exakt gleichen Stelle.

Die kaputten Stühle standen sich gegenüber. Zwei Kranke, die sich über ihre Beschwerden unterhalten. Er schob sie gegen die Wand. Sie würden sie nicht brauchen. Wenn Marianne Banzori hereinkam, würde er …

Wie begrüßt man seine Mutter, wenn man sie gerade erst kennenlernt?

Er hatte dem Verwalter nicht gesagt, wer er war. Nur: »Ich will Frau Banzori besuchen. Wir kennen uns von früher.«

Von sehr viel früher. Vor zwanzig Jahren in Mailand.

Was hatte dieser Geburtsbuchhalter gesagt? »Extreme Fehlstellung des Kindes.« Eine gute Beschreibung seines Lebens. Extreme Fehlstellung.

Warum ließ sie ihn so lang warten?

Hatte sie Angst vor dem fremden Mann, der da plötzlich aufgetaucht war? Lag sie auf ihrem Bett, die Decke über den Kopf gezogen? Vielleicht hatte sich der Verwalter neben sie gesetzt. Redete auf sie ein. Wie er auf den alten Mann eingeredet hatte.

Oder es war anders. Sie freute sich, dass endlich auch einmal jemand zu ihr gekommen war. Zog ihre besten Kleider an. Machte sich schön für ihn.

»Ich bin dein Sohn«, würde er sagen.

Das klang falsch. Obwohl es die Wahrheit war. Weil es die Wahrheit war.

Der Marchese hatte ihn einmal ins Theater mitgenommen, da waren solche Sätze gesagt worden.

»Signora Banzori«, würde er sagen. »Ich freue mich, Ihre Bekanntschaft zu machen.«

Unsere Bekanntschaft zu erneuern. Wir waren uns einmal sehr nah. Neun Monate lang.

Oder gar nichts sagen. Sie nur anschauen und darauf warten, ob sie …

Ob sie was?

Ich werde zu ihr hinaufschauen müssen, dachte Louis. Sie ist eine große Frau, hat Tscharner gesagt. So etwas ändert sich nicht, wenn man älter wird.

Vielleicht sind ihre Haare grau geworden. Weiß.

Vielleicht …

Sie könnten mir irgendjemanden schicken, dachte er. Ich würde sie nicht erkennen.

49

Die Frau, die ihn geboren hatte, trug eine Puppe im Arm. Keine richtige Puppe. Zusammengenähte Fetzen. Lumpen.

»Wir haben Besuch, Louis«, sagte Marianne Banzori. Sprach zu ihrer Puppe. »Er hat uns warten lassen, aber jetzt ist er gekommen.«

Die Stimme einer jungen Frau.

Die Stimme einer alten Frau, die eine junge Frau sein will.

Die glaubt, eine junge Frau zu sein. Trotz des faltigen Gesichts und der grauen Haare.

»Willst du deinen Vater nicht begrüßen? Sag: Hallo, Papa!« Sie winkte mit einem Stofffetzen, der in ihrer Welt wohl der Arm des Kindes war.

»Ich bin …«, begann Louis.

»Aber ich weiß doch, wer du bist«, sagte Marianne Banzori. »Du bist mein Chabosli. Mein lieber, lieber Chabosli.« Sie strahlte ihn an.

Ihr Lächeln muss einmal unwiderstehlich gewesen sein, dachte Louis. Als sie noch Zähne hatte.

Seine Mutter schloss die Augen und spitzte die Lippen. Sagte: »Willst du deiner Marianne nicht einen Kuss geben?«

Louis trat unwillkürlich einen Schritt zurück. Hinter ihm fiel die Krücke zu Boden.

Die Frau in dem verwaschenen grauen Kleid lachte. »Du warst schon immer ungeschickt«, sagte sie. »Und bist doch so ein kluger Mann. Sprichst ganz viele Sprachen. Unser Sohn soll auch Sprachen lernen. Sag: *Bonjour, papa!*« Mit Kleinkinderstimme: »*Bonjour, papa!*«

Ich hätte auf Jost hören sollen, dachte Louis. Hätte nicht hierherkommen dürfen.

Ich will nicht hier sein.

»Er ist klug, unser Kleiner«, sagte Marianne Banzori. »Das sagen alle. Deshalb sind so viele Leute zu seiner Geburt gekommen. Haben alles aufgeschrieben. Für dich. Damit du lesen kannst, wie es gewesen ist. Morgen kommen sie wieder. Zur Taufe.«

Es war so viel Glück in ihrer Stimme, dass Louis es kaum ertragen konnte.

»Du bist gerade noch rechtzeitig«, sagte sie. »Du hast gesagt, dass du kommen würdest, und du bist gekommen.«

Hatte so viele Jahre auf die Erfüllung eines Versprechens gewartet.

»Ich will ihn Louis nennen«, sagte sie. »Ich habe aufschreiben lassen, dass er Louis heißen soll. Ich hoffe, es ist dir recht, mein süßer Monsieur Chabos.«

»Ich bin nicht Monsieur Chabos«, sagte Louis.

»Aber das weiß ich doch«, sagte die Frau, die seine Mutter war. »Das ist doch dein Geheimnis. Darum hast du weglaufen müssen. Aber jetzt ist alles gut. Du bist wieder da. Wir wohnen in einem schönen Haus, und ich wasche deine Hemden.«

Von einem Moment auf den anderen verwandelte sich ihr Gesicht. Gerade hatte sie noch gelächelt – Louis hatte noch nie etwas Traurigeres gesehen als dieses verrostete Lächeln, dieses verschimmelte Glück –, und jetzt starrte sie ihn an. Wie der kleine Junge, der ihn für den Teufel gehalten hatte.

»Was hast du für ein Hemd an?«, sagte sie. »Es ist nicht einmal richtig sauber. Ist dir etwas zugestoßen, mein Chabosli? Geht es dir schlecht?« Strahlte schon wieder. »Jetzt weiß ich es«, sagte sie. »Natürlich«, sagte sie. »Du hast aus deinen Hemden Windeln gemacht. Für unseren Sohn. Komm, du darfst ihn halten.«

Sie streckte ihm die Fetzenpuppe hin. Ihr Gesicht, als er zögerte, so enttäuscht, dass er nichts anders konnte, als ihr das Lumpenbündel abzunehmen. Das ihn darstellen sollte. Das alles sein sollte, was man seiner Mutter einmal versprochen hatte. Was sie sich ausgedacht hatte.

Marianne Banzori lachte. Das Lachen gehörte zu einer ganz anderen Frau. Nicht zur grauhaarigen, zahnlosen Bewohnerin eines Pfrundhauses. »So klug und so ungeschickt«, sagte sie. »Du musst seinen Kopf stützen. Er ist doch gerade erst zur Welt gekommen.«

Extreme Fehlstellung.

Man darf ihr nicht widersprechen, dachte Louis. Es würde nichts verändern. Er wiegte das Lumpenbündel hin und her, wie man ein Kind wiegt.

Wie er vermutete, dass Kinder gewiegt werden. Im Martinitt hatte man für solche Dinge keine Zeit gehabt.

»Du musst ein Lied für ihn singen«, sagte Marianne Banzori.

Beim Marschieren hatten sie viele Lieder gesungen, aber ihm fiel nur das eine ein, das er von Ambro gelernt hatte.

»Einmal wird es meiner sein«, sang Louis.

»Er ist deiner«, sagte die junge alte Frau. »Das ist dein Sohn. Das ist Louis Chabos.«

50

Sie tranken einen dunkeln, schweren Wein.

Nach dem zweiten Glas fragte Louis: »Warum Maienfeld?«

»Man ist dort freundlich zu ihr«, sagte Jost. »Eine bezahlte Freundlichkeit, aber sie wird den Unterschied nicht spüren.«

»Woher kommt das Geld dafür?«, fragte Louis.

»Ich schieße es vor.«

»Für meinen Vater?«

»Ich war einmal Politiker«, sagte Jost. »Ich habe gelernt, manche Fragen zu überhören.«

»Du möchtest ein Zyniker sein«, sagte Louis. »Aber du hast kein Talent dafür.«

»Ich übe noch«, sagte Jost.

Der Wein war gut.

»Ein kleiner Bub hat mich für den Teufel gehalten«, sagte Louis.

»Das spricht für dich«, sagte Jost.

»Ich bin also ein gefallener Engel.«

»Andersrum«, sagte Jost. »Engel sind verkleidete Teufel.«

»Wo hast du diese Weisheit her?«

»Aus Paris. Während der Revolution ist manchem der Heiligenschein verrutscht.«

Aus dem oberen Stockwerk hörte man Frau Jost schnarchen.

»Sie hat wenig erlebt«, sagte Jost. »Darum schläft sie gut.«

»Ich mag deine Frau«, sagte Louis.

»Sie mag dich auch«, sagte Jost.

Ging in den Keller, um den Krug aufzufüllen.

Die Flammen aus dem Kamin warfen Schatten auf die Wände. Tanzende Gespenster.

Man müsste sitzen bleiben können, dachte Louis.

Einfach sitzen bleiben.

Man sah die Gespenster auch mit geschlossenen Augen.

Jost brachte einen anderen Wein. Süßer und weniger herb. »Du musst sie unterscheiden lernen«, sagte er. »Das erwarte ich von dir.«

»Wozu?«

»Ich handle mit Wein«, sagte Jost. »Wenn du für mich arbeiten willst …«

»Will ich das?«, sagte Louis.

»Hast du Besseres vor?«

»Ich kann nichts«, sagte Louis.

»Dann wirst du es lernen«, sagte Jost.

Gespenster an den Wänden.

»Warum tust du das?«, fragte Louis.

»Um dich aufzubewahren. Bis ich deinen Vater erreicht habe. Er muss entscheiden, ob ich dir seinen Namen verraten darf.«

»Ihr seid immer noch in Kontakt?«

»Nein«, sagte Jost. »Seit damals habe ich nie wieder etwas von ihm gehört.«

Im leeren Glas hatte der Rotwein Schlieren gebildet. Ein Kamerad bei den Voltigeuren hatte behauptet, dass man aus ihnen die Zukunft voraussagen könne.

Es war besser, die Zukunft verschwinden zu lassen. Louis streckte Jost sein Glas hin.

»Soll ich noch einen anderen Wein holen?«, fragte der.

»Ich würde den Unterschied nicht erkennen«, sagte Louis.

»Die meisten Leute erkennen ihn nicht«, sagte Jost. »Davon lebt man als Weinhändler.«

»Das ist unmoralisch«, sagte Louis.

»Natürlich«, sagte Jost.

»Aber es ist mir egal«, sagte Louis.

»Du bleibst also?«

»Wo soll ich sonst hin?«

Die Gespenster hoben ihre Gläser und prosteten ihnen zu.

»Übrigens«, sagte Jost. »Catharina hat deine Uniform gewaschen. In der Tasche war ein Rasiermesser. Es liegt in der Küche.«

»Da war noch etwas anderes«, sagte Louis.

»Ach ja«, sagte Jost. »Diese kleine Flasche. Die ist mir leider auf den Boden gefallen und zerbrochen. Ich hoffe, es war nichts Wichtiges.«

»Nein«, sagte Louis. »Es war nichts Wichtiges.«

51

Monate später.

Als Jost sagte, sie hätten im Weinkeller etwas zu erledigen, meinte Catharina: »Männergespräche.« Eine kluge Frau.

Es roch nach Wein. Holz. Nach modrigem Staub. Louis hielt die Laterne. Jost überprüfte die Kreidezeichen auf den Fässern. Manchmal wischte er eines mit dem Ärmel weg. Schrieb ein anderes hin. Die Zeichen konnte außer ihnen niemand lesen. Sie gaben an, bis zu welchem Preis man sich hinunterhandeln lassen durfte.

Catharina hatte recht: Das Halbdunkel des Kellers war ein guter Ort für Gespräche.

»Ich möchte, dass du mitmachst«, sagte Jost.

»Es gefällt mir nicht«, sagte Louis.

»Aha«, sagte Jost, »du tust also nur, was dir gefällt.«

»Das habe ich nicht gesagt.«

»Aber gemeint.«

»Mit dir kann man nicht diskutieren«, sagte Louis.

»Man kann«, sagte Jost. »Nur: Ich habe ein Leben lang geübt, mich mit Worten durchzusetzen. Wenn es auch meistens bei den Worten geblieben ist.«

»Warum ist dir die Sache so wichtig?«

»Ich mag den Laurin Andeer nicht«, sagte Jost. »Obwohl

ich ihn kaum kenne. Er ist der Sohn vom alten Andeer, und mit dem habe ich …« Er hustete einen gelogenen Husten. Sagte dann: »Den Malanser müssen wir billiger hergeben. Der hält nicht ewig.«

»Was ist mit den Andeers?«

»Sie wollen die Dorfkönige sein. Den von Salis kriechen sie in den Hintern. Bei den anderen spielen sie die großen Herren. Jetzt fängt der Sohn auch schon an.«

Die Sache war die: Nach dem endgültigen Sieg über Napoleon waren zwei junge Leute ins Dorf zurückgekommen. Der Laurin Andeer, der bei den Österreichern gedient hatte, und der Cassian Clopath, den es zu den bayerischen Truppen verschlagen hatte. Weil der Krieg für ihre Seite gewonnen war, gockelten die beiden durchs Dorf wie triumphierende Feldmarschälle. Nun hatten sie einen öffentlichen Wettkampf ausgerufen. Am nächsten Sonntag nach dem Kirchgang. Auf dem Schlossbungert, der Wiese hinter Sankt Andreas. Der Sieger sollte das Kommando über die Dorfwache übernehmen. So hatten es deren Mitglieder in einer Abstimmung beschlossen.

»Das ist zwar nur ein kleines Amt«, sagte Jost. »In einem überflüssigen Verein. Aber mit den kleinen Ämtern fängt es an. Zuerst ist man *sous-lieutenant,* dann erster Konsul, und zuletzt setzt man sich auf den Kaiserthron.«

»In Zizers?«

»Das Prinzip ist dasselbe«, sagte Jost. »Der Cassian Clopath wird den Zweikampf verlieren. Den Preis für seine Niederlage hat er bestimmt schon ausgehandelt. Dann hat schon wieder ein Andeer seinen Fuß auf der ersten Sprosse. Außer …« Er wischte ein Zeichen an einem Fass aus.

Überlegte. Schrieb dasselbe Zeichen wieder hin. »Außer es taucht ein Bewerber auf, mit dem er nicht gerechnet hat.«

»Sie haben mich nicht zum Mitmachen eingeladen«, sagte Louis.

»Sie haben austrommeln lassen, dass jeder teilnehmen kann, der im Krieg gewesen ist.«

»Auch wenn er bei den Franzosen gekämpft hat?«

»Jeder, der eine Uniform anhatte.«

»Wenn ich verliere?«

»Dann bist du wenigstens jemand.«

»Das verstehe ich nicht«, sagte Louis.

»Es ist einfach«, sagte Jost. »Die Leute brauchen zu jedem Menschen eine Geschichte. Bis jetzt bist du in Zizers nur ›der Fremde vom Aloys‹. Hinterher wirst du der sein, der bei dem großen Wettkampf dabei war. Ihn vielleicht sogar gewonnen hat.«

»Mit dieser Hand?«

»Du kannst nicht dein Leben lang alles auf deine Hand schieben. Dein Vater hätte keinen Moment gezögert.«

Louis ließ die Laterne sinken, sodass Jost sein Gesicht nicht sehen konnte. »War er Soldat?«, fragte er.

»Er war vieles«, sagte Jost. »Ich werde es dir erzählen, sobald er es mir erlaubt.«

»Er hat auf deine Briefe nicht geantwortet.«

»Vielleicht hat er sie nicht bekommen. Solche Leute sind schwer zu erreichen.«

Natürlich gab Louis nach. Er sei Jost diesen Gefallen schuldig, redete er sich ein. Aber er wollte einfach so sein wie sein Vater.

Wie er sich einen Vater vorstellte.

52

Das ganze Dorf hatte sich auf dem Schlossbungert versammelt. Sonntäglich herausgeputzt. Die Leute waren direkt aus ihren Kirchen gekommen, die katholischen aus Sankt Peter und Paul, die protestantischen aus Sankt Andreas. Wäre man zuerst noch nach Hause gegangen, um sich umzuziehen, hätte man vielleicht etwas verpasst.

Jetzt, wo die Kriege und Revolutionen ein Ende hatten, war die Lust auf harmlose Spektakel zurückgekommen. In ganz Europa saßen die Könige wieder auf ihren Thronen. Wenn die neue Ordnung auch nicht mehr ganz die alte war, so war es doch immerhin eine Ordnung. Endlich konnte man sich wieder um die nebensächlichen Dinge kümmern. Das Kommando der Dorfwache war so eine Nebensache. Dass sich zwei – nein, drei! – junge Männer um das lächerliche Amt öffentlich duellieren wollten, war für die Menschen in Zizers der Beweis, dass man das Unwichtige wieder wichtig nehmen durfte.

Weil Frieden war, weil der Bundesvertrag in Kraft getreten war, weil sich ohnehin niemand an ein Verbot gehalten haben würde, hatten die Herren Geistlichen beide Augen zugedrückt und ausnahmsweise das Tanzen am Sonntag erlaubt. Als Louis sich der Wiese näherte, wärmten sich die Musikanten schon auf. Der Schulmeister mit seiner Geige.

Der einäugige Dumeni mit seiner scheppernden Trompete. Der Curdin mit seiner Trommel.

Das Wetter hätte nicht besser sein können. »Der letzte warme Sommertag«, sagten die einen. Die anderen: »Der Herbst fängt gut an.« Man plauderte, als ob man alle Zeit der Welt hätte. Die Ungeduld war trotzdem zu spüren. Auf Sensationen will man nicht warten.

Der alte Andeer traf in der Menge auf Aloys Jost. Sagte: »Dein Schützling dürfte gar nicht mitmachen. Er ist kein Ortsbürger.«

»Dafür ist dein Sohn Österreicher«, sagte Jost. Freute sich noch lang, dass ihm die schnelle Antwort eingefallen war.

Man hatte in Uniform anzutreten, so war es verabredet. Bei Louis und bei Cassian Clopath mussten die Jacken den Rest der Montur vertreten. Bei Louis war von der blauen Farbe kaum mehr etwas übrig. Cassian hatte von seiner Uniform mit den rot-weißen Bruststreifen den unbequemen hohen Kragen abgeschnitten, schließlich war der Krieg vorbei. Nur Laurin sah in der weißen Montur eines österreichischen Infanteristen vorschriftsmäßig aus. Die gekreuzten Bänder der Ordonnanztasche hatte er mit Kreide eingerieben, sodass er bei jeder Bewegung staubte.

Der Marchese hatte Louis einmal erzählt, wie im alten Rom die Gladiatoren in die Arena marschiert waren. In kindlicher Naivität hatte er damals geglaubt, der Marchese habe das selbst miterlebt. In Zizers gab es keine Arena. Keinen Kaiser, den man hätte grüßen müssen. Nicht einmal einen Kampfleiter. Nur für das abschließende Reiten waren der Schmied und noch zwei andere als Schiedsrichter bestimmt worden.

Die Leute verloren allmählich die gute Laune, weil niemand das Kommando zum Anfangen gab. Schließlich sagte Vater Andeer etwas zu Dumeni. Der blies eine Fanfare.

Die drei Bewerber traten vor. Laurin Andeer stolz und siegesbewusst. Cassian Clopath mit dem schweren Schritt eines Mannes, der das Kämpfen besser gewohnt ist als das Siegen. Louis Chabos wie jemand, der lieber gar nicht hier wäre.

»Begrüßt euch«, rief Aloys Jost.

Einen Moment lang wussten die drei nicht, wie sie das machen sollten. Als Soldaten konnten sie sich nicht gut die Hände schütteln. Dann salutierte Laurin. Die andern machten es ihm nach.

Louis fiel auf, dass jede Armee ihre eigene Art zu salutieren hatte. Vielleicht gab es Kriege nur, weil den Generälen solche Dinge wichtig waren.

Die Regeln waren schriftlich festgehalten. Der Schulmeister hatte das übernommen.

»Die wackeren Wettkämpfer«, las er jetzt vor – von ›wacker‹ stand nichts auf seinem Zettel, aber er wollte den Augenblick feierlich machen –, »die wackeren Wettkämpfer werden in drei Disziplinen gegeneinander antreten, jeder gegen jeden, und dabei ihre militärischen Fertigkeiten unter Beweis stellen. Wer mehr als eine Disziplin gewinnt, ist Sieger.«

Er machte eine Pause. Der Trommler verstand sie falsch und schlug einen Wirbel. Der Schulmeister warf ihm den strafenden Blick zu, mit dem er schon manchen Schüler zum Schweigen gebracht hatte.

»Sollte jeder der drei eine Disziplin gewinnen«, las er

weiter vor, »werden alle drei zum Sieger erklärt, und das Kommando über die Dorfwache wechselt unter ihnen ab.«

Diesmal trommelte ihm Curdin nicht in seine Pause hinein.

»Die drei Disziplinen«, verkündete der Schulmeister, »sind Fechten, Schießen und Reiten.«

Jetzt, wo man einen Wirbel gebraucht hätte, kam keiner.

53

Das Fechten ging schlecht. Mit der Waffe in der unge-
übten linken Hand hatte Louis gegen Laurin keine
Chance.

Zum Glück musste er zu seinem zweiten Gang nicht mehr
antreten, weil Laurin auch Cassian Clopath besiegt hatte.

Sieger der ersten Disziplin: Laurin Andeer.

Aber der Marchese war eleganter, dachte Louis.

Die Zuschauer applaudierten und riefen »Bravo!« Nur
eine Gruppe von Männern rund um Aloys Jost blieb
stumm.

Für das Schießen hatte Viturin Casutt, der mehr aus
Liebhaberei als zum Geldverdienst Schränke und Stühle
bemalte, eine Zielscheibe hergestellt. Die Kreise von außen
nach innen mit den Zahlen von eins bis zehn beschriftet.

Es sollte in Richtung Norden geschossen werden, damit die Schützen nicht von der Sonne geblendet wurden.
Die Leute, die dafür ihre Plätze in der ersten Reihe aufgeben mussten, waren nicht zufrieden. Aber wenn einer die
Scheibe ganz verfehlte, konnte ein Unglück passieren.

Drei Schuss für jeden.

Damit keiner einen Vorteil hatte, sollten alle mit derselben Waffe schießen. Zu Louis' Erleichterung war es eine
Muskete. Damit war er vertraut.

Der Schulmeister schritt die Entfernung ab. Dreißig Schritte, ganz exakt.

Erster Schütze: Cassian Clopath.

Acht.

Laurin Andeer: Zehn. Applaus.

Louis Chabos: Zehn. Der Fremde vom Aloys schien tatsächlich etwas zu können.

Gut, dass der *sergent* so streng mit uns war, dachte Louis.

Cassian Clopath: Sechs. Jemand lachte hämisch, hörte aber gleich wieder auf.

Laurin Andeer: Zehn.

Louis Chabos: Zehn.

Der Fremde konnte tatsächlich etwas.

Cassian Clopath: Neun.

Laurin Andeer: Neun.

Aloys Jost schaute zum alten Andeer. Der tat, als ob er den Blick nicht bemerkte.

Mit einer Muskete kann man auf hundert Schritt treffen. Zehn.

Sieger der zweiten Disziplin: Louis Chabos.

Cassian Clopath gibt bekannt, dass er zur letzten Disziplin nicht mehr antritt.

»Du würdest auch besser aufgeben«, sagte Laurin.

»Oder du«, sagte Louis.

Für das Reiten hatte der Herr von Salis eine Stute aus dem Schlossgestüt zur Verfügung gestellt. »Der junge Andeer wird Gelegenheit gehabt haben, sich mit dem Tier vertraut zu machen«, hatte Aloys gesagt. »Das sind so die kleinen Vorteile, die sich die Andeers dieser Welt verschaffen.«

Es wurde ohne Sattel und Zaumzeug geritten. Cassian machte die Räuberleiter, und Laurin stieg auf.

Ließ das Pferd galoppieren und im Trab gehen. Ritt im Kreis und dann in einer Acht.

Er sitzt nicht zum ersten Mal auf diesem Tier, dachte Louis.

Laurin brachte das Pferd zum Stehen und sprang ab. Applaus und Bravorufe. Den drei Schiedsrichtern war anzusehen, dass sie sich einen besseren Reiter nicht vorstellen konnten.

Als Louis an die Reihe kam, war niemand da, der ihm beim Aufsteigen half. Cassian Clopath hatte die Hände auf dem Rücken verschränkt und schaute in den Himmel.

Zum zweiten Mal an diesem Tag war Louis dem *sergent* dankbar. Mit der flachen Hand gab er der Stute einen Schlag auf die Kruppe. Das Pferd trabte ohne Reiter los.

Gelächter.

Louis rannte hinter dem Tier her.

Noch mehr Gelächter. Am lautesten Laurin.

Auf ein Pferd springen, das muss ein Voltigeur im Schlaf können.

Das Gelächter hörte auf, als Louis auf dem Pferderücken kniete. Wurde zu etwas ganz anderem, als er aufstand.

Auf dem hohen Seil kommt man auf der anderen Seite an, oder man ist tot.

Die Schiedsrichter überlegten nicht lang. Sieger der dritten Disziplin und Sieger des Wettkampfs: Louis Chabos.

54

Trotz ihres Namens war an der Dorfwache nichts Militärisches. Wenn sich die jungen Männer am Montagabend zu ihren Übungen trafen, wollten sie sich vergnügen. Manchmal gingen dabei Dinge zu Bruch. Dann wurde im Dorf geredet, man müsse die ganze Sache verbieten. Aber die Alten waren auch einmal jung gewesen.

Unter Louis' Kommando hatte die Dorfwache neuen Zulauf bekommen. Nur Laurin Andeer hatte am Montag immer besonders viel zu tun. Konnte – zu seinem Bedauern, ließ er ausrichten – leider nicht teilnehmen.

Umso eifriger war Cassian Clopath dabei. Einmal fragte er Louis, ob die Dorfwache nicht auch einen stellvertretenden Kommandanten brauche. Seit so viele Leute mitmachten, wäre das bestimmt nützlich. Er selbst sei, wenn man ihn anfrage, durchaus bereit, sich für diese Aufgabe zur Verfügung zu stellen.

Das Ehrenamt des Kommandanten war bisher immer nur von Söhnen der wenigen reichen Familien wahrgenommen worden. Der Kommandant musste den Wein für den Umtrunk nach den Übungen besorgen.

»Bedien dich«, sagte Aloys. »Was sie als Junge trinken, kaufen sie später als Alte. So schaffst du dir Kunden für dein Geschäft.«

»Es ist nicht mein Geschäft«, sagte Louis.

»Wenn ich tot bin, schon.«

»Ist das ein Versprechen?«, sagte Louis.

»Es ist eine Tatsache«, sagte Aloys. »Mein Sohn hat sich bei den von Salis anstellen lassen. Der braucht nichts zu erben.«

Louis musste sich diesen Hass von Catharina erklären lassen.

»Es hat damit angefangen, dass Aloys in Versailles in diesem Regiment diente«, sagte sie. »Der Kommandeur war der Heinrich von Salis, und wenn man nicht zu seiner Familie oder sonst zum Adel gehörte, konnte man über Leutnant hinaus nicht befördert werden. Als man dann in Paris Revolution machte, hat Aloys die Chance gesehen, das zu ändern. Es ist ihm auch gelungen, aber es hat ihm nichts genützt. Weil das Regiment aufgelöst wurde. Seither streitet er sich mit den von Salis und ihren Parteigängern, wo er nur kann.«

»Was ist mit seinem Sohn?«

»Da musst du ihn selbst fragen«, sagte Catharina.

Aloys Jost sprach oft von der Vergangenheit. Wenn man Näheres wissen wollte, sagte er: »Ich will nicht darüber reden.«

Zum nächsten Treffen der Dorfwache wollte Louis von dem Malanser mitnehmen, der schon fast hinüber war. Aloys ließ das nicht zu.

»Wenn man etwas verschenkt, muss es vom Besten sein«, sagte er. »Alles andere ist ein Kompromiss. Wer Kompromisse macht, verliert.«

»Wer keine macht?«, fragte Louis.

»Verliert auch«, sagte Jost.

Die Übungen ließen sie an diesem Tag ausfallen. Das Wetter war einfach zu schlecht. Es regnete, wie so oft in diesem Jahr. Kalt war es eigentlich immer.

Sie tranken ihren Wein im Schulzimmer. Dem Schulmeister passte das nicht, aber so ein Rohrstockfuchtler hatte ihnen nichts zu sagen. Wo er nicht einmal aus den fünf Dörfern stammte.

»Ich bin auch nicht hier geboren«, sagte Louis.

»Bei dir ist das etwas anderes«, sagte Cassian.

Ja, stimmten alle zu, beim Louis war das etwas anderes. Sie hoben ihre Gläser und tranken noch mehr Wein.

Später sangen sie Lieder. Fröhliche, bei denen sie im Takt in die Hände klatschten. Sentimentale, bei denen sie nicht wussten, ob es die Melodie war, die sie so sehr rührte, oder der Rotwein.

Sie verlangten von Louis, dass er ein italienisches Lied für sie singen sollte. Ihm fiel nur das von der Kugel ein, auf der immer schon ein Name steht. Dieses Lied, hatte er sich geschworen, wollte er nie mehr singen.

Sie redeten noch auf ihn ein, als das Mädchen hereinkam. Eine junge Frau, aber so mager, dass man sie für ein Kind halten konnte. Trotz des schlechten Wetters trug sie keinen Mantel. Das Kleid durchnässt. Die Haare strähnig.

»Hunger«, sagte sie.

Dann fiel sie in Ohnmacht.

55

Er trug sie durch den Regen nach Hause. Dachte wirklich: nach Hause. Obwohl er bei Aloys und Catharina nur zu Gast war. Sie war leicht in seinen Armen.

In der Küche setzte er sie auf einen Stuhl. Wollte sie mit einem Tuch trocken reiben. Sie sagte ein zweites Mal: »Hunger.« Ihre Stimme aus einer anderen Welt.

Louis schnitt eine dicke Scheibe Brot ab.

Den Topf mit der Butter nahm ihm Catharina aus der Hand. »Wenn jemand lang nichts gegessen hat, ist das Gift für ihn«, sagte sie. Wo hat sie diese Erfahrung gemacht?, fragte er sich.

Das Mädchen hielt die Brotscheibe mit beiden Händen. Schaute sie an wie etwas Fremdes. Etwas, das sie noch nie gesehen hatte.

»Iss«, sagte Louis.

Sie schien vergessen zu haben, wie man das macht. Nur ihr Mund bewegte sich. Leer.

Louis erinnerte sich an Maria und die alte Frau. Kaute ein Stück Brot zu Brei. Spuckte ihn dem Mädchen in den Mund. Ihr Gesicht nah vor dem seinen. Große dunkle Augen.

Noch ein Bissen. Noch einer.

Catharina sah ihm ohne Überraschung zu. Als ob man das in diesem Haushalt schon immer so gemacht hätte. Als

Aloys hereinkam und etwas fragen wollte, schüttelte sie den Kopf.

Nach einer Weile begann das Mädchen selbst zu essen. Stopfte das Brot nicht in sich hinein, wie man es bei einer Hungrigen erwartet hätte. Führte es zum Mund wie etwas Heiliges. Drei Leute sahen ihr zu und schwiegen.

Nach der dritten Scheibe übergab sie sich auf den Tisch. Catharina, die doch nie eigene Kinder gehabt hatte, nahm sie in den Arm, wie es nur Mütter können.

»Ich werde eine Kartoffelsuppe kochen«, sagte sie.

Das Mädchen schon wieder ohnmächtig.

»Sie kann im Schuppen im Stroh liegen«, sagte Aloys.

»Nein«, sagte Louis. »Sie bekommt mein Bett.«

Als er sie hinauftrug, dachte er: Wenn sie dort stirbt, werde ich noch darin schlafen können?

Als er zurückkam, wischte Catharina immer noch den Tisch ab. Obwohl der längst sauber war.

»Ich glaube, sie schläft jetzt«, sagte Louis.

»Ich wusste nicht, dass es mit dem Mangel schon so schlimm ist«, sagte Aloys.

Die Ernte war überall schlecht gewesen. Die Preise gestiegen. Aber dafür hatte man Vorräte. In den fünf Dörfern hungerte niemand. Andere Orte schien es härter getroffen zu haben.

»Man wird sich vorbereiten müssen«, sagte Aloys. »Wo eine kommt, kommen bald viele. Aber wie ich unsere Gemeindeoberen kenne …«

»Das wäre etwas für dich, Aloys«, sagte Catharina. »Eine Aufgabe, die zu dir passt. Man wird organisieren müssen. Die Leute dazu bringen, dass sie helfen.«

»Nein«, sagte Aloys. »Nie wieder. Man strengt sich an und bekommt doch keinen Dank.«

»Brauchst du ihren Dank?«, fragte Catharina.

»Nie wieder«, sagte Aloys.

Catharina schälte ihre Kartoffeln. »Dann wird es Louis machen müssen«, sagte sie.

»Wieso ich?«

»Du hast mir erzählt, wie oft du gehungert hast.«

»Andere wären geeigneter.«

»Andere sind immer geeigneter«, sagte sie. »Wenn einer am Ertrinken ist, kann man nicht am Ufer stehen bleiben und auf Leute warten, die besser schwimmen können.«

»Was meinst du, Aloys?«, fragte Louis.

»Aha«, sagte Aloys, »du möchtest, dass ich die Verantwortung für dich übernehme. Ich übernehme sie aber nicht. Es muss jeder seine eigenen Fehler machen.«

»Männer.« So wie Catharina das sagte, war es ein unanständiges Wort. »Unterdessen ist die Frau in deinem Bett vielleicht schon verhungert.«

»Meinst du?«, sagte Louis erschrocken.

»Ich meine gar nichts«, sagte Catharina. »Es muss jeder seine eigenen Fehler machen.«

56

Der Entschluss war Louis nicht schwergefallen. Es war besser so.

Laurin Andeer saß an einem Tisch vor dem Haus seiner Familie – ein sehr viel schöneres Haus, als Aloys Jost es hatte – und schnitzte an einer hölzernen Wappenscheibe. Ein Bär auf den Hinterbeinen über einem Stück Mauerwerk.

»Ich habe nichts mit dir zu besprechen«, sagte er.

»Gut«, sagte Louis. »Dann besprechen wir das jetzt.«

»Ich bin beschäftigt.« Die Krallen des Bären mussten mit besonderer Sorgfalt herausgearbeitet werden.

Louis sah ihm eine Weile bei der Arbeit zu. Dann sagte er: »Du hast geschickte Hände.«

Laurin schaute nicht auf. »Mit Komplimenten wirst du bei mir nichts erreichen«, sagte er.

»Ich möchte, dass du wieder bei der Dorfwache mitmachst.«

»Nicht, solang du dort herumregierst.«

»Das trifft sich gut«, sagte Louis. »Ich will das Kommando an dich übergeben.«

Laurin hatte bisher den Blick nicht eine Sekunde von seiner Schnitzarbeit abgewendet. Jetzt sah er Louis zum ersten Mal an. »Warum?«, fragte er.

»Du wärst ein guter Kommandant.«

»Und du?«

Ohne Aufforderung setzte sich Louis zu ihm an den Tisch. »Wenn du mir fünf Minuten zuhörst«, sagte er, »erkläre ich es dir.«

Als er Aloys beim Abendessen von dem Gespräch erzählte, meinte der: »Du hast Talent zum Politiker.«

»Damit er mitmacht, musste ich ihm etwas bieten.«

»Eben«, sagte Aloys. »Das ist Politik.«

Was Louis sich ausgedacht hatte, war dies: Als die Väter der heutigen Großväter damals die Dorfwache gründeten, hatte sie eine klare Aufgabe. Sie sollte das Dorf vor Gefahren schützen. Diebstähle verhindern. Bei Feuersbrünsten zur Stelle sein. Unterdessen gab es eine Feuerwehr. Landjäger. Die Dorfwache war überflüssig geworden. Existierte nur noch als Vorwand für feuchtfröhliche Abende. Jetzt, wo in den Bünden Mangel herrschte, wo vielleicht sogar eine Hungersnot drohte, konnte sie wieder nützlich werden. Konnte Lebensmittel sammeln. Eine Suppenküche einrichten. Tausend Dinge. Wenn niemand dagegenarbeitete.

»Das Amt würde dadurch auch wichtiger«, hatte Louis zu Laurin gesagt. »Wenn man etwas werden will, im Dorf oder später auch einmal in Chur, ist es nützlich, wenn man in dieser schwierigen Zeit der Kommandant gewesen ist.«

Laurin hatte sein Schnitzmesser weggelegt und nachgedacht.

»Du bist ganz schön gerissen«, hatte er dann gesagt. »Ich mache die Arbeit, und du erzählst allen, dass es deine Idee war.«

»Es war deine Idee«, hatte Louis gesagt.

Laurin hatte ihn lang angesehen. Dann hatte er gefragt: »Was hast du davon?«

»Die richtige Frage«, sagte Aloys. »Was hast du davon?«

»Menschen hungern«, sagte Louis. »Man muss etwas dagegen tun. Dafür gebe ich gern das Kommando auf.«

»Wenn der Laurin ein richtiger Andeer ist«, sagte Aloys, »wird er dir das nicht geglaubt haben.«

»Muss man immer an sich selbst denken?«

»Man muss nicht«, sagte Aloys. »Du kannst eine Sache durchaus tun, nur weil sie getan werden muss. Weil dich ein fremdes Unglück gerührt hat. Voltaire meint, dass dich erst das richtig menschlich macht. Aber wenn du andere davon überzeugen willst, müssen sie denken können, dass du auch einen eigenen Vorteil dabei suchst. Sonst halten sie dich für einen Heuchler.«

»Sind die Menschen wirklich so misstrauisch?«

»Das ist meine Erfahrung«, sagte Aloys.

Bis dahin hatte Catharina nur zugehört. Jetzt sagte sie: »Ich weiß, wie man es machen könnte. Damit alle zu wissen glauben, warum er diesen Plan ausgeheckt hat. Ich müsste herumerzählen …«

»… dass er als Engel vom Himmel gefallen ist?«

»Dass er das alles nur tut, weil er in das fremde Mädchen verliebt ist.«

»Das ist Unsinn«, sagte Louis.

»Vielleicht«, sagte Catharina.

57

Seraina. Siebzehn Jahre alt.

Doktor Bisaz meinte, sie hätten sie gerade noch zurückgeholt. »Die Tür hatte sich schon fast hinter ihr geschlossen«, sagte er.

In den ersten Tagen schlief sie nur. Wenn sie wach war, redete sie wirres Zeug. Ein Wolf habe ihren Vater gefressen. Ein Bär. Obwohl er sich im Boden versteckt habe. Aber die wilden Tiere hätten ihn gefunden.

Später, als ihr Kopf klarer wurde, weinte sie viel, weil alles zurückkam. Ihre Mutter hatte sie nie gekannt. Sie hatte allein mit ihrem Vater gelebt, auf einem winzigen Einödhof oben am Berg. Irgendwo im Prättigau.

Dann war der Vater gestorben, es wurde nicht klar, ob vor Hunger oder wegen einer Krankheit. In dem steinigen Boden, in dem in diesem nassen Jahr die Kartoffeln verfaulten, hatte sie das Grab für ihn gegraben. »Nicht tief genug«, sagte sie immer wieder.

Nicht tief genug.

Sie hatte keine Hilfe holen können. Den kranken Vater durfte sie nicht alleinlassen. »Das versteht ihr doch?« Es wäre auch niemand gekommen, auf ihren abgelegenen Krüppelhof. Wer kein Brot kaufen kann, kann auch keinen Doktor bezahlen.

Dann, als der Vater tot war, musste sie bleiben und auf das Grab aufpassen. Es war nicht tief genug. Durch ihre Schuld. Ein Wolf oder ein Bär konnte die Leiche ausgraben. Das durfte sie nicht zulassen. Das war ihre Verantwortung.

»Das versteht ihr doch?«

Der Hunger hatte sie dann doch weggetrieben. Sie hatte betteln müssen. Die Leute sagten: »Wir haben selber nichts.« Die Beine hatten sie noch getragen, irgendwie. Bis sie sie dann nicht mehr getragen hatten. Sie hatte sich hingelegt, sie wusste nicht, wo. Hatte einschlafen wollen. Nie mehr aufwachen. Dann hatte der kalte Regen sie noch einmal aufgeweckt.

»Und jetzt bin ich hier«, sagte sie. »Denkt nicht, dass ich nicht dankbar bin. Aber wenn dieser Regen nicht gekommen wäre, müsste ich niemandem zur Last fallen.«

Als Doktor Bisaz ihr das Aufstehen erlaubte, versuchte sie sich nützlich zu machen. »Ich bin das Arbeiten gewohnt«, sagte sie. Wollte Catharina im Haushalt helfen. Bevor sie das halbe Geschirr abgewaschen hatte, musste sie sich hinsetzen.

»Lass dir Zeit«, sagte Catharina. »Du musst zu Kräften kommen.«

»Wofür?«, sagte Seraina.

Obwohl Louis beteuerte, seit er Soldat gewesen sei, könne er überall schlafen, bestand sie darauf, dass er wieder in sein Zimmer einzog. »Ich will niemandem etwas wegnehmen«, sagte sie.

Louis machte ihr ein Bett im Stroh. Mit einem richtigen Kissen und zwei warmen Decken. »Bald kommt der Winter«, sagte er.

»Er war das ganze Jahr schon da«, sagte sie.

Weil ihres zerschlissen war, kaufte er ihr bei einem fahrenden Händler ein Kleid. Eine vornehme Dame habe es getragen, sagte der Verkäufer.

Das Kleid war viel zu groß. Als Seraina sich im Spiegel betrachtete, lachte sie zum ersten Mal wieder.

Louis war froh, dass in diesem Moment außer ihm niemand dabei war. So gehörte dieses Lachen ihm ganz allein.

Catharina, die sich auf solche Sachen verstand, machte das Kleid enger und kürzer. »Damit kannst du in die Kirche gehen«, sagte sie.

»Ich gehe nie mehr in die Kirche«, sagte Seraina.

Schade, dachte Louis. Die Leute würden sich zuflüstern: »Wer ist die schöne Frau neben Louis Chabos?«

Wenn Seraina lachte, war sie schön.

Damals, als sie im Schulzimmer in Ohnmacht gefallen war, hatte sie ausgesehen wie ein Kind. Ein zerlumptes, verregnetes Bettlerkind. Louis hatte sie auf den Arm nehmen und nach Hause bringen können. Leicht wie eine Feder war sie gewesen.

Jetzt, wo es ihr besser ging, sagte sie: »Irgendwo finde ich eine Stelle. Ich muss mir mein Leben verdienen.«

Louis merkte, dass er erschrak.

»Das eilt nicht«, sagte Aloys.

Er schenkte ihr einen mit Perlmutt verzierten Kamm, der einmal seiner Frau gehört hatte. »Für deine schönen Haare«, sagte er.

Sie sind blond, dachte Louis. Und dann wieder: Sie sind braun. Konnte sich nicht entscheiden. Auch nicht, ob ihre Augen mehr blau oder mehr grün waren. Er dachte oft darüber nach.

58

Je mehr ihre Kraft zurückkehrte, desto fröhlicher wurde Seraina. Aber die Fröhlichkeit strengte sie an.

Wenn es ihr schlechter ging, auch das kam vor, sprach sie von dem Grab, das nicht tief genug geworden sei. Durch ihre Schuld nicht tief genug.

Aloys meinte, irgendwann werde sie das alles vergessen. Es sei nur eine Frage der Zeit. Alles sei eine Frage der Zeit, sagte er. Das habe er oft erfahren.

Catharina, die ihm selten widersprach, war anderer Meinung. Als Seraina wieder einmal von dem Grab anfing, sagte sie zu ihr: »Du wirst noch einmal hingehen müssen.«

»Wenn du willst, begleite ich dich«, sagte Louis.

Auf dem Weg zu ihnen hatte sich Seraina immer wieder auf Pfade verirrt, die nirgends hinführten. Einmal, als sie umkehren musste, hatte sie zum zweiten Mal beim selben Haus um ein Stück Brot angeklopft. War ein zweites Mal als lästige Bettlerin beschimpft worden. »So eine wie du war gerade erst da«, hatte die Frau gesagt. Seraina erzählte es, als ob sie darüber lachen könne. Jetzt, wo es nur noch eine Erinnerung war.

In ihren Augen war kein Lachen.

»Catharina hat recht«, sagte sie. »Ich werde noch einmal hingehen müssen.«

Louis packte Proviant für eine ganze Woche ein.

»Wie lang wollt ihr wegbleiben?«, fragte Aloys.

»Solang es nötig ist«, sagte Louis.

Catharina umarmte Seraina zum Abschied. Tat so, als ob sie ihr nur den Schal habe grade ziehen wollen.

Unterwegs sprachen sie nicht miteinander. Louis hatte den Eindruck, dass Seraina dieses Schweigen brauchte.

Igis. Ganda. Grüsch.

Das ist sie alles gelaufen, dachte Louis. Hungernd und bettelnd ist sie das alles gelaufen.

Von Grüsch, wo manche Leute wegschauten, wenn sie vorbeikamen, ging es den Berg hinauf. Der Pfad kaum zu erkennen. Serainas Schritte wurden immer schneller. Louis hatte Mühe, ihr zu folgen.

Durch die leeren Fensterrahmen des kleinen Hauses hatte der Wind dürre Blätter hineingeweht. Auf dem Fußboden eine tote Dohle. Sonst alles leer. Kein Stuhl. Kein Tisch. Kein Bett. Zum Helfen war den Leuten der Weg zu weit gewesen. Zum Stehlen nicht.

Das Grab ein flacher Hügel. Unversehrt.

»Gibt es hier überhaupt wilde Tiere?«, fragte Louis.

»Manchmal«, sagte Seraina.

Sie sammelten Steine. Davon gab es genug. Deckten das Grab zu. Seraina schleppte schwere Brocken heran. Louis hinderte sie nicht daran. Sie schien das zu brauchen.

Als sie eine Pause machten, fragte sie: »Was ist mit deinem Vater?« So etwas hatte sie noch nie von ihm wissen wollen.

»Ich kenne ihn nicht«, sagte Louis. »Aloys könnte es mir sagen, aber er hat geschworen, es nicht zu verraten.«

»Wem hat er das geschworen?«, fragte Seraina.

»Ihm«, sagte Louis.

Später, als sie Brot und Käse gegessen hatten, fragte sie: »Was ist mit deiner Mutter?«

»Es gibt sie nicht mehr.«

»Tot?«

»Schlimmer«, sagte Louis.

Eine ganze Weile kniete sie neben dem Grab auf dem Boden. Dann stand sie auf und sagte: »Gehen wir. Es wird dunkel sein, wenn wir ankommen. Wir werden den Weg schon finden.«

»Ja«, sagte Louis. »Wir werden den Weg schon finden.«

Mitnehmen wollte sie nichts. Nicht einmal eine Feder der toten Dohle. »Ich brauche kein Andenken«, sagte sie. »Hier gibt es nichts mehr für mich. Ich habe ja euch.«

Diesmal war das Lächeln auch in ihren Augen.

Louis wollte sie fragen, was sie jetzt vorhabe. Ob sie tatsächlich von Zizers weggehen und sich als Magd verdingen wolle. Wollte sie fragen, ob er etwas tun könne, um ihr den Aufenthalt bei Aloys und Catharina angenehmer zu machen. Man könnte die Dachkammer ausbauen, wollte er sagen, wo doch nur Kisten mit alten Flugblättern lägen. Dann müsse sie nicht mehr im Stroh schlafen, wollte er sagen. Das sei bestimmt unangenehm.

All das wollte er sagen. Er fand die richtigen Worte nicht. Stattdessen fragte er: »Willst du mich heiraten?«

»Natürlich«, sagte Seraina.

59

Laurin Andeer würde in der Politik einmal große Karriere machen. Darüber war man sich in Zizers einig. Wie er die Bekämpfung der Hungersnot zu organisieren verstand, wie er sich einsetzte mit seiner Dorfwache – solche Leute brauchte es in Chur.

»Diplomatisch ist er auch«, sagten die Leute. Noch bevor der junge Chabos als verheirateter Mann ohnehin ausgeschieden wäre, hatte er ihn dazu gebracht, das Kommando abzutreten. Ganz ohne Streit. Die früheren Konkurrenten schienen Frieden geschlossen zu haben. Saßen fast jeden Tag zusammen. Ja, sagte man im Dorf, wenn es mehr Familien gäbe wie die Andeers, das wäre eine bessere Welt.

Nur Aloys Jost war anderer Meinung. Erzählte herum, das mit der Suppenküche und der Spendensammlung sei alles dem Chabos seine Idee gewesen. Wenn der nicht gewesen wäre, sagte er, der Laurin würde immer noch auf seinem Hintern sitzen und in der Nase bohren. Mit einem goldenen Nasenbohrer. Wie es der Brauch sei bei Leuten, die sich für besser hielten als andere.

Aber auf den alten Jost, wie man ihn unterdessen allgemein nannte, hörten immer weniger Leute. Man hatte andere Sorgen.

Schon im letzten Jahr war die Ernte schlecht gewesen. Jetzt

wollte gar nichts mehr wachsen. In den Rebbergen nicht und auf den Feldern noch weniger. Im Frühjahr waren an den Obstbäumen die Blüten erfroren. Beim Getreide blieben die Ähren taub. Die Alp Pawig hatte man erst im Juni bestoßen können, und im August war es mit der Sennerei schon wieder vorbei gewesen. Weil es dort oben statt Gras nur Schnee hatte. Im August! Die Litanei der Katastrophen hörte gar nicht mehr auf. Man sprach vom »Jahr ohne Sommer«.

Nur Regen gab es genug. Fast alle Brücken über den Rhein waren von Überschwemmungen weggerissen.

Am meisten litten die Menschen darunter, dass Brot zu einem Luxus geworden war, den man sich nur noch am Sonntag leisten konnte. Und selbst dann nicht immer. In den fünf Dörfern hatte man nie viel Korn angebaut. Es war einfacher gewesen, es einzukaufen. Jetzt war Getreide nur noch zu Wucherpreisen zu haben. Wenn sich überhaupt welches finden ließ.

Der russische Zar, hieß es, habe eine größere Lieferung für das notleidende Rätien auf den Weg gebracht. In Zizers war nichts davon angekommen. Versprechungen machen nicht satt.

Von Chur, wo die hohen Herren saßen, kamen statt Hilfslieferungen nur Rundschreiben. Keines von praktischem Nutzen. Die letzten Kartoffeln solle man nicht einfach aufessen, hieß es da, sondern vorher die Augen herausschneiden und sorgfältig aufbewahren. Damit man im nächsten Frühjahr etwas zu setzen habe. Oder: Wenn gar nichts anderes mehr da sei, lasse sich aus gemahlenen Knochen eine Suppe kochen. Die sei zwar nicht wirklich nahrhaft, stille aber doch den schlimmsten Hunger. Lauter

Sachen, die sich nur Leute ausdenken konnten, die nicht wussten, was Hunger war.

Außerdem Ratschläge für den Umgang mit Ortsfremden. Wie man denen, wenn sie um Almosen bäten, klarmachen solle, dass sie sich an ihre eigenen Gemeinden um Hilfe zu wenden hätten.

Dabei waren das Menschen, die am Verhungern waren. Ganz wörtlich am Verhungern. Man kann einer Mutter, die mit ihren Kindern schon Gras weidet wie eine Kuh, nicht mit Zuständigkeiten kommen.

Nur: Wo sollte man das Essen hernehmen, das so dringend gebraucht wurde?

»Am Anfang haben die Leute noch gegeben«, sagte Laurin. »Jetzt sagen sie, sie hätten selbst nichts mehr. Als ob sie nicht nur die Vorräte an Kartoffeln aufgebraucht hätten, sondern auch die an Mitleid.«

Louis rieb sich am Kinn. Das sah seltsam aus, mit nur zwei Fingern. »Wenn du noch mal mit dem Herrn von Salis sprichst?«

»Im Schloss sind nur noch Bedienstete«, sagte Laurin. »Die Familie ist nach Chur gegangen.«

»Vielleicht könnte man ein paar von den Bettlern dort in der Scheune unterbringen«, sagte Louis.

»Damit haben sie nicht gegessen«, sagte Laurin.

»Ich weiß«, sagte Louis.

Sie schwiegen lang. Dann meinte Laurin: »Ob wir den Aloys noch einmal im Dorf losschicken könnten? Der wusste immer, wie man die Leute mitreißt.«

»Nein«, sagte Louis. »Den Aloys können wir nicht mehr losschicken.«

60

Aloys war alt geworden. Es ließ sich nicht mehr übersehen. Immer öfter war er auch verwirrt. Verwechselte die Gegenwart mit der Vergangenheit. Wollte in Kämpfe ziehen, die längst ausgekämpft waren. Gegen die Vorrechte der Aristokraten. Für die Gleichheit aller Patrioten. Sagte Dinge wie: »Wenn ihr nicht auf mich hört, werden wir das Veltlin noch ganz verlieren.« Dabei war das Veltlin längst verloren.

Vor einem Jahr war das noch anders gewesen. Seine Ratschläge, wie man für den Mangel vorsorgen und Hilfe organisieren müsse, waren vernünftig gewesen. Jetzt, wo der Hunger ganz Rätien im Griff hatte, schrieb er Aufrufe. Sprang manchmal mitten in einer Mahlzeit auf, weil ihm gerade die genau richtige Formulierung eingefallen war. Das eine Wort, das die Welt verändern würde.

»Er arbeitet an einem Brief an den Großen Rat«, sagte Louis. Hatte sich mit Catharina auf diese Lüge geeinigt. Zwar verstand er sich unterdessen gut mit Laurin. Aber auch der musste nicht wissen, was Aloys wirklich an seinem Stehpult machte.

Aloys Jost schrieb Briefe an den lieben Gott.

Das sei der Oberste von den Oberen, sagte er. Wenn er etwas in seinem Leben gelernt habe, dann dies: Bei der höchsten Instanz müsse man seine Forderungen laut und deutlich stellen. Müsse denen die Meinung geigen. Ob sie hören wollten oder nicht. Damals in Paris, während der Revolution, habe man das deutlich sehen können.

Er hatte drei Forderungen, die er immer wieder neu formulierte. Erstens: besseres Wetter. Zweitens: ein Ende der Überschwemmungen. Drittens: eine doppelte Ernte zum Ausgleich. Das alles in so flammenden Worten, wie er früher einmal das Recht auf Beförderung gefordert hatte.

Nein, von Aloys war keine Hilfe zu erwarten.

Sein Zustand wechselte von Tag zu Tag. Manchmal, wenn es besonders schlimm wurde, erkannte er einen nicht mehr. Behandelte Catharina als seine Haushälterin. Hatte vergessen, dass sie seine Frau war. Fragte Seraina, ob sie die Schneiderin sei, die auf Stör hatte kommen wollen. Als Louis ihn an die Hochzeit erinnerte, bei der Aloys doch für Seraina die Rolle des Brautvaters übernommen hatte, antwortete er: Er erinnere sich gut. Es sei eine schöne Hochzeit gewesen. Nur die Reise nach Italien habe ihn sehr angestrengt.

Wie er auf Italien gekommen war, konnte sich niemand erklären.

Manchmal, immer seltener, gab es auch gute Tage. Dann war er ganz bei sich. Vergaß sein Pamphlet. Interessierte sich wieder für den Weinhandel. Examinierte Louis, und wehe, der wusste nicht auf Anhieb zu sagen, wie sich die Böden in Trimmis von denen in Zizers unterschieden. »Wie oft muss ich dir das noch erklären? Wir haben Kalkböden, und sie haben Schieferböden! Deshalb ist ihr Wein weniger fruchtig.«

Natürlich hatte er auch bei diesem Thema seine Theorien, wie für alles in der Welt. Aber sie klangen vernünftig. Zum Beispiel meinte er: Wenn man von jedem Rebstock nicht mehr, wie üblich, zehn Pfund Trauben ernten würde, sondern mehr Triebe abschneiden, sodass es nur noch zwei Pfund wären, das würde einen besseren Wein ergeben. Die Mengen, die sich auf diese Weise ernten ließen, wären zwar kleiner, aber dafür könne man höhere Preise nehmen. Die bessere Qualität würde sich herumsprechen. So würde man auch Abnehmer finden, wenn einmal zu viel Wein auf den Markt kam.

Am nächsten Tag schrieb er wieder an den lieben Gott.

Seraina verstand es am besten, ihn auf andere Gedanken zu bringen. Auch an den Tagen, an denen er nicht wirklich wusste, wer sie war. Wenn sie seine Hand auf ihren Bauch legte, wurde er ruhig. Es würde ein Bub werden, sagte er dann. So etwas spüre er. Er wisse auch schon den Namen des Kindes. Aber er dürfe ihn nicht verraten. Das habe er jemandem geschworen.

Die Hoffnung, von ihm Informationen über seinen Vater zu erhalten, hatte Louis aufgegeben. Selbst wenn Aloys etwas gesagt hätte – wie hätte man wissen sollen, ob es nicht wieder eine von seinen Fantasien war?

Louis hatte keine Zeit, darüber nachzudenken. Er musste Verantwortung übernehmen. Der Weinhandel war zwar fast vollständig zum Erliegen gekommen. Die wenigen Trauben lohnten das Keltern nicht. Für den alten Wein gab es keine Abnehmer. Schiefer- oder Kalkböden, das interessierte keinen.

Aber der Haushalt musste neu organisiert werden. Jahrelang war hier alles den immer gleichen Gang gegangen. Jetzt war plötzlich alles anders. Catharina musste ein eigenes Zimmer bekommen. Schon zweimal hatte Aloys sie aus dem Ehebett geworfen. Was ihr eigentlich einfalle, mitten in der Nacht in sein Schlafzimmer zu kommen? Da habe sie als Gouvernante nichts zu suchen. Zum Glück sei seine Frau gerade nicht da.

Und das alles, während immer mehr hungrige Menschen im Dorf um Hilfe nachfragten. Laurin kam fast jeden Tag vorbei, um sich mit Louis zu beraten.

»Nein«, sagte der. »Vom Aloys wird keine Hilfe mehr kommen.«

61

Du solltest im Haus bleiben«, sagte Louis. »Es ist zu kalt draußen. Das ist nicht gut in deinem Zustand.«

Seraina lachte. »Es ist kein Zustand«, sagte sie. »Es ist ein Kind.«

Sie lachte viel in diesen letzten Wochen der Schwangerschaft. Ein ungläubiges, glückliches Lachen. Für Louis war es jedes Mal, als ob er ein Geschenk bekäme.

Er versuchte, ihr zu erklären, dass er beim Suppenverteilen sehr gut allein zurechtkommen werde. Dass eine hochschwangere Frau sich um sich selbst kümmern müsse, nicht um andere. Dass bei diesem Schneesturm bestimmt nicht mit Neuankömmlingen zu rechnen sei.

Seraina nickte. Lachte. Kam dann doch mit. Einen zweiten dicken Schal um die Schultern. Wenigstens in diesem Punkt hatte sich Louis durchsetzen können.

Der Schnee lag so hoch, dass die Pfade zwischen den Häusern Kanälen glichen. In *Imago Mundi* war ein Bild von Venedig gewesen. Dort gab es keine Straßen. Man fuhr mit Booten durch die Stadt. Als er Seraina einmal davon erzählt hatte, waren ihre Augen groß geworden. »Das möchte ich gern einmal sehen«, hatte sie gesagt.

»Wir fahren zusammen hin«, hatte er geantwortet. Er hätte Seraina auch den Mond vom Himmel versprochen.

»An Weihnachten werden wir Vollmond haben«, hatte Catharina gesagt.

Im dichten Schneetreiben war vom Weg kaum etwas auszumachen. Sie fanden ihn trotzdem. So ist das, wenn man an einem Ort zu Hause ist, dachte Louis. Wenn er »zu Hause« denken durfte, wurde ihm jedes Mal warm.

Die Hungerflüchtlinge waren im Schulzimmer untergebracht. Im selben Raum, in dem die Dorfwache so oft gefeiert hatte. Dem Schulmeister passte das nicht. Aber die Kinder konnten ihr ABC auch später lernen. Die kräftigen jungen Männer hatten die paar Bänke zur Seite geschoben und aufeinandergestapelt. Den Boden mit Stroh ausgelegt. Holz für den Ofen organisiert. Und das Wichtigste: Jeden Abend brachte reihum einer einen Topf Suppe. Deren Ausgabe musste man überwachen. Sonst hätten nur die Kräftigsten etwas bekommen.

In den fünf Dörfern war man sich einig: So wie sie es in Zizers machten, das war vorbildlich. Nur wenige hatten etwas zu kritisieren. Man könne es mit der Wohltätigkeit auch übertreiben, sagten sie.

Direkt vor der Tür stolperte Seraina über etwas.

Als Louis die Laterne senkte, sahen ihn zwei leere Augen an.

Eine junge Frau. Erfroren. Oder verhungert.

Seraina wollte sich bücken. Louis hielt sie am Arm fest.

»Sie ist tot«, sagte er.

»Vielleicht kann man ihr noch helfen«, sagte Seraina.

»Nein«, sagte Louis. »Es ist zu spät.« In Russland hatte er viele solche Gesichter gesehen.

»Du willst sie einfach liegen lassen?«

»Laurin kommt gleich mit der Suppe. Dann kann die Ortswache sie auf den Friedhof bringen.«

Wo auf vielen Holzkreuzen kein Name stand.

Louis fasste Seraina am Arm. Half ihr, über die tote Frau hinwegzusteigen. Beiden kam es vor, als ob sie damit eine Sünde begingen.

Die Frau wimmerte.

Obwohl sie doch tot war.

Oder war es der Wind? Manchmal, wenn er vom Fluss her gegen die Ecke eines Hauses …

Nein.

Das Wimmern kam unter dem Mantel der fremden Frau hervor. Als ob sich dort ein Tier verkrochen hätte.

Ein Kind. In eine Decke gewickelt.

Wenige Tage alt.

Oder wenige Stunden? Louis kannte sich in diesen Dingen nicht aus.

»Ich werde Laurin entgegengehen«, sagte er.

»Nein«, sagte Seraina. »Um die Frau kann er sich später kümmern. Von dem Kind braucht er nichts zu wissen.«

»Warum nicht?«

»Es soll doch vorkommen«, sagte Seraina, »dass eine Frau Zwillinge zur Welt bringt.«

62

Der kleine Laurin fing an zu schreien. Ohne Grund.
»Ich weiß nicht, was er hat«, sagte sein Patenonkel.
»Wenn ich mich über ihn beuge, freut er sich. Wenn ich
ihn anpuste, lacht er. Sobald ich ihn anfasse, fängt er an zu
weinen. Versteht ihr das?«

»Bei mir macht er das nicht«, sagte Louis.

Catharina war dabei, die kleine Mia zu wickeln. Ohne
aufzublicken sagte sie: »Es liegt an Ihrer Hand, Herr Andeer. Sie haben zu viele Finger.«

»Verstehe ich nicht.«

»In der Welt Ihres Patensohns haben nur Frauen fünf
Finger. Männer haben zwei.«

»Meinst du wirklich?«, sagte Louis.

»Natürlich«, sagte Catharina. »Du bist für ihn das Maß
aller Dinge.«

Sie wusste nicht, wie glücklich sie Louis damit machte.

Später, bei einem Glas Wein, sagte Laurin Andeer: »So
geht das nicht weiter bei euch. Der alte Jost spinnt jeden Tag
mehr. Solche Sachen werden mit den Jahren nur schlimmer.
Ihr solltet hier ausziehen.«

»Wer kümmert sich dann um ihn?«

»Seine Catharina macht das schon. Aber zu sechst in diesem kleinen Haus …«

»Wir kommen zurecht.«

»Zu Deutsch: Du hältst es fast nicht mehr aus.«

»Es ist nicht einfach. Aber ich muss ihm dankbar sein, dass er mich damals aufgenommen hat.«

»Und er muss dir dankbar sein, dass du dich um seinen Weinhandel kümmerst. Müsste dir dankbar sein, wenn er solche Sachen noch verstehen würde. Ohne dich wäre er schon längst ein Fall für das Pfrundhaus.«

»Einerseits hast du recht«, sagte Louis.

»Und andererseits?«

»Natürlich wäre es schön, wenn wir mehr Platz hätten. Im Moment ist es noch zu machen, aber wenn die Kinder größer werden …«

»Das meine ich.«

»Nur: Wo sollen wir hin? Du kennst meine Geschichte. Ich bin ohne einen Batzen hier angekommen.«

Laurin Andeer fischte eine Fliege aus seinem Glas, obwohl dort gar keine Fliege war.

»Wir waren einmal Konkurrenten«, sagte er. »Stimmt's?«

»Stimmt«, sagte Louis.

»Dann haben wir zusammen gegen den Hunger gekämpft. Stimmt's?«

»Stimmt.«

»Jetzt sind wir Freunde. Stimmt's?«

»Natürlich«, sagte Louis.

»Dann hör jetzt zu, und widersprich mir nicht. Ich tu's auch gar nicht für dich, sondern für deinen Sohn. Man hat seine Verpflichtungen als Patenonkel. Du kennst das Haus, in dem mein Onkel Giusep gewohnt hat. Das steht leer. Ich habe mit meinem Vater gesprochen: Ihr könnt es haben.«

»Das kann ich nicht annehmen«, sagte Louis.

»Dann sind wir keine Freunde mehr«, sagte Laurin.

»Hast du ihn wenigstens umarmt?«, fragte Seraina.

»Nein«, sagte Louis.

»Dann werde ich es tun«, sagte sie.

An diesem Abend saß Louis neben dem Bettchen, in dem seine Kinder lagen, und hörte ihrem Atem zu. Er brauchte kein Licht, um sie zu sehen. Da war Mia, seine Tochter. Er hatte sie auf den Namen Marianne taufen lassen, aber der Name war zu schwer für so ein kleines Kind. Mia glich ihrer Mutter, da war er sich sicher. Auch wenn er der Einzige war, der diese Ähnlichkeit in ihrem unfertigen Gesicht zu entdecken glaubte.

Und da war Laurin. Der Sohn, den sie auf der Straße gefunden hatten. Louis hatte die Hebamme für eine Zwillingsgeburt bezahlt. Hatte sie schwören lassen, das Geheimnis niemandem zu verraten.

Du bist ein Waisenkind wie ich, dachte er. Aber du wirst Eltern haben. Wirst dir etwas anderes nicht vorstellen können. Eine Familie. Ich werde dir ein guter Vater sein, auch wenn ich nicht wirklich weiß, wie das geht.

Ich werde es lernen.

W as hast du?«, fragte Seraina.
»Nichts«, sagte Louis.

Aus dem Zimmer, in dem die Kinder schon längst hätten schlafen sollen, ertönte Lärm. Die beiden hatten ein neues Spiel. Man musste dabei auf dem Bett herumhüpfen und schreien. Damit vertrieb man Gespenster, hatten sie erklärt.

»Irgendwann bringen sie das Haus zum Einsturz«, sagte Seraina.

»Es gibt Schlimmeres«, sagte Louis hinter seiner *Churer Zeitung* hervor. Es war sonst nicht seine Art, sich so zu verschanzen. Für gewöhnlich legte er die Zeitung zur Seite, wenn man mit ihm redete.

»Hat es etwas mit dem Brief zu tun, der heute gekommen ist?«

»Ich will nicht darüber reden.«

»Wenn man zu viel in sich hineinfrisst, wird man krank«, sagte Seraina.

»Mir geht es gut.«

Das Geschrei der Kinder schien ihn für diese Lüge auszulachen.

»Du willst es mir nicht erzählen«, sagte Seraina.

»Es ist etwas Persönliches«, sagte Louis.

»Ich bin deine Frau.«

»Eine Sache, über die wir nie gesprochen haben.«

»Es geht um deine Mutter, nicht?«

Er schaute sie an, als ob da eine fremde Frau am Küchentisch säße. Auch das war eine Antwort.

»So schwierig war das nicht«, sagte Seraina. »Der Brief kam aus Reichenau.«

»Woher weißt du …?«

»Von Catharina«, sagte sie. »Sie hat mir alles erzählt. Eine traurige Geschichte. Es scheint, dass deine Mutter sich selbst verloren hat.«

»Du hast das die ganze Zeit gewusst?« Fassungslos.

»Nicht die ganze Zeit. Catharina hat mir das Geheimnis zur Hochzeit geschenkt. Weil ich jetzt dazugehöre, hat sie gesagt. Was ist mit deiner Mutter? Ist sie krank?«

»Sie ist tot.«

Er hatte Marianne Banzori nur ein einziges Mal besucht. Hatte sie nie als Mutter gekannt. Jetzt sah Seraina ihren Mann zum ersten Mal weinen. Nahm ihn in den Arm, wie sie ihre Kinder in den Arm nahm, wenn ihnen ein Kinderunglück das Herz brach.

»Su, su, su«, sang Seraina. »So, so, so.«

»Morgen bist du wieder froh«, wäre das Lied weitergegangen. Aber einen erwachsenen Mann tröstet man nicht mit einem Lied.

Als er wieder sprechen konnte, sagte Louis: »Es hat sich nichts geändert. Und doch: Es ist alles anders geworden.«

»Woran ist sie gestorben?«

»Spielt das eine Rolle? Sie ist schon begraben.«

»Und sie schreiben dir erst jetzt?«

»Der Verwalter teilt mit, dass die Zahlungen eingestellt

werden können. Er fragt, ob ich die Puppe haben will, die sie all die Jahre mit sich herumgetragen hat.«

»Willst du?«

»Wozu?«, sagte Louis.

»Su, su, su, so, so, so«, sang Seraina.

»Du kannst den Brief lesen, wenn du willst«, sagte Louis.

»Nicht nötig«, sagte Seraina.

Die Kinder hatten eine Pause gemacht. Jetzt fingen sie wieder an zu springen und zu schreien.

»Ihnen geht es besser als uns«, sagte Louis. »Wir sind jetzt beide Waisenkinder.«

»Du hast noch einen Vater.«

»Von dem ich nie etwas erfahren werde. Oder hat dir Catharina etwas verraten?«

»Sie weiß es auch nicht«, sagte Seraina.

Die Kinder tobten immer weiter in ihr Schweigen hinein.

Louis faltete seine Zeitung sorgfältig zusammen. Noch einmal und noch einmal. Warf sie ins Feuer.

»Heute bin ich endgültig erwachsen geworden«, sagte er.

»Das ist gut«, sagte Seraina. »Dann kannst du erwachsener Mann jetzt zu deinen Kindern gehen und ihnen eine Einschlafgeschichte erzählen. Bevor ihre Betten zu Bruch gehen.«

»Eine Geschichte?«, sagte Louis. »Jetzt?«

»Gerade jetzt«, sagte Seraina.

64

»Es war einmal …«, sagte Louis.

»… ein Drache!«, sagte Laurin.

»… eine Fee!«, sagte Mia.

»… ein Waisenknabe«, sagte Louis.

»Was ist ein Waisenknabe, Papa?«

»Du bist dumm«, sagte Laurin. Sie hatten ihm erzählt, er sei eine halbe Stunde vor seiner Schwester geboren. Er war stolz darauf, der Ältere und damit Klügere zu sein. »Ein Waisenknabe ist ein Bub, der keine Eltern hat.«

»Ist das wirklich so passiert, Papa?«, sagte Mia. »Mama sagt: Jedes Kind hat einen Vater und eine Mutter.«

So leicht ließ sich Laurin nicht am Rechthaben hindern. »Und wenn sie gestorben sind?«

»Dann will ich eine andere Geschichte haben!« Mia mochte Märchen, in denen alle vom Anfang bis zum Ende glücklich waren. Ihr Bruder hatte es gern, wenn die bösen Räuber vom Wolf gefressen wurden.

»Wenn ihr euch streitet, kann ich nicht erzählen«, sagte Louis.

»Dann streiten wir uns später«, sagte Laurin. Er musste immer das letzte Wort haben.

»Es war einmal ein Waisenknabe, der lebte mit vielen anderen Waisenkindern in einem großen Haus.«

»Größer als unseres?«

»Viel größer. So viele Kinder lebten da – wenn sie in der Küche für alle Suppe kochten, brauchten sie einen Kessel so groß wie ein Ruderboot.«

»Ich hätte ihn ganz allein leer gegessen«, sagte Laurin.

»Eines Tages kam ein Herold des Königs geritten. Er trug eine prächtige Uniform, und der Schimmel, auf dem er ritt, war das schönste Pferd, das man sich vorstellen konnte.«

»Hatte es Flügel?«, fragte Mia.

»Nein, Flügel hatte es keine. Aber sein Geschirr war aus Silber und die Steigbügel aus purem Gold. Der Herold blies ein Signal auf seiner Trompete …«

»Wie der Dumeni?«

»Viel, viel schöner. Als alle Leute gekommen waren, um ihm zuzuhören, verkündete er seine Botschaft. Der König lässt euch sagen: Wenn einer unter euch ist, der ein Muttermal in der Form eines Sterns auf seiner Brust hat, dann soll er zu mir an den Hof kommen. Man wird ihn mit allen Ehren empfangen.«

»Gibt es das?«, fragte Laurin. »Ein Muttermal wie ein Stern?«

Jetzt war Mia für einmal die Überlegene. »Im Märchen gibt es alles«, sagte sie.

»Alle Kinder im Waisenhaus schauten unter ihren Hemden nach, aber keiner hatte so ein Zeichen auf der Brust. Nur der allerkleinste von ihnen …«

»Wie hieß er?«

»Das habe ich vergessen«, sagte Louis. »Der allerkleinste Waisenknabe hatte tatsächlich so ein Muttermal. Er zeigte es dem Herold, und der ließ ihn hinter sich auf sein Pferd aufsitzen.«

»Wie du als Voltigeur«, sagte Laurin.

»Wie ich als Voltigeur«, sagte Louis. »Sie ritten drei Tage und drei Nächte, dann erreichten sie das Schloss. Als der König das Muttermal sah, sagte er: ›Du bist mein Sohn!‹ Der Sohn des Königs war nämlich als kleines Kind aus seiner Wiege gestohlen worden. Jetzt hatten sie ihn wiedergefunden. Der König umarmte den Waisenknaben, die Königin umarmte ihn auch, und vor lauter Glück hatten alle drei Tränen in den Augen.«

»Du weinst ja, Papa«, sagte Mia. »Bist du traurig?«

»Es ist nur, weil die Geschichte so schön ist«, sagte Louis. »Von jenem Tag an lebte der Waisenknabe am Königshof. Er hatte ein eigenes Pferd, zog jeden Tag ein frisches Hemd an und lernte alles, was ein Prinz lernen muss. Als er groß geworden war, heiratete er eine wunderschöne Prinzessin. Am Tag der Hochzeit übergab ihm der König sein Reich. So wurde aus dem armen Waisenknaben ein mächtiger Herrscher. Zu seiner Krönung veranstaltete er ein großes Fest, und …«

»… dann kam ein Drache und fraß alle auf.«

»Nein«, sagte Louis. »Es kam kein Drache.«

»Schade«, sagte Laurin.

»Er lud alle seine Freunde aus dem Waisenhaus ein. Der Hofbäcker musste für sie einen Kuchen backen, der war so groß wie ein Haus. Wie gefällt euch die Geschichte?«

»Mit einem Drachen wäre sie noch besser gewesen«, sagte Laurin.

»Mir hat sie gefallen, weil sie ein Märchen ist«, sagte

Mia. »Es ist doch nicht wirklich passiert, nicht wahr, Papa?«

»Nein«, sagte Louis. »Es ist nicht wirklich passiert.«

65

A m Andreasmarkt stand eine Bude auf dem Schlossbungert, in der wurde die Schlacht von Waterloo gespielt. Es waren Holzfiguren, die da aufeinander losgingen;
auch im schwachen Licht der Öllampen konnte man die
Stäbe, an denen sie geführt wurden, deutlich erkennen. Die
Trompetenstöße und Trommelwirbel, die das Geschehen
begleiteten, kamen alle aus derselben Ecke. Ein Musiker
spielte beide Instrumente und hatte vor Anstrengung einen
roten Kopf.

Am Rand des Geschehens saß als Erzähler der Kaiser
Napoleon. Alles an ihm war so, wie man es von Bildern
kannte. Der Zweispitz auf dem Kopf. Die Locke, die ihm
in die Stirn fiel. Der Orden der Ehrenlegion.

Mia hatte zuerst nicht mitkommen wollen. Seraina
musste ihr hoch und heilig versichern, dass in der Bude
kein richtiger Krieg geführt werde. Es seien nur Puppen,
und an Puppen habe sie doch Freude. Während der ganzen
Vorstellung ließ die Kleine die Hand ihrer Mutter nicht los.

Laurin tat erwachsen. Schließlich war er schon fast sieben und hatte mit seinen Freunden oft genug Krieg gespielt. Während der Puppenschlacht saß er dann doch mit
offenem Mund da. Ein Effekt beeindruckte ihn ganz besonders: Als die französischen Truppen die Flucht ergrif-

fen, prasselte ein Regenschauer auf das Zeltdach. Es klang, als ob es dazugehörte.

Nachher, draußen auf dem Platz, kam ihnen das Tageslicht trotz der Wolken sehr hell vor.

Überall gab es etwas zu sehen und zu riechen. An einem Stand wurden Würste verkauft. An einem anderen kleine Pasteten. An einem dritten Zuckeräpfel. Louis, der doch ein sparsamer Hausvater war, erfüllte Laurin und Mia jeden Wunsch. Sie mussten nicht einmal betteln.

Seraina ließ ihn gewähren. Er hatte ihr von dem Jahrmarkt erzählt, an dem er hungrig hatte zuschauen müssen und wegen eines Apfels eingesperrt worden war. Es war wichtig für ihn, dass er jetzt die eigenen Kinder verwöhnen konnte.

Nur als sie Laurin Andeer antrafen, und der seinem Patensohn auch noch etwas Süßes kaufen wollte, sagte sie streng: »Kommt nicht infrage. Er wird sich den Magen verderben.« Das Glas Wein, zu dem Laurin sie unbedingt einladen wollte, konnten sie nicht ablehnen.

Während sich die Erwachsenen unterhielten, standen die beiden Kinder vor einem winzigen Zelt. Gerade groß genug, dass zwei Menschen darin Platz hatten. Neben dem Eingang saß auf einem Hocker eine alte Frau. Lange weiße Haare. Ungekämmt. Ein buntes Kleid. Ein Schal mit Fransen. Schwere Ohrringe. Um den Hals mehrere Ketten.

»Sind die alle aus Gold?«, fragte Mia.

»Natürlich nicht«, sagte ihr Bruder mit der ganzen Würde seiner vermeintlich längeren Lebenserfahrung. »Sonst wären schon längst Räuber gekommen und hätten sie gestohlen.«

Die alte Frau sagte etwas. Wiederholte es immer wieder. Ihre Stimme sehr leise. Aus Erschöpfung, oder einfach, weil sie das Interesse verloren hatte. Man musste nahe zu ihr hingehen, um sie zu verstehen.

»Die Zukunft«, sagte die alte Frau. »Lasst mich eure Zukunft lesen. Fünf Batzen aus den Karten, sieben Batzen aus der Hand.« Und wieder von vorn: »Die Zukunft. Lasst mich eure Zukunft lesen.«

»Meinst du, sie kann das wirklich?«, fragte Mia.

»Niemand kann das«, sagte Laurin.

»Wenn sie es doch sagt?«

»Sie lügt!«, sagte Laurin.

Die alte Frau hatte das gehört. Sie streckte ihre Hand mit den vielen Ringen aus. Hielt seinen Arm fest. Ihr Griff so fest wie der eine Mannes.

»Ich lüge nicht«, sagte sie. Die Stimme so leise, dass nur die beiden Kinder sie hören konnten. »Willst du deine Zukunft hören?«

»Lassen Sie mich los«, sagte Laurin.

»Soll ich sie dir voraussagen, du Kind ohne Vater?«

Wäre seine Schwester nicht dabei gewesen, Laurin hätte zu weinen begonnen. »Ich habe einen Vater«, sagte er.

»Dann ist ja gut«, sagte die alte Frau. »Dann ist ja alles gut.« Sie ließ seinen Arm los. Begann wieder mit ihrer Litanei. »Die Zukunft. Lasst mich eure Zukunft lesen.«

Als die Kinder ängstlich und aufgeregt bei der Weinbude ankamen und von ihrem Abenteuer erzählen wollten, hörte ihnen niemand zu. Tante Catharina stand bei ihren Eltern. Dabei hatte sie doch zu Hause bleiben und sich um ihren Mann kümmern wollen.

»Du musst sofort kommen«, sagte sie zu Louis. »Er will weglaufen. Ich kann ihn doch nicht anbinden.«

66

Jemand hat mein Rasierzeug versteckt«, sagte Aloys. »Bei solchen Verhandlungen muss man gepflegt daherkommen. Sie reden nicht mit jedem, die großen Leute.«

»Wohin willst du denn fahren?«, fragte Louis.

»Das möchtest du gern wissen«, sagte Aloys. »Damit sie mich überfallen und festnehmen können. Bist von den Österreichern gekauft. Aber mit mir macht man so etwas nicht. Nicht mit dem Aloys Jost.«

Aus seiner Reisetasche, die er immer wieder ein- und auspackte, zog er ein Hemd voller Tintenflecke. Hielt es Louis anklagend hin. »Mein Hemd haben sie mir versaut«, sagte er. »Damit ich mich nicht anständig präsentieren kann.«

»Das Tintenfass wird ausgelaufen sein«, sagte Louis.

»Die Tinte muss mit«, sagte Aloys. »Es gibt viel zu schreiben. Einen Vertrag werden wir abschließen, und er wird ihn unterzeichnen.«

»Wer?«

Aloys hatte vor Schlauheit ganz kleine Augen. »Das sage ich dir nicht. Du wirst schon sehen. Alle werden es sehen. Dann werden sie sagen: ›Der Aloys Jost hat uns das Veltlin gerettet.‹ Dankbar werden sie sein. Mehr als dankbar. Werden mir einen Titel verleihen. Die Salis haben einen. Die

Tscharner haben einen. Warum soll es nicht die Familie von Jost geben?«

Er schaute seine Reisetasche an, als habe er sie gerade erst entdeckt. Riss alles, was er gerade eingepackt hatte, wieder heraus. Warf es auf den Boden.

»Falsch. Ganz falsch. In Uniform muss ich kommen. Mich vor ihn hinstellen wie bei einer Parade und salutieren. ›Kamerad‹, werde ich sagen. Und er wird … Es kann gar nicht anders sein. Er wird …« Plötzlich hatte er die weinerliche Stimme eines unsicheren alten Mannes. »Meinst du nicht auch?«

»Du hast sicher recht«, sagte Louis.

»Nicht widersprechen«, hatte Catharina ihm eingeschärft. »Immer recht geben.«

»Oder besser doch nicht in Uniform? Als Gesandter kommen, ganz feierlich. Meine Pässe vorweisen. Wo sind meine Pässe?«

Er kniete auf dem Boden und wühlte in den Sachen, die er dort hingeschmissen hatte. »Ohne Pässe lassen sie mich nicht hinein. Zivilisten haben im Hauptquartier nichts zu suchen. Er hat bestimmt die Wachen verdoppelt. Verdreifacht. Es ist schließlich Krieg.«

»Ich weiß immer noch nicht, von wem du sprichst.«

»Bonaparte natürlich. General Bonaparte. Ich fahre nach Italien, um mit ihm zu reden. Und dann … und dann …« Wieder dieser plötzliche Wechsel zur Unsicherheit. »Er ist doch in Italien?«

»Er ist auf Sankt Helena«, hätte Louis sagen können. »Auf Sankt Helena begraben.« Aber wenn einer den Verstand verloren hat, heilt man ihn nicht mit der Wahrheit.

»Bestimmt«, sagte er deshalb. »Er ist ganz bestimmt in Italien.«

»Ich mache mich zu Fuß auf den Weg«, sagte Aloys. »Damit er sieht, wie dringend es ist. Vielleicht wird er mir eine Kutsche entgegenschicken. Eine Eskorte.«

»Du solltest besser hier warten.« Morgen, war zu hoffen, würde Aloys alles wieder vergessen haben. »Stell dir vor: Der Kaiser steht vor der Tür, und du bist nicht da.«

»Er ist kein Kaiser«, sagte Aloys. »Du bringst alles durcheinander. Nur die Österreicher haben einen Kaiser. Die Russen ihren Zaren. Er ist ein Soldat wie ich. Nur dass er General ist, und ich … Sie haben mich nicht befördert. Habe ich dir das schon einmal erzählt? Einfach nicht befördert.«

»Erzähl es mir.«

»Keine Zeit«, sagte Aloys. »Jede Minute ist wichtig.« Nahm seine Reisetasche in die Hand. War überrascht, sie leer zu finden.

»Gestohlen«, sagte er. »Alles gestohlen. Aber ich weiß, wer es war. O ja, ich weiß es genau. Sie wollen nicht, dass ich mit Bonaparte rede. Weil er mein Freund ist. Weil er auf mich hören wird. Weil er …« Plötzlich starrte er Louis an. »Oder hat er dich geschickt?«

»Ja«, sagte Louis. »Ich habe eine Botschaft für dich.«

»Von Bonaparte?«

Louis legte einen Finger an die Lippen. Flüsterte. »Du sollst hier auf ihn warten, lässt er dir ausrichten. Aber euer Treffen muss geheim bleiben.«

»Zu Befehl«, sagte Aloys und salutierte. Sah sich nach allen Seiten um und wiederholte, ebenfalls flüsternd: »Zu Befehl.«

67

Ohne Zuschauer war die Bude kein Theater mehr. Ein kleines Podest. Vier Reihen von Bänken, auf denen niemand saß. Durch die Planen der Seitenwände die Geräusche des Jahrmarkts. Da, wo Waterloo gewesen war, legte ein Mann die Soldaten und Pferde für die nächste Vorstellung bereit. Den Musiker hatte Louis an einem Stand ein Bier trinken sehen.

Napoleon hatte keine Stirnlocke mehr. Sie war an seinem Zweispitz befestigt gewesen. Jetzt sah man, dass er eine Glatze hatte. Der Waffenrock über eine Bank gelegt.

Der Kaiser rieb sich mit einem Handtuch den Oberkörper trocken. »Man schwitzt wie eine Sau«, sagte er. »Die Lampen halt.«

»Ich habe etwas mit Ihnen zu besprechen«, sagte Louis.

»Muss es jetzt sein? In einer halben Stunde fängt die nächste Vorstellung an.«

»Lassen Sie sie ausfallen«, sagte Louis.

»Um mit Ihnen zu plaudern?«

»Ich habe Ihnen einen geschäftlichen Vorschlag zu machen.«

»Ich höre«, sagte Napoleon. Mit einem fettigen Stift schmierte er sich Farbe ins Gesicht.

»Was verdienen Sie hier?«

»Zu wenig. Wenn die Leute vor ein paar Jahren ›Waterloo‹ gehört haben, sind sie gerannt. Aber heute … Es kommt alles aus der Mode.«

»Ich zahle Ihnen die Einnahmen von zwei Vorstellungen, wenn Sie jetzt sofort mit mir mitkommen.«

Napoleon hörte auf, sich zu schminken. »Ausverkaufte Vorstellungen?«, fragte er.

»Es muss aber gleich sein.«

»Wohin soll ich mitkommen?«

»Zu jemandem, der auf Sie wartet.«

»Ich verstehe kein Wort.«

»Es ist schon lang nicht mehr zu verstehen«, sagte Louis. »Wollen Sie das Geld verdienen oder nicht?«

»Was muss ich genau tun?«

»Dieselbe Rolle spielen wie hier. Napoleon. Gehen Sie auf ihn ein. Geben Sie ihm recht. Wenn er Ihnen ein Papier hinlegt, unterschreiben Sie es. Ein großes N wird genügen.«

»Die Einnahmen von zwei Vorstellungen?«

»Wenn Sie Ihre Sache gut machen.«

Der Kaiser schlüpfte in seinen Waffenrock. Setzte den Zweispitz auf. Klebte mit zwei feuchten Fingern die Stirnlocke an ihren Platz. Dann zögerte er doch noch.

»Ich kann aber kein Französisch«, sagte Napoleon.

»Sagen Sie einfach, Sie hätten für ihn Deutsch gelernt. Er wird es Ihnen glauben.«

»Der Mann muss verrückt sein.«

»Ich weiß nicht, ob er muss«, sagte Louis. »Manchmal denke ich: Er hat es sich ausgesucht.«

Als sie aus der Bude traten, der Weinhändler Louis Chabos und Napoleon Bonaparte, wurde getuschelt. Ein paar

Buben liefen ihnen hinterher, aber die Attraktionen waren dann doch spannender.

»Wer war der Mann neben Papa?«, fragte Mia.

»Der Kaiser«, sagte Laurin. Stolz darauf, ihn wiedererkannt zu haben.

Die Straßen von Zizers waren leer. Die Menschen alle auf dem Jahrmarkt. Aus den Fenstern schaute niemand dem seltsamen Paar hinterher.

Auf dem Weg erklärte Louis, um was es ging.

»Ich werde Ihnen die Rolle gut spielen«, sagte Napoleon. Ging immer langsamer. Als Louis drängte, sagte er: »Ein Schauspieler muss sich in seine Rolle einfühlen. Rennen passt nicht zu einem Kaiser.«

Vor dem Haus sagte Louis: »Warten Sie, bis ich um die Ecke bin. Dann klopfen Sie an.«

»Lassen Sie mich nur machen«, sagte der Schauspieler. »Ich bin auch schon bei Hof aufgetreten.«

Als Aloys sah, wer vor der Tür stand, strahlte er über das ganze Gesicht. »Gerade wollte ich in Ihr Hauptquartier aufbrechen«, sagte er.

»Ich war zufällig in der Nähe«, sagte Napoleon.

»Ich bin Gesandter. In wichtiger Mission. Aber man hat mir meine Pässe gestohlen.«

»Das macht nichts«, sagte Napoleon. »Ich kenne doch meinen getreuen Aloys Jost.«

68

Seit der Begegnung mit dem falschen Napoleon verbrachte Aloys Jost die Tage in seinem Arbeitszimmer. Schrieb keine Briefe mehr. Nicht an die Behörden. Nicht an den lieben Gott. Erstellte Listen. Entwarf Pläne. Einzelne Worte rahmte er ein und verband sie mit anderen. Zog die Linien mit dem Lineal. »Die französische Armee neu ordnen«, sagte er, »das ist mein Auftrag.«

Weil der doch auch einmal Soldat gewesen war, zog er Louis ins Vertrauen. »In meiner Armee«, sagte er zu ihm, »wird jeder den Platz bekommen, den er verdient. Demokratisch und gerecht.«

»Das ist gut«, sagte Louis.

»Die Position, an der er sein Bestes geben kann. Leute wie du zum Beispiel ...«

»Die nicht mehr alle Finger haben?«

»Das ist kein Problem«, sagte Aloys. »Ich werde eine Weisung erlassen, dass ihr auch mit links salutieren dürft. Für klein gewachsene Leute werde ich eine eigene Truppe einführen. Eine Reitertruppe, aber ohne Sättel und Zaumzeug. Das spart Geld. Bei tausend Mann sind das mindestens ... mindestens ...« Vergeblich suchte er nach dem Blatt, auf dem er diese Ersparnis exakt ausgerechnet hatte.

»Wie sollen sie reiten, ohne Sattel?«, fragte Louis.

»Das ist eben mein Einfall.« Aloys grinste triumphierend. Der kleine Laurin, dachte Louis, macht das gleiche stolze Gesicht, wenn er sich eines seiner unlösbaren kindlichen Rätsel ausgedacht hat.

»General Bonaparte wird zufrieden sein«, sagte Aloys. »Einen Orden wird er mir verleihen.« Plötzlich schlug er sich mit der Hand an die Stirn. »Das habe ich vergessen. Orden. Natürlich. Orden. Das muss ich auch noch ausarbeiten. Eine neue Ordnung für die Auszeichnungen. Was wolltest du wissen?«

»Wie deine neue Truppe ohne Sättel reiten soll.«

»Das ist das Geniale«, sagte Aloys. Er fasste sich an die Brust, als ob der neue Orden dort schon hinge. »Sie sollen überhaupt nicht reiten, sondern auf ihren Pferden stehen. Sie werden besondere Schuhe dafür brauchen. Das ist ein Kostenpunkt, aber ich habe ihn schon einberechnet. Alles habe ich einberechnet. Nur den richtigen Namen für diese neue Truppe muss ich noch finden.«

»Wie wär's mit: Voltigeure?«

»Schlecht«, sagte Aloys. »Klingt nach Zirkus. Überhaupt nicht militärisch. Es wird mir etwas einfallen. Der General erwartet das von mir. Er kommt noch einmal hierher, hat er gesagt. Jetzt stör mich nicht länger.«

»Ich weiß nicht, ob das alles gut für ihn ist«, sagte Catharina. »Es strengt ihn so an. Aber es beschäftigt ihn. Das macht es einfacher.«

An manchen Tagen saß Aloys schon über seinen Plänen, wenn es draußen noch dunkel war. Er erlaubte sich immer nur eine einzige Kerze, von den billigsten.

»Sparsamkeit ist wichtig«, sagte er. »Als General Bonaparte mich besucht hat, trug er geflickte Hosen.«

Er magerte ab, weil er sich keine Zeit zum Essen nahm. »Wenn er wiederkommt, muss alles fertig sein«, sagte er.

Besuche duldete er nicht. Als Laurin Andeer, der unterdessen den Gemeinderat präsidierte, nach ihm sehen wollte, durfte ihn Catharina nicht vorlassen. Aloys verriegelte die Tür. Schob einen Stuhl unter die Klinke. Auf einem neuen Blatt notierte er: »Anhänger der Salis-Partei nicht befördern!«

Nur die Kinder durften seine Arbeit unterbrechen. Manchmal wusste er ihre Namen nicht mehr. Dass er die beiden liebte, vergaß er nie. Strich ihnen über die Haare. Sagte voraus, dass sie einmal wichtige Leute sein würden.

Wenn Mia und Laurin kamen, stellte Catharina Kuchen auf den Tisch. Dick mit Apfelmus bestrichene Brote. Ihre Hoffnung, dass ihr Mann aus Gesellschaft mitessen würde, erfüllte sich selten. Aloys sah den Kindern zu. Ermahnte sie zu perfekten Tischmanieren. Das sei man sich schuldig, wenn man zu so einer Familie gehöre.

Als Laurin, vorlaut wie immer, einmal meinte, sie seien doch gar keine besondere Familie, lächelte Aloys geheimnisvoll und sagte: »Ihr werdet schon sehen.«

Wenn die Kinder sich verabschiedeten, gab er ihnen Geschenke mit. Seltsame Dinge, mit denen sie nichts anzufangen wussten. Einmal drückte er Mia den Kaffeekrug in die Hand. Zu Laurin sagte er: »Du kannst den Stuhl mitnehmen. Ich brauche ihn nicht mehr.«

Catharina tauschte die Geschenke gegen Bonbons ein. »Es ist ein Spiel, das er mit euch spielt«, sagte sie. Wenn die

Kinder zu Onkel Aloys gingen, versuchten sie vorher zu erraten, was er ihnen wohl heute schenken würde. Wer es traf, durfte beide Bonbons essen.

Zu Louis sagte Catharina: »Er wird jeden Tag schwächer. Wenn er so weitermacht, wird er uns noch krank.«

Sie sagte »krank«, aber sie meinte etwas anderes.

»Wäre das so schlimm?«, fragte Louis.

»Nein«, sagte Catharina. »Wirklich schlimm wäre es nicht.«

69

Irgendwann stand Aloys Jost am Morgen nicht mehr auf. Wenn man ihm helfen wollte, schüttelte er freundlich den Kopf. Blieb liegen. Auch am nächsten Tag. Am übernächsten. Manchmal erkannte er die Menschen um sich herum. Manchmal waren sie ihm fremd. Beides schien ihn weder zu freuen noch zu stören. Oft unterhielt er sich mit seiner ersten Frau. Die doch schon vor vielen Jahren gestorben war. Noch öfter schlief er.

Doktor Bisaz meinte, es sei keine eigentliche Krankheit. Aloys' Uhr sei einfach abgelaufen. Kein Arzt der Welt habe den Schlüssel, um sie wieder aufzuziehen. Wenn er nicht mehr essen wolle, solle man nicht versuchen, ihn zu überreden. In diesem Zustand tue Hunger nicht weh. Nur Durst dürfe Aloys nicht haben. Wenn nötig, könne man ihm einen angefeuchteten Finger in den Mund stecken. Das sei den meisten Patienten nicht unangenehm. Vielleicht weil es sie an ganz frühe Kindertage erinnere. Im Übrigen sei es seine Erfahrung, dass Sterbende, kurz bevor sie durch die letzte Tür gingen, manchmal lichte Momente hätten. Oft wollten sie dann noch etwas sagen. Nicht unbedingt Wichtiges. Aber doch etwas, das ihnen gerade dann wichtig vorkomme. Darum sei es gut, wenn man Aloys nicht allein lasse. Es müsse ja nicht immer der Herr Pfarrer sein, der ei-

nem die letzte Beichte abnehme. Er selbst, sagte Doktor Bisaz, komme morgen wieder vorbei. Wenn er auch befürch-
ten müsse, seinen Patienten dann nicht mehr anzutreffen.

Schon vor ein paar Tagen hatte man eine Nachricht nach
Chur geschickt. Aloys' Sohn hatte nicht darauf reagiert.
»Er hat denselben harten Schädel wie sein Vater«, sagte
Catharina.

»Ist es dir recht, wenn ich die Wache übernehme?«,
fragte Louis. »Vielleicht will er mir noch etwas sagen.«

Alle wussten, was er damit meinte.

Es war mitten in der Nacht, als Aloys Jost zu sprechen
begann.

»Dein Vater …«, sagte er.

»Ja?«, sagte Louis.

»Ich habe ihm geschrieben. Immer wieder. Er hat nicht
geantwortet. Das ist unhöflich, nach allem, was ich für ihn
getan habe. Findest du nicht auch, dass es unhöflich ist?«

»Sehr unhöflich«, sagte Louis.

»Dann muss ich mich auch nicht mehr an mein Versprechen halten. Findest du nicht auch?«

»Das finde ich auch«, sagte Louis.

»Er war ein Flüchtling, weißt du. Kein hungriger Flüchtling, aber er hatte doch weglaufen müssen. Verstehst du
das?«

Als ob die Stimme in dem dunkeln Zimmer aus dem
Nichts käme.

»Ich hatte ihn vorher nicht gekannt«, sagte die Stimme.
»Seinen Vater habe ich gekannt. Der war ein Held. Oder
ein Verräter. Es kommt nicht mehr darauf an. Damals in
Paris …«

»Erzähl mir von seinem Sohn. Bitte.«

»Man hat mich gefragt, ob ich ihm helfen könne, und ich habe Ja gesagt. Viel zu oft habe ich Ja gesagt. Das war immer mein Fehler. Er ist gekommen, und ich habe einen Namen für ihn erfunden. Ich weiß nicht mehr, welchen. Man vergisst vieles, wenn man alt wird.«

»Monsieur Chabos«, sagte Louis.

»Monsieur Chabos, ja«, sagte die Stimme. »Er ist nicht lang geblieben. Dann ist er wieder gegangen.«

»Wohin?«

»Überallhin«, sagte Aloys. »England. Finnland. Amerika. In Italien hat er geheiratet. Wir waren dabei, erinnerst du dich nicht?«

Nicht widersprechen, dachte Louis. »Wir waren dabei«, sagte er. »Ich erinnere mich. Nur seinen Namen habe ich vergessen.«

»Monsieur Chabos«, sagte die Stimme.

»Seinen wirklichen Namen.«

»Er hatte so viele davon«, sagte Aloys. »Immer wieder einen neuen. Das ist so, bei wichtigen Leuten.«

»Mein Vater war also ein wichtiger Mann?«

»Schon«, sagte Aloys. »Aber ich habe mein Leben lang dafür gekämpft, dass solche Leute unwichtig werden.«

»Was für Leute?«

»Sie dürfen ihn auf gar keinen Fall aufregen«, hatte Doktor Bisaz gesagt. Nun war Louis doch laut geworden.

»Solche Leute«, sagte Aloys Jost. »Du bist auch einer von denen. Du kannst nichts dafür, aber …«

70

Sogar der alte Andeer kam zur Beerdigung. »Der Jost soll ein guter Soldat gewesen sein«, sagte er.

»In meines Vaters Haus sind viele Wohnungen«, predigte Pfarrer Cahenzli.

Deutlicher wollte er nicht sagen, dass er den Jakobiner Aloys immer für einen gottlosen Aufrührer gehalten hatte. An so einem Tag muss man den alten Streit vergessen.

Seraina hatte den Kopf auf die Schulter ihres Mannes gelegt. So waren sie ein paar Augenblicke lang gleich groß. »Ich werde dem Aloys immer dankbar sein«, sagte sie.

»Ein paar Minuten mehr, dann hätte er es mir verraten«, sagte Louis. »Dann wäre jetzt alles anders.«

Mia schluchzte die ganze Zeit. »Er wollte mir seine Kaffeekanne schenken«, sagte sie schon zum dritten Mal.

»Jetzt schenke ich sie dir«, sagte Catharina.

»Wenn du willst, darfst du meine Großmutter sein«, sagte Mia.

»Möchtest du das auch, Laurin?«

Laurin gab keine Antwort. Er war beleidigt, weil er nicht helfen durfte, den Sarg zu tragen. Dabei war er doch schon bald zehn.

Der kalte Wind zerrte an den Fahnen der Dorfvereine mit ihrem Trauerflor.

Weil es in dieser Jahreszeit noch keine Blumen gab, waren die Kränze aus Tannen- und Stechpalmenzweigen.

Die Jungen von der Dorfwache waren wegen Louis gekommen. Aloys war nie einer von ihnen gewesen.

Der Boden noch hart, jetzt im März. Die ersten Schollen polterten auf den Sarg wie Steine.

Tut ihm das nicht weh?, dachte Laurin. Zu erwachsen, um es laut zu sagen.

Der Dumeni blies auf seiner Trompete den Zapfenstreich. Traf nicht alle Töne.

»Er spielt, wie er aussieht«, sagte einer von den jungen Leuten. »Einäugig.« Ein anderer lachte.

»Sch!«, sagte Laurin Andeer. Er war nicht mehr ihr Kommandant. Aber sie gehorchten ihm immer noch.

Wie es der Brauch war, traf man sich nach der Beerdigung im Haus des Verstorbenen.

In der Küche füllten Catharina und Seraina Schüsseln mit Haselnussstängeln. Diese Kekse gab es bei jeder Beerdigung. Man konnte sie frühzeitig vorbereiten, weil sie sich lang hielten. Catharina hatte sie schon vor Wochen auf Vorrat gebacken und sich dafür geschämt.

Beide Frauen vermieden es, die Stängel bei ihrem richtigen Namen zu nennen. Nach der Beerdigung wäre es ihnen unpassend vorgekommen, von *Totenbeinli* zu sprechen.

»In diesem Haus will ich nicht bleiben«, sagte Catharina. »Zu viele Erinnerungen.«

»Du kannst zu uns ziehen«, sagte Seraina.

»Ich will niemandem zur Last fallen.«

»Wenn du eine Last bist, was bin ich dann gewesen?«

Im Wohnzimmer ging Mia wie eine Große von Gast

zu Gast und bot *Totenbeinli* an. Alle fanden, sie komme eindeutig nach ihrer Mutter. Während ihr Zwillingsbruder niemandem in der Familie zu gleichen schien.

Laurin stand die ganze Zeit neben seinem Patenonkel. Gab den Platz auch nicht frei, wenn jemand die Gelegenheit nutzen wollte, um schnell etwas mit dem jungen Herrn Gemeindepräsidenten zu besprechen. Er hatte das Gefühl, dessen Wichtigkeit strahle auf ihn ab.

In einer Ecke des Zimmers wurde laut gelacht. Die Jungen von der Dorfwache hatten ihren Wein zu schnell getrunken.

»Zu meiner Zeit war man besser erzogen«, sagte der alte Andeer.

»Wenn ich Kommandant gewesen wäre …«, sagte Cassian Clopath.

Aber sein Gesprächspartner hatte sich schon jemand anderem zugewandt. »Warum ist der junge Jost nicht hier?«, sagte er zu Pfarrer Cahenzli.

»Vielleicht hat er es noch gar nicht erfahren. Obwohl … Chur ist ja nicht aus der Welt.«

»Die beiden haben sich nicht verstanden«, sagte der alte Andeer. »Aber das ist keine Manier.«

»Erben wird er trotzdem.«

»Ob sich ein wohl Testament findet?«, sagte Andeer. »Er soll am Schluss sehr verwirrt gewesen sein.«

»Er war nicht verwirrt«, sagte Mia. »Er war der Aloys. Möchten Sie noch ein *Totenbeinli*?«

71

Der Ofen im Arbeitszimmer war nicht für so viel Papier gemacht. Louis konnte mit dem Schürhaken nachstochern, so oft er wollte, der Qualm wurde nur mehr. Er musste sogar das Fenster öffnen. Von der Dachtraufe hingen immer noch Eiszapfen.

Wenn es eine Ordnung in den Papieren gab, hatte sie nur in Aloys' Kopf existiert. Jedes Blatt musste man einzeln anschauen, um nicht aus Versehen etwas Wichtiges zu verbrennen.

In den letzten Monaten seines Lebens war Aloys' Handschrift immer unleserlicher geworden. Immer hastiger hatte er gegen das drohende Ende angeschrieben.

In den Notizen aus der letzten Zeit, dort, wo das Papier noch nicht vergilbt war, musste man nicht jedes Wort entziffern. Wenn da als Erstes stand »Zehntausend neue Unteroffiziere«, brauchte man nicht weiterlesen. Nur: Zwischen einem Dutzend Pläne für Aloys' fantastische neue Armee lag dann plötzlich die Kopie eines Liebesbriefes an seine erste Frau. Wunderschöne Worte, wie sie Louis auch gern einmal an Seraina gerichtet hätte.

War das ein wirklicher Brief? Geschrieben, als Aloys' Frau noch lebte? Oder hatte er in seiner Verwirrung mit einer Verstorbenen korrespondiert?

Egal. Aufbewahren.

Besonders viele Entwürfe gab es zu den Briefen an den lieben Gott. Mit der Wahl der Anrede hatte sich Aloys schwergetan. Die ersten Zeilen immer wieder durchgestrichen.

Wie spricht man Gott an?

Der Marchese hätte auch das gewusst, dachte Louis. Der Marchese wusste alles.

Auf einem Blatt war, nicht sehr geschickt, der Entwurf für ein neues Wappen skizziert. Eine Traube unter einer Jakobinermütze. »Von Jost« stand darunter.

Verbrennen.

Es fand sich auch viel Prosaisches unter den Papieren. Rechnungen für Weinverkäufe. Man würde überprüfen müssen, ob sie bezahlt worden waren.

Wenn Aloys ihm die Weinhandlung tatsächlich vermacht hatte.

Wenn.

Noch hatte Louis kein Testament gefunden.

Immer wieder Entwürfe zu Briefen, von denen bestimmt keiner hinausgegangen war. Man merkte an den Adressaten: Aloys musste früher verwirrt gewesen sein, als sie alle gedacht hatten.

An Ihre königliche Hoheit Maria Amalia, Prinzessin beider Sizilien.

Sizilien?

»... gestatte ich mir die untertänige Bitte, Ihre Königliche Hoheit möge auf Ihren Gatten einwirken, damit er ...«

Was war wohl in Aloys' Kopf vorgegangen?

An seine Durchlaucht den Herzog von Orléans.

»… zum wiederholten Mal daran erinnern …«

Woran?

Seltsam, dass ausgerechnet Aloys Jost, der sein Leben lang gegen jede Form von ererbtem Privileg gewettert hatte, an so viele adlige Persönlichkeiten geschrieben hatte.

Hatte schreiben wollen.

Alle verbrennen.

Beinahe hätte Louis die Kaufurkunde für Aloys' Haus in den Ofen geworfen.

Für Catharinas Haus.

Für sein Haus, wenn Aloys sein Versprechen ernst gemeint hatte.

Man würde überlegen müssen, was man damit …

Der Ofen qualmte schon wieder.

Als sich das Testament doch noch fand, war ein großer Fettfleck auf dem Papier. Manchmal, wenn er seine Arbeit gar nicht unterbrechen wollte, hatte ihm Catharina Butterbrote an den Schreibtisch gebracht.

Aber die Schrift gut zu lesen. Das Dokument korrekt unterschrieben. Von zwei Zeugen beglaubigt.

»… vermache ich mein ganzes Hab und Gut Herrn Louis Chabos.«

Noch nicht einmal mit der Bedingung, dass der Erbe für Catharinas Wohlergehen zu sorgen habe. Das war für Aloys selbstverständlich gewesen.

Ich bin ein wohlhabender Mann, dachte Louis. Die Vorstellung kam ihm so fremd vor wie der Anzug, den ihm Aloys damals geschenkt hatte.

72

Es war schon spät.

In der Luft immer noch der Duft der Tannenzweige, die Catharina über einer Kerze angesengt hatte. »Das ist schon ein bisschen wie Weihnachten«, hatte sie gesagt.

Draußen schneite es. Große weiße Flocken, die es nicht eilig hatten.

Der Tisch noch nicht abgeräumt. Dazu war auch später Zeit. Morgen. Obwohl eine solche Unordnung in diesem Haushalt nicht üblich war. Die Ruhe war angenehm. Sie wollten sie nicht mit klappernden Tellern zerstören.

Die Kinder waren spät eingeschlafen. Nach den Aufregungen ihres gemeinsamen Geburtstags war das verständlich. Jeder hatte sein liebstes Geschenk mit ins Bett nehmen dürfen. Mia ihre neue Puppe, mit den Haaren, die man richtig kämmen konnte. Laurin die Trommel, die er beim Wünschen so exakt beschrieben hatte, dass Louis einen Geschäftsfreund in Chur hatte bitten müssen, ihm die richtige zu besorgen. Laurins Jubel war die Umstände wert gewesen.

»Du verwöhnst die Kinder«, sagte Seraina.

»Ist das schlimm?«

»Ich finde es wunderbar.«

Die beiden saßen immer noch am Tisch mit den heruntergebrannten Kerzen. Waren bei sich zu Gast und hatten es verpasst, sich rechtzeitig zu verabschieden.

Catharina hatte gekocht. Das ließ sie sich an solchen Tagen nicht nehmen. Auch wenn ihr die Arbeit immer schwerer fiel. Jetzt döste sie in Aloys' altem Ohrensessel. Das einzige Möbelstück, das sie aus dem alten Haus mitgebracht hatte. Ab und zu öffnete sie die Augen, wie um zu sagen: »Eigentlich bin ich noch wach.« Dann schlief sie weiter.

»Was war das schönste Geburtstagsgeschenk, das du als Kind bekommen hast?«, fragte Louis.

»Einmal hat mir mein Vater eine Orange gekauft«, sagte Seraina. »Die ist dann aber verfault, weil ich mich nie entschließen konnte, sie zu essen. Und du?«

»Im Martinitt war es so: Wer Geburtstag hatte, durfte sich die Suppe selbst aus dem Topf schöpfen.«

»Das ist doch kein Geschenk.«

»Manchmal konnte man ein Stück Wurst herausfischen.«

»Hunger ist schlimm«, sagte Seraina.

»Schlimm«, sagte Louis.

»Ich bin froh, dass unsere Kinder es besser haben.«

»Wir alle«, sagte Louis.

Irgendwo im Haus knackte ein Balken. Früher hatte sich Mia vor dem Geräusch gefürchtet. Bis ihr Catharina erzählte, das seien die Schritte einer Fee, die gekommen sei, um ihr schöne Träume zu bringen.

»Wenn jetzt eine Fee käme«, sagte Louis, »und sagen würde: ›Du kannst von mir alles haben, was du willst‹ – was würdest du dir wünschen?«

»Dass alles so bleibt«, sagte Seraina.

Ein Weilchen hörte man nur noch, wie Catharina leise schnarchte. Dann fragte Seraina: »Und dein Wunsch?«

»Ich würde sie fragen, wer mein Vater ist.«

»Plagt dich das immer noch?«

»Jetzt geht es gerade gut«, sagte Louis, »aber es ist wie mit meinen Fingern. Sie sind nicht mehr da, aber manchmal tun sie trotzdem weh. Wenn ich die Antwort wüsste, wäre ich geheilt.«

»Caduff«, sagte Seraina. »Dein Vater heißt Caduff.«

»Wie kommst du darauf?«

»Oder Zanetti, wie der Fuhrhalter. Irgendein Name. Da du es ja doch nie wissen wirst – such dir einfach einen aus. Dann hast du Ruhe.«

»Caduff geht nicht.« Louis sagte es so ernsthaft, dass man merkte: Er war beschwipst. »Mein Vater war Franzose.«

»Dann eben La Fontaine«, sagte Seraina. Es war noch nicht lang her, dass sie den Kindern die Fabeln vorgelesen hatte.

»Oder Voltaire«, sagte Louis.

»Oder Bonaparte«, sagte Seraina.

Sie lachten so laut, dass Catharina aufwachte. »Ich habe nicht geschlafen«, sagte sie. »Ich bin überhaupt nicht müde.« Dann schlief sie wieder ein.

»Wir werden noch die Kinder wecken«, sagte Seraina.

»Zwölf Jahre«, sagte Louis. »Bald sind sie erwachsen. Die Zeit ist so schnell vergangen.«

»Es war eine gute Zeit.«

»Ja«, sagte Louis. »Seit ich dich kenne, ist es eine gute Zeit.«

73

Danke, dass ihr gekommen seid«, sagte Laurin Andeer.

Im Schulzimmer sämtliche Gemeinderäte. Im Sonntagsstaat und mit Sonntagsgesichtern.

Ich hätte das andere Kleid anziehen sollen, dachte Seraina. Ich habe nicht gewusst, dass es etwas Offizielles ist.

»Bitte setzt euch«, sagte Laurin Andeer.

Die Gemeinderäte im Halbkreis. Ihnen gegenüber zwei einzelne Stühle. Wie für Angeklagte.

»Warum …?«, wollte Louis fragen, aber Laurin schnitt ihm mit einer Handbewegung das Wort ab.

»Alles der Reihe nach«, sagte Laurin Andeer.

Louis versuchte vergeblich, an den Gesichtern abzulesen, um was es wohl gehen könne. Man wird nicht Gemeinderat, wenn einem jeder ansehen kann, was man gerade denkt.

Der Andri Vinzenz, dessen Weinberg an den seinen grenzte, hatte einen Finger im Kragen. Seine Frau hatte ihm wohl die Krawatte zu eng gebunden.

»Ich begrüße die Anwesenden zur außerordentlichen Sitzung des Gemeinderates«, sagte Laurin.

Der Schulmeister führte das Protokoll.

»Über das einzige Traktandum des heutigen Tages sind alle informiert.«

»Ich nicht«, sagte Louis.

»Ich darf die geladenen Gäste bitten, den Ablauf der Sitzung nicht zu stören«, sagte Laurin. Sonst redete er nie so geschwollen.

»Lieber Louis, liebe Seraina«, sagte er.

Er duzt uns, dachte Louis. Etwas Schlimmes kann es also nicht sein.

»In den letzten Sitzungen des Gemeinderates ist immer mal wieder von euch beiden die Rede gewesen.«

»Von uns?«

»Keine Unterbrechungen, bitte«, sagte Laurin.

Manchmal erzählt er seinem Patensohn verrückte Geschichten, dachte Seraina, nur um zu sehen, wann der kleine Laurin merkt, dass sie nicht stimmen. Dann macht er auch so ein Gesicht.

»Wir sind uns im Rat darüber einig, lieber Louis, dass der Tag, an dem du in unser Dorf gekommen bist, ein guter Tag für unsere Gemeinde war. Du hast dich vorbildlich in die Gemeinschaft eingefügt. Hast in schwierigen Zeiten Einsatz und Hilfsbereitschaft gezeigt.«

»Danke«, sagte Louis. »Aber ich verstehe nicht …«

»Ruhe«, sagte Laurin.

Genau dieses Gesicht macht er, dachte Seraina.

»Allerdings«, sagte Laurin, »sind wir uns auch einig, dass dir trotz all deiner lobenswerten Bemühungen immer noch etwas Wichtiges fehlt. Stimmt's, meine Herren?«

Die Gemeinderäte nickten feierlich.

»Wir haben deshalb beschlossen, diesen Fehler kraft unserer Befugnis zu korrigieren.«

Jetzt verstehe ich gar nichts mehr, dachte Louis.

»Darf ich bitten, Herr Schulmeister?«

Der Schulmeister reichte Laurin eine Ledermappe. In genau so einer Mappe hatte der Notar den Vertrag bereitgelegt, als Louis Aloys' Haus verkauft hatte.

Laurin klappte die Mappe auf. Nahm ein Dokument heraus.

»Ich lese vor«, sagte er. Räusperte sich. »In Anbetracht seiner Verdienste um die Dorfgemeinschaft verleiht der Gemeinderat von Zizers Herrn Louis Chabos aus Mailand mit dem heutigen Dreikönigstag 1830 das Bürgerrecht der Gemeinde Zizers.«

Das Bürgerrecht?

»Nimmst du diese Ehre an?«

Louis konnte nur stumm nicken. Sonst wären ihm die Tränen gekommen. Vor all den Leuten.

»Ich bitte zu protokollieren«, sagte Laurin. »Louis Chabos ist ab sofort Bürger der Gemeinde Zizers.«

Die Gemeinderäte applaudierten. Waren froh, nicht mehr feierlich sein zu müssen. Lachten. Klopften Louis auf den Rücken. Schüttelten Seraina die Hand.

»Ich danke dir ganz herzlich, lieber Mitbürger«, sagte Andri Vinzenz.

»Du? Mir?«

»Für den Wein, den du heute Abend am Stammtisch ausgeben wirst.«

Das allgemeine Gelächter wie ein warmes Bad.

Laurin legte seine Arme um Louis. »Jetzt gehörst du wirklich zu uns«, sagte er.

III

74

Als der Fuhrhalter Zanetti das Kistchen ins Haus trug, sagte er zu Seraina: »Er ist vornehm geworden, dein Mann. Bestellt seine Sachen jetzt in Basel. Chur ist ihm nicht mehr gut genug.«

Seine Neugier wurde nicht belohnt. Louis hatte seiner Frau nicht erzählt, was er sich da bestellt hatte. Sie hätte gefragt: »Ist das wirklich nötig?« Er hätte antworten müssen: »Nötig nicht. Aber es macht mich stolz.«

Hatte ihm nicht ein Kunde aus Zürich geschrieben: »Einen besseren Elbling als den aus Ihrem Haus habe ich noch nie getrunken«?

»Aus Ihrem Haus.« Nicht »aus dem Haus Aloys Jost«.

Obwohl auch das nicht falsch gewesen wäre. Den Erfolg seiner Weinhandlung hatte Louis letzten Endes Aloys zu verdanken. Dessen Idee, mit kleineren Ernten eine bessere Qualität zu erzielen, hatte sich bewährt. Louis' Nachbar Andri Vinzenz war der Erste im Dorf gewesen, der es nachgemacht hatte. Unterdessen priesen Konkurrenten ihre Weine schon mit den Worten an: »So gut wie der aus Zizers.«

Er hatte in Basel bestellt, per Brief. Obwohl der Graveur in Landquart es ebenso gut hinbekommen hätte. Aber der Mann in Basel ließ sich jedes Jahr ein paar Kisten Blauburgunder kommen. Kundenbeziehungen müssen gepflegt werden.

Keine großen, protzigen Buchstaben, hatte er ausdrücklich verlangt. Diskret. Um zu zeigen: Ich lasse das Schild nur machen, weil es so üblich ist. Meine Kunden wissen mich auch so zu finden.

Als Louis am Mittag nach Hause kam, stand das Essen bereit. Gerstensuppe nach Catharinas Rezept.

Die Neugier stärker als der Hunger.

Im Schuppen stemmte er das Kistchen auf. Die ganze Familie sah ihm dabei zu.

»Als ob du ein Geburtstagsgeschenk auspackst«, sagte Mia.

»Aber er weiß schon, was drin ist«, sagte Laurin.

»Die schönsten Geschenke macht man sich selbst«, sagte Catharina.

»Sch!«, sagte Seraina.

Endlich löste sich der Deckel. Louis legte ihn sorgfältig zur Seite. Anfeuerholz. In diesem Haushalt wurde nichts verschwendet.

Das Schild in mehrere Schichten Zeitungspapier gewickelt.

»Nicht zerreißen!«, sagte Mia. Sie war mit ihren dreizehn Jahren eine begeisterte Leserin. Stürzte sich auf alles Gedruckte. Strich die zerknitterten Seiten sorgfältig glatt.

Louis hielt das Schild mit ausgestreckten Armen von sich weg. Kniff die Augen zusammen, um besser zu sehen.

»Hier drin ist es zu dunkel«, sagte Seraina.

In der Sonne glänzte das Messing. Ein schönes Firmenschild. Würdig.

Weinhandlung Louis Chabos.

Catharina, auf ihren Gehstock gestützt, sagte: »Jetzt ist Aloys endgültig tot.«

»Macht dich das traurig?«, fragte Seraina.

»Im Gegenteil«, sagte Catharina.

Laurin hatte die Wasserwaage aus dem Schuppen geholt. Half seinem Vater, die Löcher für die Schrauben an der Mauer zu markieren.

»Die Schrift müsste weiter oben sein«, sagte er.

»Exakt in der Mitte, habe ich bestellt.«

Laurin machte sein altkluges Gesicht. »Dabei sagst du doch immer: Man muss vorausdenken.«

»Was habe ich vergessen?«

»Unter der Schrift müsste es mehr Platz haben. Damit du dort später mal noch eine Zeile eingravieren lassen kannst.«

»Weinhandlung Louis Chabos. Was fehlt da?«

»Und Sohn«, sagte Laurin. Er verstand nicht, warum seine Eltern darüber lachten.

Mia kam als Letzte an den Esstisch.

»Ich habe etwas entdeckt«, sagte sie. »In dieser alten Zeitung. Stellt euch vor, da steht unser Name!«

75

Zufall«, sagte Louis.

Sich die Erregung nicht anmerken lassen.

»Ein lustiger Zufall.«

Lachte.

Seraina schaute ihn verwundert an.

Sie kennt mich zu gut, dachte Louis.

Er hatte den Zeitungsartikel überflogen.

Überflogen.

Ikarus.

Zu nahe an der Sonne.

»Ich habe es entdeckt«, sagte Mia. Stolz.

»Jetzt wird gegessen«, sagte Louis.

Führte den Löffel zum Mund. Ließ ihn wieder sinken. Zwang sich dann doch.

Merkte nicht, was er schluckte.

»Die Suppe ist heute besonders gut«, sagte er.

»Ich habe sie gemacht wie immer«, sagte Seraina.

Natürlichkeit ist ein schwieriges Kunststück.

»Papa?«

Laurin hatte ihn etwas gefragt. Er hatte es nicht gehört.

»Findest du das gerecht? Die anderen haben auch geschwatzt, aber bestraft hat er nur mich.«

»Die Welt ist nicht gerecht«, hätte er sagen können.

Überhaupt nicht gerecht.

»Papa?«

»Entschuldigt mich«, sagte er. »Ein geschäftliches Problem lässt mir keine Ruhe.«

Wieder der Blick von Seraina.

»Ich muss das zuerst erledigen, sonst kann ich nicht in Ruhe essen.«

Den Teller wegschieben.

Aufstehen.

Die alte Zeitung wie zufällig mitnehmen.

Lügen.

»Ich bin gleich wieder da.«

Fliehen.

Die paar Schritte zum Kontor. Als ob es bergauf ginge.

Die Tür hinter sich zuziehen.

Den Schlüssel drehen.

Zweimal.

Das Zeitungsblatt glatt streichen.

Vielleicht, wenn man es eine Weile unter das schwere Geschäftsbuch legte ...

Dafür war er zu ungeduldig. Wollte es gleich wissen.

Wollte es nicht wissen.

Wenn da wirklich stand, was er meinte, gesehen zu haben ...

Es war nicht möglich.

Er bildete sich das ein.

Vielleicht war er verrückt geworden. Wie seine Mutter.

»Das kann passieren, wenn man sich etwas zu sehr wünscht«, hatte Catharina damals gesagt.

Er war nicht verrückt. Konnte von jedem Fass in seinem

Lager sagen, was es enthielt. Den Jahrgang. Die Menge. Den Preis.

Er war nicht verrückt.

Ein dummes Missverständnis. Ein ähnlicher Name.

Den Artikel noch einmal lesen. Langsam. Ohne Aufregung. Dann zurück an den Esstisch.

»Tut mir leid. Es war wirklich dringend. Aber jetzt ist es erledigt.«

Erledigt.

Ein für alle Mal.

Den Artikel lesen.

Zuerst noch den Vorhang zur Seite ziehen. Die Wintersonne gab nicht viel Licht.

Vielleicht sollte man eines dieser neumodischen Pulte anschaffen. Wo man nicht mehr im Stehen arbeitete.

Keine Ausflüchte.

Das Blatt noch einmal glatt streichen.

Irgendwann würde er eine Brille …

Wort für Wort. Von Anfang an.

Jetzt.

76

Unser Korrespondent aus Paris schreibt:
16. August 1830

Es hat sich alles verändert in Frankreich. Es hat sich nichts verändert in Frankreich. Nur dass der König jetzt Louis-Philippe heißt.

Mein Hauswirt, der in Filzpantoffeln der Revolution nachtrauert, hat mir erklärt, seiner Meinung nach sei ein König so gut oder so schlecht wie der andere. Immerhin habe er von dem neuen sagen hören, dass der, wenn er Gäste empfange, das Geflügel selbst tranchiere, und das scheine ihm ein gutes Zeichen zu sein. Auch gefalle ihm, dass keine Krönung vorgesehen sei und Louis-Philippe nur einen Eid vor den Deputierten geleistet habe. Obwohl – da waren die Filzpantoffeln stärker als die jakobinische Gesinnung –, obwohl diese Formlosigkeit auch ihre Nachteile habe. Bei einer Krönung wäre der Festzug an seinem Haus vorbeigekommen, und der Balkon hätte sich zu einem guten Preis vermieten lassen.

Mir scheint, die Franzosen, zumal die bürgerlichen Schichten, haben sich nicht so sehr »Liberté, Égalité, Fraternité« auf ihre Fahnen geschrieben als vielmehr »Sowohl als auch«. Einerseits lieben sie den Prunk, den ihnen nur das Königtum zu bieten vermag, andererseits erwarten sie von *ihren Herrschern, dass die sich den bürgerlichen Konventionen unterwerfen, die sie in ihren Salons mit solcher Andacht pflegen. Wie sehr ihnen das Theatralische am Herzen liegt, lässt sich aus der allgemein kolportierten Anekdote von General Dubourg ersehen, der erst bereit war, sich an die Spitze des Widerstands gegen Karl X. zu stellen, als ihm ein Schauspieler aus dem Kostümfundus der Opéra Comique die richtigen Schulterstücke für seine Uniform besorgt hatte.*

Louis-Philippe, der sein Geflügel selbst tranchiert, scheint der richtige Mann zu sein, um sowohl den Jakobinermützen als auch den Filzpantoffeln zu gefallen. Als Herzog von Orléans hat er sich seinen Bewunderern gern in bürgerlicher Kleidung gezeigt, der runde Hut auch nicht eleganter, als wenn mein Hauswirt zu einer Hochzeit eingeladen ist. So wie seine illustren Vorfahren ein Zepter oder Schwert als Zeichen ihrer Würde mit sich trugen, hat ihn niemand je ohne seinen Regenschirm gesehen, ein Symbol, das nur schon deshalb gut zu ihm passt, weil man so einen Schirm auf- und zuklappen kann, je nachdem, wie das Wetter gerade wechselt.

Seine Frau Marie Amélie und seine acht Kinder, auch unter diesem Aspekt stellt er sich gern als gutbürgerlicher Hausvater dar, liebt er über alles und zeigt sich gern in ihrem Kreis. Böse Zungen behaupten, er liebe Kinder so sehr, dass er, als ihn die Flucht vor dem Schafott quer durch Europa und bis nach Amerika führte, eine ganze Reihe davon gezeugt habe. Wenn es um Journale mit solchen Geschichten geht, vergisst mein Hauswirt seine Sparsamkeit, die er sonst besonders gern beim Heizen der Öfen auslebt, und da diese Gazetten nach der Lektüre an einem gewissen Örtchen einer zweiten Verwendung zugeführt werden, bekomme auch ich regelmäßig Gelegenheit, sie zu studieren.

Besonders amüsant fand ich einen Artikel, in dem der Verfasser die politische Geschmeidigkeit des neuen Königs dadurch zu beweisen suchte, dass er all die Namen aufzählte, unter denen Louis-Philippe im Laufe seines Lebens schon aufgetreten ist. Treue Leser dieser Briefe werden sich daran erinnern, dass ich mich lang vor seiner Berufung auf den französischen Thron darüber lustig gemacht habe, dass sich – ein besseres Beispiel für das französische Sowohl-als-auch lässt sich kaum finden – derselbe Mann ebenso gern als Herzog von Orléans wie als Louis-Philippe Égalité anreden ließ.

Ich habe die entsprechende Zeitungsseite ausnahmsweise nicht ihrer intendierten Verwendung zugeführt, sondern das Blatt mitlaufen lassen. Mein Hauswirt möge mir die Zweckentfremdung verzeihen.

Hier nun also die Liste all der Namen, die König Louis-Philippe I. schon einmal getragen hat. Geboren wurde er als Duc de Valois, bekam später den Titel eines Duc de Chartres und noch später den des Duc d'Orléans. Ich muss gestehen, dass ich die Feinheiten solcher royalen Namenswechsel nie ganz verstanden habe; sie treffen ihre Opfer wohl eher wie Schicksalsschläge, für die der Namensträger selbst nicht verantwortlich ist.

Ganz anders sieht es bei den Namen aus, die sich Louis-Philippe auf seiner Flucht vor den Wirren der Revolution zulegte, und die alle durch ihre Bürgerlichkeit und ihren gleichzeitigen Mangel an Patriotismus auffallen. Franzose *wollte er kaum je sein. Nachdem er sich bei einer Reise nach Hamburg noch ganz teutonisch Müller genannt hatte, gab er sich bei seinem Abstecher nach Amerika als dänischer Staatsbürger namens Nils-Peter Jansen aus, nur um sich wenig später in einen Engländer namens Rembel zu verwandeln. Wenn man dieser Liste Glauben schenken darf – allzu groß ist mein Vertrauen in diese sensationslüsternen Berufskollegen nicht –, präsentierte er sich auf seinen Reisen nur ein einziges Mal als Franzose: Als er an einer Schule im schweizerischen Rätien als Französischlehrer arbeitete, soll er dort unter dem Namen Monsieur Chabos*

77

Es konnte nicht sein.

Nicht im wirklichen Leben. Wo man von nebenan Andri Vinzenz' Hund bellen hörte. Wo vor dem Haus ein Lastkarren vorbeifuhr. Glöckchen am Pferdegeschirr. Wo man mit der Faust auf das Schreibpult schlagen konnte.

In den Erbauungsfabeln von Dottor Mauro hatte es solche Dinge gegeben. Da war ein Herold angeritten gekommen und hatte verkündet …

Märchen.

»Ist das wirklich passiert?«, hatte Mia früher nach jeder Einschlafgeschichte gefragt.

Nein, Mia. Solche Dinge passieren nicht wirklich.

Ein Waisenkind aus dem Martinitt ist kein Königssohn.

Ein Krüppel, dem drei Finger fehlen, ist kein Königssohn.

Ein Weinhändler aus Zizers ist kein Königssohn.

So einfach war das.

Aber.

Es passte zu gut zusammen, um nicht wahr zu sein.

Als damals Aloys' Papiere sortiert werden mussten, hatte er den Beweis vor Augen gehabt. Ohne es zu merken. Hatte gedacht, der alte Mann sei verwirrt gewesen. Warum sollte ein überzeugter Jakobiner sonst an einen Herzog schreiben? Hatte er gedacht.

Weil dieser Herzog, der damals mit seinem Regenschirm durch Paris spazierte, sich früher einmal Chabos genannt hatte. Monsieur Chabos mit den feinen Hemden.

Darum hatte Aloys an den Herzog von Orléans geschrieben. »Gestatte ich mir, zum wiederholten Mal daran zu erinnern …«

Dass Sie nicht nur die acht Kinder haben, mit denen Sie sich so gern in der Öffentlichkeit zeigen.

Sie haben neun Kinder.

Herzöge. Prinzessinnen. Louis Chabos.

Bitte ich Sie noch einmal um die Erlaubnis, Ihrem neunten Kind mitteilen zu dürfen …

Ihrem ersten Kind. Dem Erstgeborenen des neuen Königs von Frankreich. Dem Dauphin.

Es war verrückt.

Besser alles vergessen. Die Zeitung verbrennen. So wie er damals diesen angefangenen Brief verbrannt hatte.

Sich einreden, dass Aloys eben doch schon viel früher den Verstand verloren hatte. Dass er nur deshalb solche Briefe geschrieben hatte.

An einen Herzog. An die Prinzessin beider Sizilien. Maria Amalia. Marie Amélie.

Wenn man auf einem Zusammensetzspiel plötzlich ein Bild erkennt, müssen die Teile in der richtigen Ordnung liegen.

So musste es gewesen sein: Weil vom Herzog d'Orléans keine Reaktion gekommen war, hatte sich Aloys an dessen Gattin gewandt.

»Mit der untertänigen Bitte, Ihre königliche Hoheit möge auf Ihren Gatten einwirken, damit er …«

Wie hatte sich Aloys das vorgestellt?

Sollte die Prinzessin zu ihrem Mann gehen und sagen: »Hör mal, Louis-Philippe, es scheint da einen Sohn zu geben, von dem du mir nie etwas erzählt hast«?

Unsinn.

Sie hätte den Brief zerrissen.

Oder sie hatte ihn gar nie bekommen. »Solche Leute sind schwer zu erreichen«, hatte Aloys gesagt.

Leute wie sein Vater. Der König von Frankreich.

Es konnte nicht sein.

Es passte zusammen.

Alles passte zusammen.

»Unter dem Namen Monsieur Chabos …«

Kein Vorname.

»Es schien mir damals nicht nötig, einen für ihn zu erfinden.«

»An einer Schule im schweizerischen Rätien.«

Philanthropinum. Was für ein schöner Name. Der Ort, wo man alle Menschen liebt. Auch Köchinnen.

Aus dem Französischlehrer war der König von Frankreich geworden.

Dann war man als sein Sohn …

Nicht darüber nachdenken. Für ihn hatte sich nichts geändert. Er war Louis Chabos. Bürger von Zizers. Gatte von Seraina. Vater von Mia und Laurin. Sonst nichts.

Und doch …

Verdammt noch mal, und doch …

78

Er sprach mit niemandem darüber.

Schloss sich stundenlang in seinem Arbeitszimmer ein. Wo er dann nicht arbeitete, sondern ins Leere starrte.

Einmal hielt ihn auf der Gasse Doktor Bisaz auf. Louis sehe nicht gut aus, sagte er, dafür habe man als Arzt ein Auge. Es müsse nichts Schlimmes sein, aber früh kuriert habe noch keinen gereut. Louis versprach, für eine gründliche Untersuchung vorbeizukommen. Ging nicht hin.

Catharina meinte, er werde Aloys immer ähnlicher.

Beim wöchentlichen Stammtisch fehlte er zum dritten Mal. Man munkelte, seine Weinhandlung stecke in Schwierigkeiten. Er habe sich mit seinen neumodischen Ideen übernommen. Stehe gar vor dem Konkurs.

Als er doch wieder einmal ins Wirtshaus kam, setzte er sich nicht zu den Honoratioren. Was auch wieder zu Kopfschütteln führte. Leistete dem Schulmeister Gesellschaft. In der zugigen Ecke neben dem Eingang. Was er wohl mit dem zu bereden habe, fragte man sich am Stammtisch.

Der Schulmeister hatte wenig Freunde im Dorf. War zu stolz auf sein angelesenes Wissen. Gab sein schmales Gehalt für Bücher und Zeitungen aus. Dafür waren seine Manschetten ausgefranst. Keiner, mit dem man sich freiwillig hinsetzte.

Louis bezahlte ihm einen Halben Roten.

Ließ sich erzählen, dass Mia im Lesen die Beste sei. Dass Laurin es an Fleiß mangeln lasse. Dass die Arbeit eines Lehrers viel zu wenig geschätzt werde.

Brachte das Gespräch dann unauffällig auf das aktuelle Geschehen. Was das nach Meinung des Herrn Schulmeisters für einer sei, den sich die Franzosen da zum König gewählt hätten.

Dass sein Dozieren für einmal erwünscht war, machte den Schulmeister gesprächig. Dieser Louis-Philippe, sagte er, sei ein gutes Beispiel dafür, dass man nie wissen könne, was das Schicksal noch alles mit einem vorhabe. Zu seinem Königsthron sei er gekommen wie die Jungfrau zum Kind. Habe wohl selbst nicht damit gerechnet. Ein Bourbone sei er zwar, aber aus einer jüngeren Linie. Bourbon-Orléans. Schon sein Vater – mein Großvater, dachte Louis – sei Jakobiner gewesen. Der Herr Jost, heiße es, habe den damals in Paris sogar persönlich kennengelernt. Dieser Philippe Égalité, so habe er sich nennen lassen, sei dann schließlich unter der Guillotine gelandet, wie so viele von denen, die in der Revolution am lautesten geschrien hätten. Ja, ja, *Liberté, Égalité, Fraternité*. Ob der Herr Chabos nicht auch der Meinung sei, dass zumindest die älteren Schüler ein bisschen Französisch lernen sollten?

»Der Sohn«, sagte Louis. »Was wissen Sie über seinen Sohn?«

Der solle als junger Mann auch sehr jakobinisch gewesen sein, sagte der Schulmeister. Was ihm aber nichts genützt habe. Ein Land mit einer Revolution, das sei wie ein Schulzimmer, wenn der Lehrer hinausgegangen sei. Chaos. Eine strenge Hand müsse man haben als Lehrer. Wenn einer mal unverdient eine Ohrfeige bekomme, schade das gar nichts. Gerade letzte Woche habe er …

»Louis-Philippe«, sagte Louis.

Der habe nicht unter der Guillotine enden wollen wie sein Vater, sagte der Schulmeister, und sei darum lieber aus Frankreich verschwunden. Als Flüchtling durch die Welt gereist. Kein Mensch wisse, wo er überall gewesen sei. Aber der Herr Chabos dürfe sich nicht die Art Flüchtling vorstellen, wie man sie in den Hungerjahren erlebt habe. Es sei wohl mehr eine Vergnügungsreise gewesen. Mit vollem Geldbeutel.

Jeden Tag ein frisches Hemd.

Irgendwann sei er dann in Palermo gelandet, sagte der Schulmeister, und habe dort die Tochter des Königs geheiratet. Mit den Dynastien sei es wie mit den großen Familien hierzulande: Sie heirateten nur untereinander. Damit die Macht zusammenbleibe. Und das Geld natürlich. Für diese Leute wäre es völlig undenkbar, dass einer von ihnen eine Bürgerliche …

Eine Köchin, dachte Louis.

Nach dem Ende von Napoleon sei dieser Louis-Philippe dann nach Paris zurückgegangen, sagte der Schulmeister. Und bei einer der Revolutionen, die sie in Frankreich so regelmäßig veranstalteten wie im Engadin den Chalandamarz, habe man ihn dann eben zum König gemacht.

»Wissen Sie etwas über seinen Charakter?«, fragte Louis.

Sie waren unterdessen schon beim dritten Halben. Mit jedem Glas war der Schulmeister revolutionärer geworden.

»Solche Leute«, sagte er, »haben keinen Charakter. All

diese Adligen, egal in welchem Land, denken immer nur an sich.«

Stecken ihre Kinder ins Waisenhaus, dachte Louis. Achtzehn Jahre im Voraus bezahlt.

An diesem Abend beschloss er, dem König von Frankreich einen Brief zu schreiben.

79

Keine Forderungen. Keine Vorwürfe. Nur den Kontakt wolle er aufnehmen. Das werde Seine Majestät, deren Familiensinn man allgemein rühme, bestimmt verstehen.

Er bekam keine Antwort. Auch auf einen zweiten Brief nicht. Und auf einen dritten.

Wenn ein Fass Wein sauer geworden ist, schreibt man den Verlust ab. Zieht im Geschäftsbuch einen Strich darunter. Mit der breiten Feder. Schlägt eine neue Seite auf.

Louis schaffte es nicht.

Packte seine Reisetasche. So wie Aloys seine Reisetasche gepackt hatte. Nur die wichtigsten Dinge. Das Rasiermesser des Marchese in der Manteltasche.

»Man wird dich nicht vorlassen«, sagte Seraina.

»Ich muss es versuchen«, sagte Louis.

Ging zu Laurin Andeer. Bat ihn, sich um seine Familie zu kümmern. »Falls mir etwas zustoßen sollte.«

»Was sollte dir zustoßen?«, fragte Laurin.

»Man weiß es nicht«, sagte Louis.

Er hatte sich einen Satz ausgedacht, den wollte er Mia und Laurin sagen, bevor er in den Postwagen stieg. Einen Satz, der sie ihr Leben lang begleiten sollte. Der Wagen kam, und er brachte kein Wort heraus.

Als er Seraina zum Abschied küsste, sagte sie: »Eigentlich bist du schon gar nicht mehr bei uns.«

Am nächsten Morgen in Zürich hätte er Zeit gehabt, den Kunden zu besuchen, der seinen Elbling so gelobt hatte. Hatte es sich auch vorgenommen. Tat es dann doch nicht.

In Basel kaufte Louis ein Buch. *Candide oder die beste aller Welten.* Nahm den Band zum Graveur mit, wo er ein zweites Firmenschild in Auftrag gab. Diesmal mit der Zeile »und Sohn«. Das Buch und das Schild sollten nach Zizers geschickt werden, adressiert an Laurin und Marianne Chabos.

Marianne, nicht Mia.

In der Diligence nach Paris roch es nach feuchten Kleidern. Die Reisenden versuchten voneinander wegzurücken, so gut es ging.

Jedes Mal, wenn sie die Pferde wechseln mussten, schien ihm die Wartezeit unendlich.

Er hatte sich vorgenommen, die Fahrt ohne Unterbrechung zu machen. Dann klemmte ein Rad, und sie mussten in Belfort übernachten. Zu viert in einem Zimmer. Die nächtlichen Geräusche der anderen erinnerten ihn ans Martinitt. Er stand früh auf.

Einer der Reisenden war die ganze Nacht in der Wirtsstube sitzen geblieben. Die Läuse in den Betten übertrügen die Krankheit, sagte er.

»Welche Krankheit?«, fragte Louis.

»Die Gallenbrechruhr«, sagte der junge Mann. Als Arzt wisse man so etwas. Obwohl sein Fachgebiet ein anderes sei. Er fahre nach Charenton, um eine Stelle bei Jean Étienne Esquirol am *Maison Royale de santé* anzutreten.

Geisteskrankheiten, da gebe es noch viel zu erforschen. Die neue Lehre von den Monomanien sei faszinierend. Menschen, die sich für etwas anderes hielten, als sie seien, aber sich in allen anderen Punkten völlig normal verhielten. Er wollte mit dem Erzählen gar nicht wieder aufhören.

Nach Belfort unterbrach Louis seine Reise nicht mehr. Der Wechsel der Reisegenossen wie ein flüchtig durchgeblättertes Buch.

Ein Mann mit nur einem Ohr. Wollte mit Louis Kriegserlebnisse austauschen. Der tat, als ob er die Sprache nicht verstünde.

Eine junge Frau mit einer älteren Begleiterin. Hörte nicht auf zu weinen. Es wird ihr jemand gestorben sein, dachte Louis. Es stellte sich heraus, dass sie unterwegs zu ihrer Hochzeit war.

Ein Geistlicher schälte ein hartes Ei so sorgfältig, als ob es um eine heilige Handlung ginge.

Weiterblättern.

Beim Pferdewechsel in Chaumont erwartete sie eine aufgebrachte Menschenmenge. Man wollte die Kutsche nicht weiterfahren lassen. Alles, was von Osten herkomme, bringe die Seuche mit sich.

Es war das erste Mal, dass Louis das Wort »Cholera« hörte.

Als sie dann endlich losfuhren, war unter den Passagieren eine Art Kameradschaft entstanden. Als ob wir zusammen in eine Schlacht zögen, dachte Louis.

Die Gespräche drehten sich um die neue Krankheit. Aus Russland sei sie gekommen. Aus der Türkei. Länder ohne Zivilisation. Finsteres Mittelalter. In Frankreich werde sie

sich nicht ausbreiten. Einzelne Fälle auf dem Land vielleicht, das könne es immer geben. Aber in den großen
Städten – dafür sei die Wissenschaft einfach zu weit fort-
geschritten. Ob er, Louis, nicht auch dieser Meinung sei?

Louis dachte an Docteur Dutoit und sagte nichts.

So kam er in Paris an.

80

Er hätte sich eine Unterkunft suchen sollen. Sich nach den vielen Stunden in der Diligence erholen. Ausschlafen. Dann erst sich den Weg erklären lassen. Zu Fuß hingehen.

Das wäre vernünftig gewesen.

Louis nahm eine Droschke. Hätte dem Kutscher am liebsten die Peitsche entrissen. Das Pferd angetrieben.

Sinnlose Eile.

Stand jetzt mit der Reisetasche in der Hand vor der unendlich langen Fassade.

Der Palazzo des Marchese eine Hundehütte im Vergleich.

Sieben Gebäude zu einem einzigen vereint. Riesig. Ganz Zizers hätte man darin unterbringen können.

Alle fünf Dörfer.

Das Ganze für einen einzigen Menschen. Für seinen Vater.

Der vielleicht jetzt gerade hinter einem der Fenster …

So viele Fenster.

Louis zählte sie, wie er im Krieg Schritte gezählt hatte. Um die große Zahl beherrschbar zu machen.

Einhundertsiebzig Fenster.

Achtzehn Schornsteine.

Sieben Türen. Nur schon auf dieser Seite.

Die mittlere größer als die anderen. Links und rechts davon zwei Wachen. Rote Hosen, blaue Jacken. Goldene Epauletten.

Wer in den Palast wollte, ging einfach zwischen ihnen durch.

Vielleicht fand die eigentliche Kontrolle hinter der Tür statt. Vielleicht brauchte man eine Einladung. Einen Brief, den man vorweisen konnte.

Die Antwort auf einen Brief.

Ganz bestimmt konnte man nicht einfach hineingehen und sagen: »Ich bin der Sohn des Königs. Ich bin gekommen, um mit meinem Vater zu sprechen.«

Auslachen würden sie ihn. Er passte nicht zu den Leuten, die an den Wachen vorbeispazieren durften. Die waren alle vornehm gekleidet. Viele auch uniformiert. Da kam keiner in einem staubigen Reisekostüm.

Man muss immer angezogen sein, als ob man wichtigen Besuch erwartet.

Als ob man am Königshof eingeladen wäre.

Gut, dass er seinen Sonntagsanzug eingepackt hatte.

Hinter einem Fenster ging ein Mann vorbei. Louis sah ihn nur einen Augenblick lang.

Vielleicht war das …

Nein. Die Staatsgemächer würden auf der Gartenseite sein.

Der Weg um den Palast herum endlos.

Dann war da eine Galerie, die zu einem anderen imposanten Gebäude führte. Dahinter der Schlosspark.

Der Palast von dieser Seite noch beeindruckender. Noch einmal hundertsiebzig Fenster.

Unter der runden Kuppel des zentralen Gebäudes ein Balkon. Von dort, stellte sich Louis vor, winkte der König seinem Volk zu. Umgeben von seiner Familie. Acht Kinder. Neun Kinder.

Stand da und genoss die Aussicht auf seinen Garten.

Die Kieswege sauber geharkt. Beete in geometrischen Formen. So gepflegt, wie sie zu dieser Jahreszeit sein konnten. Zwei Reihen Bäume. In Erwartung des Frühlings zurückgeschnitten.

Auf der anderen Seite des Gartens das Gerüst einer unfertigen zweiten Galerie.

Die Wege für jeden zugänglich. Ein Liebespaar eng nebeneinander. Zwei gestikulierende Männer. Eine Frau führte ein Kind an der Hand.

In der Diligence hatte jemand erzählt, der König habe eine Ecke des Schlossparks für sich und seine Familie reservieren wollen. Um ungestört im Schatten eines Baums Tee trinken zu können. Für diesen undemokratischen Plan sei er beinahe wieder abgesetzt worden, hatte es geheißen.

Unter einem blühenden Baum ein Tisch. Louis auf dem Ehrenplatz. Marie Amélie schenkte Tee ein. Louis-Philippe tranchierte ein Huhn.

Einen Kapaun.

»Ich freue mich, dass wir uns endlich kennenlernen«, sagte der König.

»Ich bin Voltigeur«, sagte Louis.

Neben ihm fiel etwas zu Boden. Seine Reisetasche. Er hatte mit offenen Augen geträumt.

81

Eine günstigere Wohnung werden Sie in ganz Paris nicht finden«, sagte die Frau.

Er war vor dem Schild *Zu vermieten* stehen geblieben. Sie hatte ihn angesprochen. Hatte auf der Straße auf Interessenten gelauert. War vor ihm die Treppe hinaufgegangen. Hinaufgerannt. Als er in der dritten Etage ankam, hatte sie die Tür schon aufgeschlossen.

»Eine sehr schöne Wohnung«, sagte die Frau.

Er hatte an ein Zimmer gedacht. Ein Tisch, um Briefe zu schreiben. Ein Schrank für seine paar Sachen. Ein Bett. Was sollte er mit einer ganzen Wohnung?

»Es ist alles da«, sagte die Frau. Stand unter der Tür. Kam nicht herein. »Bettzeug«, sagte sie. »Geschirr. Sie werden sich wie zu Hause fühlen.«

Konnte ihm nicht in die Augen sehen.

»Eigentlich …«, sagte Louis.

Sie ließ ihn nicht ausreden. »Ich gebe sie Ihnen zwanzig Francs billiger«, sagte sie. »Fünfundzwanzig Francs. Weil Sie so ein freundlicher Herr sind. Drei Zimmer und das Kabinett. Alles inbegriffen.«

Bestell nie den Wein, den dir der Wirt empfiehlt.

»Im Schrank ist ein guter Anzug«, sagte die Frau. »Sie können ihn haben.«

»Ich brauche nichts, danke.«

»Er wird Ihnen zu groß sein«, sagte die Frau. »Aber ich kenne eine gute Schneiderin.«

»Wirklich nicht«, sagte Louis.

Das Gesicht der Frau kurz vor den Tränen.

»Schuhe«, sagte sie. »Ein Paar, fast neu.« Kam immer noch nicht ins Zimmer. Als ob da eine Wache stünde und sie nicht hereinließe.

In der Wohnung ein Geruch, für den er keinen Namen wusste.

»Tut mir leid«, sagte Louis. »Es ist nicht das Richtige für mich. Ich werde mich woanders umsehen.«

»Bitte«, sagte die Frau. »Dreißig Francs«, sagte sie. »Die Schuhe können Sie behalten. Seinen Anzug auch. Sehr guter Stoff. Der Schneider hat damals gesagt …«

»Wem gehören die Sachen, die Sie da so großzügig verschenken?«

»Ich habe sie in Zahlung genommen«, sagte die Frau. »Den Anzug. Die Schuhe. Auch Hemden. Aber die werden Ihnen nicht fein genug sein.«

Er wollte hinausgehen. Sie versperrte ihm den Weg. Stemmte die dünnen Arme links und rechts gegen den Türrahmen.

Bei seinen Kindern hatte er das Neinsagen geübt. Den Ton, gegen den kein Widerspruch möglich war.

»Nein«, sagte er.

Die Frau ließ die Arme sinken. Trat zur Seite. Das Gesicht zerknittert. »Aber es ist wirklich ein schöner Anzug«, sagte sie.

Zwei Treppen weiter unten wartete eine andere Frau.

Hätte die Schwester der Möchtegernvermieterin sein können. Eine selbstbewusste ältere Schwester.

»Sie haben die Wohnung doch nicht etwa genommen?«, fragte sie.

»Nein«, sagte Louis.

»Sie versucht es immer wieder«, sagte die Frau. »Aber es beißt keiner an. Die Leute sind ja nicht blöd.«

»Ist sie die Hausbesitzerin?«

»Mieterin«, sagte die Frau. »Wie wir alle. Sie ist zu ihrer Tochter gezogen. Weil sie ja nicht hierbleiben konnte. Obwohl sie die Wohnung hat ausräuchern lassen. Zweimal. Einmal vom Kammerjäger und dann noch einmal vom Pfarrer. Aber das reicht nicht, wenn Sie mich fragen.«

»Ungeziefer?«

»Drei Kerzen würde sie anzünden, wenn es nur um Flöhe ginge. Oder um Läuse. Wenn Sie mich fragen: Solche Wohnungen müsste man versiegeln. Ein für alle Mal.«

»Warum?«

»Hat sie Ihnen das nicht gesagt? Nein, natürlich nicht. Sie sagt es keinem, aber es merken es alle. Hat sie Ihnen auch die Kleider von ihrem Mann angeboten? Dabei sollte man die verbrennen. Das sagen alle.«

»Hat ihr Mann sie verlassen?«

Das Gelächter der Frau ohne Fröhlichkeit. »Man kann es so nennen«, sagte sie. »Er ist nach Saint Vincent umgezogen. Auf den neuen Friedhof. Wo man jetzt alle hinbringt, die hier im Quartier an der Cholera sterben.«

82

Sie hatten ihn ausgelacht.

»Wir sind doch keine Postboten«, hatten sie gesagt. »Diese Bittsteller werden immer lästiger«, hatten sie gesagt. Ihn weggeschickt wie einen Bettler.

Er hatte einen Brief abgeben wollen. Weil ihm nachts – halb im Traum, halb schon wach – etwas eingefallen war. Vielleicht hatte er seine Schreiben nicht richtig adressiert. Hatte nur deshalb vergeblich auf Antwort gewartet. Weil sie gar nie angekommen waren.

Oder sie waren angekommen, aber nicht gelesen worden. Es konnte sein, dass jeden Tag Hunderte von Bittstellern an den König schrieben. Jeder mit einem Anliegen, das anderswo kein Gehör gefunden hatte. Vielleicht wurde mit solchen Briefen die Wachstube geheizt.

Im ersten Morgenlicht hatte er sich an den wackligen Tisch gesetzt. Seinen Brief zum vierten Mal geschrieben. Diesmal nicht an den König adressiert, sondern an dessen Privatsekretär. »Nehme ich an, dass Seine Majestät daran interessiert sein wird zu erfahren ...« Der Sekretär würde den König informieren, und der König würde reagieren.

In irgendeiner Form.

Es ist nicht einfach, leserlich zu schreiben, wenn die

Schreibhand nur zwei Finger hat. Mit der Anschrift hatte sich Louis besondere Mühe gegeben.

Hatte den guten Anzug sorgfältig ausgebürstet. Beim Putzen auf die Schuhe gespuckt, bis ihm der Mund trocken wurde. War zum Schloss gegangen, wie man in Zizers zur Kirche ging.

Sie hatten ihn ausgelacht.

Den Brief nicht angenommen.

Er war dann durch die Stadt gelaufen wie ein Flüchtling. Hatte zufällig das Schild gesehen. Doppelt so groß und doppelt so beeindruckend wie sein eigenes.

»Jean-Baptiste Delaporte. *Négociant en vins. Fournisseur de la Cour*.«

Den Namen kannte er. Jeder Weinhändler kannte ihn. Auch der bescheidenste Geldwechsler kennt das Bankhaus Rothschild.

Er hatte das Haus betreten, ohne lang zu überlegen.

Monsieur Delaporte ließ ihn eine halbe Stunde warten. Dann empfing er ihn, wie wohl ein König den Regenten eines winzigen Fürstentums empfängt: kollegial und herablassend.

»Ich bin entzückt«, sagte er. »Da meint man, alle Weine dieser Welt zu kennen, und dann gibt es doch immer wieder Lagen, von denen man noch nie gehört hat.« Er konsultierte die Visitenkarte, die Louis Einlass verschafft hatte. »Weine aus Zizers? Wenn ich Ihnen einen Rat geben darf: Den Namen sollten sie ändern. Sie wissen doch, was ein *zizi* ist? Nicht? Dann wird Ihre Frau aber sehr enttäuscht von Ihnen sein.«

Sein Lachen so echt wie nachgezuckerter Säuerling.

»Namen sind wichtig«, sagte Delaporte. »Man soll seine Geschäftsgeheimnisse nicht verraten, aber unter Kollegen … Ich habe einen recht mittelmäßigen Weißwein *Larmes de la Reine* getauft. Jetzt verkauft er sich wie verrückt. Wo liegt denn dieses Zizers?«

»In Rätien«, sagte Louis.

»Ah, Rätien.« Monsieur Delaporte nickte wissend. Louis war sich sicher, dass der Weinhändler auch von dieser Lage noch nie etwas gehört hatte.

Bis auf den großen Schreibtisch war das Kontor eingerichtet wie ein Wohnzimmer. Schwere Portieren. Eine Sitzgruppe mit bequemen Sesseln. Delaporte hatte ihm den Bittstellerstuhl vor dem Schreibtisch angewiesen. An der Wand ein goldgerahmtes Wappen. Eine Krone, darunter die verschnörkelten Buchstaben M und A.

»Marie Antoinette«, sagte Delaporte. »Wir waren damals Hoflieferanten und sind es heute wieder. Nur die Jahre zwischendurch … Die Revolutionäre haben auch gern Wein getrunken, aber ungern bezahlt. Jetzt macht der Hof wieder Umsatz. Nicht mehr Burgunder, sondern Bordeaux. Ich finde, das sagt viel aus über unseren neuen König.«

Wieder das überherzliche Gelächter. Aber nur kurz. Einem schlechten Kunden schenkt man das Probierglas nicht voll.

»Nun ja, Sie werden in diesen Sachen kein Spezialist sein. Was für Sorten pflanzen Sie denn so an in Ihrem …« Er schaute auf der Visitenkarte nach. »… Ihrem Zizers?«

»Hauptsächlich Pinot noir. Aus Tradition immer noch ein bisschen Elbling.«

»Elbling.« Monsieur Delaporte machte sich eine Notiz.

»Ich habe da einen Kunden, der hat ein Faible für ausgefallene Sorten. Aber jetzt zur Sache. Weshalb sind Sie zu mir gekommen? Sie wollen mir doch hoffentlich keinen Wein verkaufen.«

Noch ein Probierschluck Gelächter. Ein übersüßer Wein, von dem man Kopfschmerzen bekommt.

»Ich dachte …«, sagte Louis. »Sie als Kollege … Als Hoflieferant … Sie haben Zugang zum königlichen Haushalt. Würden Sie im Schloss einen Brief für mich abgeben lassen?«

83

Louis hatte nichts zu tun, als jeden Morgen im Kontor von Monsieur Delaporte vorbeizuschauen.

Manchmal, wenn die Unruhe zu stark wurde, ging er am Nachmittag ein zweites Mal hin.

Immer die gleiche Auskunft. Nein, es sei keine Antwort für ihn eingetroffen. Wahrscheinlich lachten die Angestellten schon über ihn.

Er hätte viel Zeit für lange Briefe nach Hause gehabt. Der einzige, den er schrieb, war kurz. Hier in Paris sei alles in Ordnung. Er erwarte, sein Anliegen bald vorbringen zu können. Zu Hause gehe hoffentlich alles gut. Grüße. Zu mehr konnte er sich nicht aufraffen.

Sein Vermieter war ein ehemaliger *caporal*. Hatte sich mit seinem alten Rang vorgestellt. Als ob es sein Name wäre. Trug den ganzen Tag einen Morgenrock und wirkt doch militärisch. Hatte Louis' Hand gesehen und ihn gleich geduzt. Wie man das unter Kameraden macht. Manchmal tranken sie zusammen Mirabellenschnaps, so hochprozentig, dass er im Hals brannte.

»Der putzt durch«, sagte der *caporal*. »In dieser Zeit braucht man das.«

Einen anderen Gesprächspartner hatte Louis nicht.

Manchmal ging er stundenlang durch die Straßen, nur

um müde zu werden. Ihm fiel auf, dass keine vornehmen Equipagen zu sehen waren. In einer großen Stadt wie Paris hätte er das erwartet.

»Wie kommt das, *caporal*?«

»Die reichen Leute nehmen sich Mietkutschen. Solang die Armen an der Cholera sterben, macht man besser auf bescheiden. In Paris lauert die Revolution hinter jeder Ecke.«

Nachts fand Louis keinen Schlaf. Vertrieb sich die leeren Stunden, indem er versuchte, die Geräusche zu deuten, die er von der Straße her hörte. Sich, ohne aus dem Fenster zu schauen, auszumalen, was sich draußen abspielte. Es war nicht wichtig, ob die Deutungen richtig oder falsch waren. Sie halfen, die Nacht vorübergehen zu lassen.

Manche Geräusche erklärten sich selbst. Betrunkene Männer kannte er aus seiner Zeit bei der *Grande Armée*. Auf dem Weg zum *estaminet* schrien sie ihr Gelächter in die Nacht. Um sich zu beweisen, wie lustig sie es gleich haben würden. Auf dem besoffenen Heimweg sangen sie dann.

Ein Lied, das groß in Mode zu sein schien, hatte den Refrain: *La mort! La mort! Buvons, buvons encore!* Das letzte Wort mehrmals wiederholt.

Encore. Encore. Encore.

Frauen hörte man seltener. Wenn sie kreischend mitlachten, wusste Louis, dass sie den Mann für den Abend schon gefunden hatten. Wenn sie versuchten, verführerisch zu klingen, waren sie noch auf der Suche. Je später in der Nacht, desto fordernder wurden sie. Es war keine feine Gegend, in der er sein Quartier gefunden hatte.

Das Haus stand an einer Ausfallstraße. Zu allen Stunden rollten Fuhrwerke vorbei. Bei manchen hörte man nicht nur das Rollen der Räder, sondern gleichzeitig ein feines Klingeln. Immer nur, wenn sie aus der Stadt hinausfuhren. In der anderen Richtung klingelten sie nicht. Ein Rätsel, über das er stundenlang nachdachte.

Der *caporal* wusste die Lösung. »Das sind die Leichenwagen, *camarade*. Ein altes Gesetz. Sie müssen beim Fahren klingeln, damit sich die Passanten bekreuzigen können. Es bekreuzigt sich nur keiner mehr. Man hat anderes zu tun.«

Dass man das Klingeln nur in einer Richtung hörte, hatte einen einfachen Grund. »Am Stadtrand liegt der neue Friedhof, da fahren sie hin. Die Bimmelei ist nur Vorschrift, wenn sie eine Leiche geladen haben. Wenn sie leer zurückkommen, sparen sie sich den Quatsch.«

»Bilde ich mir das nur ein, *caporal*, oder kommen wirklich mehr von diesen Wagen vorbei als noch vor zwei Tagen?«

»Stimmt«, sagte sein Vermieter. »Es müssten sogar noch mehr sein. Im Krieg sind uns die Pferde ausgegangen, nun sind es die Leichenwagen. Ich habe gehört, sie wollen die Särge jetzt auf Geschützlafetten transportieren. Aber das wird nicht funktionieren, glaub mir, *camarade*.«

Schenkte noch einen Schnaps ein.

In der nächsten Nacht hörte Louis tatsächlich Geschützlafetten vorbeifahren. Die eisenbereiften Räder sehr laut.

Am Morgen sagte der *caporal:* »Ich habe es gewusst, aber mich fragt ja keiner. Jetzt steht es in der Zeitung.«

Die Lafetten hatten sich nicht bewährt. Weil sie keine Federung hatten, rüttelten sie zu sehr. Auf den Pflastersteinen waren die Särge aufgesprungen. Die stinkenden Leichen teilweise auf der Straße gelandet. Jetzt wollte es die Regierung mit Möbelwagen probieren.

»Das wird den Leuten weniger Angst machen«, sagte Louis.

»Umgekehrt«, sagte der *caporal*. »Sie werden bei jedem Möbelwagen denken, er sei voller Leichen.«

84

Die Kontoristen behandelten ihn anders als sonst. Höflicher.

Sie hatten den Brief im Kassenschrank eingeschlossen. So wichtig war er ihnen erschienen.

Schweres Papier. Cremefarben. Ein Siegel mit den drei Lilien.

Eine Nachricht aus dem Palast.

Monsieur Louis Chabos.

Keine Adresse. Man hatte das Schreiben dem Weinkutscher mitgegeben.

»Ist es das, worauf Sie gewartet haben, Monsieur?«

»Ja«, sagte Louis. »Darauf habe ich gewartet.«

Die Männer an ihren Stehpulten sahen ihn an, wie man im Theater auf das Aufgehen des Vorhangs wartet. Er würde das Schreiben sofort lesen, stellten sie sich vor. Würde in Tränen ausbrechen. Oder in Jubel.

Er tat ihrer Neugier nicht den Gefallen. Steckte den Brief ein. »Ich hoffe, Sie in Zukunft nicht mehr belästigen zu müssen. *Au revoir, Messieurs.*«

Draußen schien die Sonne. Natürlich schien die Sonne.

An so einem Tag.

Um ihn herum Alltagsgesichter. Gingen ihren Geschäften nach. Wussten nicht, wer ihnen da entgegenkam.

Ein Zeitungsverkäufer rief Cholera-Nachrichten aus. Das war jetzt alles nicht wichtig.

Ein kleines Mädchen lag weinend auf dem Boden. Strampelte mit den Beinen. Wollte sich von seiner Mutter nicht trösten lassen. »Es wird wieder gut«, sagte Louis im Vorbeigehen.

Alles wird gut.

Ein einbeiniger Bettler. Saß auf einem alten Militärmantel. Den Oberkörper an eine Hausmauer gelehnt. Louis warf zu viel Geld in seine Blechschale.

Zu wenig für so einen Tag.

An dem er sich in seinem Zimmer an den Tisch setzen und den Brief seines Vaters öffnen würde.

Nein. Nicht gleich öffnen. Zuerst nur mit der Hand darüberfahren. Das Papier streicheln. Daran riechen.

Was für eine Seife so ein König benutzte?

»Haben Sie keine Augen im Kopf?«

Er hatte, ohne es zu merken, einen Mann angerempelt. Wollte sich entschuldigen. Aber der Mann war schon weitergegangen.

Gut, dass das passiert war. Es war ja falsch, was er vorhatte. Man setzt sich nicht in ein schäbiges Zimmer, um so eine Nachricht zu lesen.

An so einem Tag.

Es gab nur einen Ort, der dafür richtig war. Diesmal würde er den Weg dorthin nicht vergeblich gehen.

Der Park der Tuilerien war zum Promenieren gemacht. Nirgendwo ein Ort, an dem man sich hätte hinsetzen können. Louis lehnte sich an einen Baum. Den Balkon des Palastes im Blick. So konnte er sich vorstellen, dass sein Vater ihm nicht nur schrieb, sondern zu ihm sprach.

Der Brief roch nach Papier und Siegellack.

Das Siegel nicht zerstören. Ein echtes königliches Siegel. Seine Kinder würden es bestaunen. Gut, dass er das Rasiermesser des Marchese in der Tasche hatte.

Er schnitt das Papier rund um das Siegel sorgfältig auf. Wickelte die drei Lilien in sein Taschentuch.

Faltete das Papier auseinander.

Die Schrift so präzis wie ein Stahlstich. Ohne eigenen Charakter.

Ein König schreibt nicht selbst. Er diktiert.

Wie wohl seine Stimme klang?

Sehr geehrter Herr …

Eine unpersönliche Anrede.

Ich bin beauftragt, auf Ihr von Monsieur Delaporte übermitteltes Schreiben zu antworten.

Im Namen Seiner Majestät fordere ich Sie auf, von weiteren brieflichen Mitteilungen abzusehen und Belästigungen dieser Art in Zukunft zu unterlassen.

Belästigungen.

Bitte empfangen Sie, Monsieur, den Ausdruck meines besonderen Respekts.

Jean-François Baudoin, Privatsekretär.

Den Ausdruck meines besonderen Respekts.

85

Der Atem mühsam.
Der Hals zugeschnürt.
Dabei hätte ihm Schreien gutgetan.

»Leg dich über den Stuhl«, hatte die Mutter Oberin gesagt.
»Du bist ein Spion«, hatte Leandro gesagt.
»Zwölf Monate«, hatte der Richter gesagt.
»Schmerzen gehören dazu«, hatte Docteur Dutoit gesagt.

Ablehnungen. Lauter Ablehnungen.
Im Namen Seiner Majestät.

Louis zerriss den Brief.
Sammelte die Fetzen wieder auf.
Kroch ihnen auf allen vieren hinterher.

Fordere ich Sie auf.
Von weiteren Mitteilungen abzusehen.
Belästigungen zu unterlassen.

Warum wuchsen in den Beeten keine Blumen?
Dass man sie hätte zertrampeln können.

Der Palast eine Mauer.

    Eine Festung.

    Keine Tür für ihn.

»Wenn es eigene Leute sind, erschießt man sie«, hatte Ambro gesagt.

»Die kleine Flasche ist zerbrochen«, hatte Aloys gesagt.

    »Es war nichts Wichtiges«, hatte er geantwortet.

    Es wäre aber wichtig gewesen.

Als der Deserteur schon erschossen war, hatte er weiter mit seiner Mutter geredet.

Louis war kein Kind mehr. Er war Louis Chabos. Der Mann von Seraina. Der Vater von Laurin und Mia. Er brauchte diesen König nicht.

    Diesen Scheißkönig.

    Diesen lächerlichen, Geflügel tranchierenden, mit Regenschirmen promenierenden König.

    Den sie in den Karikaturen als Birne zeichneten.

    Er brauchte ihn nicht.

    Brauchte niemanden.

    Nein, Herr Herold, ich steige nicht auf Ihr Pferd.

    Ich will gar nicht an den Königshof.

Erleichtert war er. Jawohl, erleichtert.

    Weil die Sache jetzt abgeschlossen war. Ein für alle Mal.

Lächerlich war das Ganze.

Er lachte, bis ihm die Tränen übers Gesicht liefen.

Als er das Taschentuch auseinanderfaltete, um sie abzuwischen, fiel das Siegel zu Boden. Zerbrach. Er zerrieb es mit der Schuhspitze zu Staub.

Roter Staub im grauen Sand.

Nicht mehr zu erkennen.

Verschwunden.

Seine Sachen packen. Sich am nächsten Morgen in die Diligence setzen. Nach Hause fahren. Alles vergessen.

Es geht sich leichter, wenn man kein Gepäck mehr mit sich herumschleppen muss.

So leicht, dass einem ums Singen ist.

Einmal wird es deiner sein.

Einmal wird es deiner sein.

Einmal wird es deiner sein.

86

Zum letzten Mal die fremden Straßen. Die fremden Menschen. Zum letzten Mal der Müll.

Von irgendwoher Musik.

Der König kam ihm entgegen. Mit seinem ganzen Hofstaat. Winkte ihm huldreich zu.

Der König hatte eine Krone aus Goldpapier. Einen Knochen als Zepter. Die Lippen rot angemalt. Die Augen schwarz umrandet. An einem aufgespannten Regenschirm baumelten bunte Bonbons.

Vier Paladine mit Teufelsmasken trugen seine Sänfte. Eine Bahre, wie man sie für Kranke verwendet. Für Tote.

Dem Zug voran der Bannerträger. Im Fahnentuch drei Löcher, wo einmal Lilien gewesen waren.

Der König segnete die Passanten.

Hinter ihm seine Familie. Die Prinzen hatten sich Ordensbänder auf die nackte Brust gemalt. Die Prinzessinnen stolperten über die ungewohnten Frauenkleider. Das jüngste Königskind ein in Windeln gewickeltes Ferkel. Die bärtige Amme mit einem Kissen als Busen.

Die königliche Garde in Messgewändern. Ein kleiner Junge mit einem Weihrauchfass.

Einer mit Bischofsmitra war der Tambourmajor. Sein Taktstock ein Besenstiel. Stieß ihn rhythmisch auf den

Boden. Daran baumelnd eine aufgeblasene Schweinsblase.

Trompeter, die auf Kämmen bliesen. Trommler, die auf
Pfannen hämmerten. Ein Mann spielte auf einer Geige
ohne Saiten.

Der königliche Chor sang: »*La mort! La mort!*«

Auf einem Leiterwagen Weinflaschen.

»*Buvons, buvons encore!*«

Glassplitter auf dem Pflaster.

Die Passanten sangen mit. »*Encore! Encore! Encore!*«

Einer hielt eine Ansprache. Einen Holztrichter vor dem
Mund. »Auf die Knie, niederträchtiger Pöbel! Huldigt dem
allmächtigen König Cholera!«

Ein paar Leute knieten tatsächlich. Eine Frau presste die
Stirn auf den Boden.

Wenn du einen König beeindrucken willst, verneig dich
weniger tief als die anderen.

Der Cholerakönig winkte Louis zu sich. Der Zug blieb
stehen.

»Warum singst du nicht mit?«, fragte der König.

»Mir ist nicht ums Singen«, sagte Louis.

»Dann erst recht«, sagte der König.

»*Encore, encore, encore.*«

»Ich hasse alle Könige«, sagte Louis.

Die Schweinsblase schlug ihm den Hut vom Kopf. Der
Tambourmajor holte zum nächsten Schlag aus.

»Halt«, sagte der König. »Er ist ein wahrer Royalist. Der
Cholera-König will gehasst werden. Trink mit mir, mein
treuer Vasall.«

Jemand drückte Louis eine Weinflasche in die Hand.

»Buvons, buvons, buvons.«

Louis zögerte.

»Trink«, sagte der König.

So tun, als ob man mitmacht.

Der Wein lief ihm übers Kinn.

»Encore, encore, encore.«

Mit seinem Knochenzepter berührte der König Louis' Schulter. »Ich ernenne dich zum Marquis Vicomte Baron.«

Einer der Sänftenträger sackte zusammen. Die Bahre kippte. Der König auf dem Rücken wie ein Käfer.

Jemand nahm dem Träger die Teufelsmaske ab. Ein junges, uraltes Gesicht. Falten wie ein Greis. Die Nase spitz.

Geruch nach fauligem Durchfall.

»La mort!«, rief der König.

»Encore, encore, encore«, erklang das Responsorium.

Der Tambourmajor mit der Bischofsmitra hob den König auf. Stemmte ihn mühelos in die Höhe. Setzte ihn sich auf die Schultern.

»Hü, mein Pferdchen«, sagte der König.

Die Kammtrompeten und Pfannentrommeln setzten wieder ein. Noch fröhlicher als vorher. Der Umzug setzte sich in Bewegung. Verschwand hinter der nächsten Ecke.

Auf der Straße blieb ein toter Mann zurück.

Niemand fand etwas Ungewöhnliches daran.

87

Er kannte den Geruch. Feuer. Rauch. Asche.
Wie damals, als Ambro die Hütte angezündet hatte.

Der Geruch schien aus dem Haus zu kommen, in dem er sein Zimmer hatte. An jedem anderen Tag hätte ihn das erschreckt. Nicht heute. Da war nichts mehr in ihm, das man hätte erschrecken können.

Das Feuer nicht im Haus, sondern auf dem Hinterhof. Ein Scheiterhaufen aus Möbelstücken. Stühle. Schubladen. Ein Sessel mit geflochtenem Sitz.

Die Häuser ringsumher wie die Ränge eines Amphitheaters. Zuschauer an den Fenstern. Die Gesichter im Widerschein des Feuers flackernd.

Von oben kamen Kleidungsstücke geflogen. Ein Mantel. Eine Hose. Noch eine Hose. Landeten im Feuer. Stoff brennt anders als Holz. Louis kannte auch diesen Geruch.

Ein Hemd, in der aufsteigenden Hitze tanzend.

Die Zuschauer machten »Oh!« und »Ah!«

Eine Flasche. Explodierte im Feuer. Blaue Flammen schienen über die roten hinwegzufließen. Erloschen wieder.

Ein dicker Mann, ein Kissen auf sein Fenstersims gelegt, applaudierte wie im Zirkus.

Zwei Männer brachten eine ausgeweidete Kommode. Hievten sie auf den Scheiterhaufen, wo ihre Schubladen schon brannten.

Ein Federbett.

Schuhe. Einer nach dem anderen. Ein Stiefel verfehlte das Feuer. Traf eine Zuschauerin am Kopf. Gelächter.

Eine Reisetasche.

Seine Reisetasche.

Louis stürzte ins Haus. Rannte die Treppe hinauf. Musste sich gegen die Wand drücken, weil ihm zwei Männer mit einem Tisch entgegenkamen.

Sein Zimmer leer. Seine Sachen verschwunden.

In der Küche ein fremder Mann. Sah auf das Feuer hinaus. Auf dem Fensterbrett eine Liste, auf der er einzelne Punkte ausstrich.

»Zu früh«, sagte der Mann. Ohne aufzublicken.

Louis verstand ihn nicht.

»Wenn Sie die Wohnung mieten wollen, kommen Sie morgen vorbei. Bis dann ist hier alles sauber. Hygienisch.«

»Wo ist der *caporal*?«

»Saint Vincent, nehme ich an. Sie haben mir nicht gesagt, wohin sie ihn bringen. Bei dieser Krankheit geht alles schnell. Am Morgen hat es angefangen, und gegen Mittag haben sie ihn schon in den Sack gepackt. Särge gibt es keine mehr.«

Louis hatte tatsächlich gedacht, dass ihn nichts mehr erschrecken könne.

»Er ist tot?«

»Lebendig nehmen sie keinen mit.« Der Mann sagte es ohne Ironie. Ernsthaft erklärend.

»Meine Sachen ...«

»Wie gesagt: morgen. Vorher will ich über die Vermietung nicht reden.«

»Das sind meine Sachen, die Sie da ins Feuer geworfen haben.«

»Meine Sachen«, sagte der Mann. Der Blick immer noch auf seinem Papier. »Ich bin der Neffe. Der Erbe. Der neue Besitzer. Ich habe beschlossen, alles zu verbrennen. Auf die Dauer ist das günstiger. Wenn die Leute Angst haben, krank zu werden, zahlen sie keine anständige Miete.«

»Das kleine Zimmer ist meines«, sagte Louis. Musste sich zusammennehmen, um nicht zu schreien. »Ich habe es gemietet. Die Sachen darin gehören mir.«

Der Mann blickte zum ersten Mal auf. »Mein Onkel hat mir nie etwas davon gesagt. Nun ja, wir hatten wenig Kontakt.« Wandte sich wieder seinem Papier zu, als ob damit alles besprochen und erledigt wäre.

»Mein ganzer Besitz ...«

»Natürlich«, sagte der Mann. »Rein juristisch hätten Sie ein Mitspracherecht gehabt.« War vielleicht Anwalt oder Notar. »Aber Sie können die Sachen ja doch nicht mehr brauchen. Nicht, wenn jemand in der Wohnung an Cholera gestorben ist.«

Louis' Zorn explodierte wie die Flasche im Feuer. »Ich zeige Sie an. Ich gehe zur Polizei!«

»Das würde ich Ihnen nicht raten«, sagte der Mann. »Sie fangen jetzt an, Leute aus Cholera-Wohnungen in Quarantäne zu sperren. Keine Gefängnisse, aber auch nicht viel besser. Auf jeden Fall: keine gesunden Orte. Ich kann mir nicht vorstellen, dass Sie dort hinwollen.«

Louis' Zorn so schnell verflackert, wie er aufgeflammt war. »Was soll ich jetzt machen?«, sagte er.

»Da kann ich Ihnen nicht helfen«, sagte der Mann. »In diesen schweren Zeiten muss jeder selbst sehen, wo er bleibt.«

88

Egal, dachte Louis. Scheiß drauf.

Genau richtig war es, dass er aus Paris nichts mehr nach Hause brachte. Weg mit dem Ballast. Wenn man ein Fass neu auffüllen will, darf kein Tropfen alter Wein drinbleiben. Ausspülen und noch mal ausspülen. Bis nur noch klares Wasser herausfließt.

Was kümmerten ihn die paar Sachen? Seinen guten Anzug hatte er an. Die Geldbörse in der Tasche.

Auch der Anzug musste weg. Der Gestank nach Erinnerungen würde sich nicht vertreiben lassen. Sobald er zurück war, einen Scheiterhaufen dafür aufschichten. Ein Freudenfeuer. Den Anzug verbrennen. Obwohl Seraina sagen würde, es sei Dummheit und Verschwendung. Weg. Alles weg. Die Vergangenheit ausräuchern. Wie man hier in Paris die Wohnungen ausräucherte.

Die Suche nach seinem Vater war eine Krankheit gewesen. Er war geheilt.

Louis-Philippe? In Paris haben sie ihn Birne genannt. Nein, ich habe ihn nie gesehen. Es hat mich nicht interessiert.

Er interessiert mich nicht.

Am Stammtisch würde er sagen, er habe versucht, Jean-Baptiste Delaporte für Bündner Weine zu interessieren. Ja, den berühmten Delaporte. Er sei von dem auch empfangen worden. Herausgekommen sei nichts dabei. Da habe er sich falsche Hoffnungen gemacht.

Falsche Hoffnungen. Das war nicht gelogen.

Nach der endgültigen Absage habe er noch am selben Tag die Fahrkarte für die Rückreise besorgt. Außer Spesen nichts gewesen.

Das *Bureau de poste* kannte er. Wenn in Zizers etwas Wichtiges passiert wäre, hätte dort ein Brief auf ihn gewartet. Postlagernd. Es war nie einer gekommen. Seraina hatte nicht gut schreiben gelernt, und in Zizers passierte nie etwas Wichtiges.

Nur in Paris.

Er nahm nicht den direkten Weg. Der hätte an den Tuilerien vorbeigeführt. Die Wunde war zu frisch verheilt.

Die Halle des Postbüros schien seit seinem letzten Besuch noch größer geworden zu sein. Hinter der verglasten Absperrung der riesige Tisch, an dem die Briefe sortiert wurden. Die Beamten durcheinanderwuselnd wie Ameisen.

An der Wand das Plakat mit den Abfahrtzeiten der Postkutschen. Lille. Montpellier. Lyon. Bâle.

Morgen früh. Sieben Uhr.

Die Fahrkarte besorgen. Einen Gasthof für die eine Nacht finden. Am besten in der Nähe der Poststation. Wenn er sich richtig erinnerte, hatte er dort ein *Hôtel du postillon* gesehen. Das beste Zimmer würde er verlangen, nahm er sich vor. Das beste Essen bestellen. Wofür noch sparen?

Dem Zimmerkellner ein gutes Trinkgeld geben, damit

man rechtzeitig geweckt wurde. Ausgiebig frühstücken. Das hatte er auf der Hinfahrt gelernt. An den Poststationen, wo man keine Auswahl hatte, zahlte man teures Geld für schlechtes Essen.

Sechzig Stunden bis Basel. Noch ein Tag bis Zürich. Und dann ...

Es hatte keinen Zweck, seine Rückreise anzukündigen. Er würde schneller in Zizers sein als ein Brief.

Vor dem Schalter *Service des voyageurs* schon ewig derselbe Mann. Als ob er sich nicht entscheiden könne, wo er hinreisen wolle. Gestikulierte. Redete auf den Beamten ein. Der zuckte die Schultern. Schien sich für etwas zu entschuldigen. Ausgebreitete Arme, die sagten: »Tut mir leid, Monsieur, ich kann auch nichts daran ändern.«

Louis wurde ungeduldig. Lachte sich selber dafür aus. Er hatte Zeit.

Viel zu viel Zeit.

Endlich ging der Mann. Kopfschüttelnd und vor sich hin schimpfend. Louis war an der Reihe.

»Die Diligence nach Basel. Morgen früh.«

Auch bei ihm die augebreiteten Arme. »Leider nicht möglich, Monsieur.«

»Meine Reise ist wichtig.«

»Alle Reisen sind wichtig, Monsieur«, sagte der Beamte. »Der Mann vor Ihnen wollte zu seiner kranken Mutter nach Toulouse. Sie vor ihrem Tod noch einmal sehen. Ich hätte ihm wirklich gern geholfen.«

»Alles ausverkauft?«

»Das ist nicht das Problem, Monsieur. Bis auf Weiteres ist der Postverkehr eingestellt. Zehn Tage mindestens.

Vielleicht zwei Wochen. Wir können die Sicherheit unserer Passagiere nicht garantieren. Bürgerwehren. Wollen verhindern, dass Reisende die Krankheit bei ihnen einschleppen. Ich entschuldige mich im Namen der Post, Monsieur. Gegen die Cholera lässt sich nichts machen.«

89

Auf der Brücke damals in Russland war auch eine Planke nach der anderen weggebrochen. Bis die ganze Konstruktion einstürzte.

Damals war er lang bewusstlos gewesen.

Hatte mehr Glück gehabt als heute.

Ging die drei Stufen zu der Kneipe hinunter, ohne zu überlegen. Schlüpfte unter das Federbett der fremden Gespräche.

In die Pfütze auf dem Tisch malte er mit dem Finger zwei Buchstaben. L und P. Louis-Philippe. Verwischte sie mit dem Ärmel.

Die Wirtin fragte nach seinen Wünschen.

Louis war das Trinken nicht gewohnt. Wein, ja, das gehörte zu seinem Beruf. Aber von Wein wurde man nicht schnell genug betrunken. Nicht so, wie er es heute brauchte.

»Das Stärkste, das Sie haben«, sagte Louis.

»Ich kann dir unseren Hausschnaps bringen«, sagte die Wirtin. »Direkt vom Land. Ein Vetter von mir brennt ihn. Geld wirst du ja haben, so wie du aussiehst.«

Außer ihm trug hier niemand einen Anzug.

»Bring«, sagte Louis.

An den Wänden Bilder von tanzenden Paaren. Schlecht gemalt. Selbst Mia hätte das besser gekonnt.

Die Wirtin brachte eine Steingutflasche. Zog den Korken. Hielt ihm die Flasche unter die Nase. »Riech«, sagte sie. »Was ist das?«

»Zwetschge?«, sagte Louis.

»Auch«, sagte die Wirtin.

»Apfel?«

»Auch. Und und und. Von allem etwas. Das gibt ihm die Kraft.«

»Schenk ein«, sagte Louis.

Der erste Schluck wie Feuer. So musste es sein. Alles ausbrennen.

Er trank das Glas leer. Das zweite. Sagte: »Lass die Flasche stehen.« Die Wirtin nickte. Als ob sie es schon vorher gewusst hätte.

Die Paare an den Wänden tanzten die Farandole. EINS, zwei, drei, VIER, fünf, sechs. EINS, zwei, drei, VIER, fünf, sechs.

»Stark genug?«, fragte die Wirtin.

»Für den Anfang«, sagte Louis.

War er schon betrunken?

Noch lang nicht genug.

Keine Diligence. Kein Gepäck.

Kein Vater.

EINS, zwei, drei, VIER, fünf, sechs. Louis summte die Melodie mit. Sang sie laut. Klatschte in die Hände.

Niemand sah ihn vorwurfsvoll an. Die anderen Trinker schlugen den Takt auf den Tischen. Prosteten ihm zu.

Er war nicht allein. War von lauter netten Menschen umgeben. Hatte ganz viele Freunde.

Eine dicke Matrone, die einzige Frau unter all den Männern, setzte sich zu ihm an den Tisch. »Was bist denn du für einer?«, fragte sie.

»Ich bin der Sohn des Königs«, sagte Louis.

»Natürlich bist du das«, sagte die dicke Frau.

Ja, sagten auch alle andern, natürlich war er der Sohn des Königs. Tranken auf sein Wohl.

Er bestellte und bestellte. Die dicke Frau saß auf seinem Schoß. Er ließ sich von ihr küssen. Tanzte mit ihr.

EINS, zwei, drei, VIER, fünf, sechs.

Sie sangen mit ihm. Trugen ihn auf den Schultern durch die Gaststube.

Alles war gut. Alles, alles war gut.

Er wachte auf, weil sein Kissen so hart war.

Ein Rad rollte nahe an seinem Kopf vorbei. Ein Bierwagen, hoch mit Fässern beladen.

Das Aufstehen ein Kunststück, das nicht gelingen wollte.

Ein unangenehmer Geruch. Jemand musste gekotzt haben. Er selbst. Auf den Mantel und auf den guten Anzug.

Den einzigen Anzug.

Gut, dass Seraina ihn jetzt nicht sah.

Sein Mund ausgetrocknet. Warum bekam man vom Trinken Durst? Das war nicht logisch. Nichts war logisch. Er musste nachdenken. Einen Schnaps bestellen und nachdenken.

Konnte den Eingang zur Kneipe nicht finden. Kannte die Straße nicht. War hier noch nie gewesen.

Ich laufe zu Fuß nach Zizers, dachte Louis. Sobald die Sonne aufgeht.

Bis dahin noch einmal hinlegen.

Schlafen.

90

Als er zum zweiten Mal erwachte, war seine Geldbörse verschwunden. Was er nicht versoffen hatte, hatte man ihm geklaut.

Vielleicht war es die dicke Frau gewesen. Vielleicht die Wirtin. Vielleicht hatte ihm jemand in die Tasche gefasst, als er in der eigenen Kotze im Rinnstein lag.

Scheißegal. Er war selbst daran schuld.

Wenn es wieder Fahrkarten zu kaufen gab, würde er sich keine Fahrkarte leisten können.

»Zehn Tage mindestens«, hatte der Postbeamte gesagt. »Vielleicht zwei Wochen.«

Louis' Geld hätte auch für drei Wochen gereicht. Nicht gerade im *Hôtel du postillon*. Aber es hätte gereicht.

Wenn er nicht versucht hätte, seine Gedanken zu ertränken. Sie waren aber nicht untergegangen.

Dafür hatte er jetzt kein Dach über dem Kopf. Nichts anzuziehen. Musste auf dem Markt Äpfel klauen.

In einer Stadt, in der man die Leichen in Möbelwagen stapelte, um sie auf den Friedhof zu schaffen.

Pasquale hatte recht gehabt. »War die Welt jemals anständig zu dir?«, hatte er gefragt.

Nein. Nie.

Du bist ein Lügner, Louis.

Du hast immer wieder Glück gehabt. Sehr viel Glück.

Du hast Seraina getroffen. Hast Laurin gefunden. Mia ist zur Welt gekommen. Aloys hat dir die Weinhandlung vermacht. Zizers hat dich aufgenommen.

Und du?

Hast das alles weggeschmissen. Aufs Spiel gesetzt. Weil du Anerkennung von einem Mann wolltest, dem du nie begegnet bist. Weil dir ein Märchen wichtiger gewesen ist als die Wirklichkeit.

Weil du ein Idiot bist, Louis.

Einer, der kein Glück verdient.

Ein Frosch.

Er wusste nicht, wo er jetzt hinsollte. Machte sich trotzdem auf den Weg. Ins Ungewisse laufen war besser als liegen bleiben.

Die Straßen noch leer um diese Zeit. Keine Passanten. Kaum einmal ein Fuhrwerk.

Er kannte das Quartier nicht, in dem er aufgewacht war. Paris war viele Städte. Arme und reiche. Die einen betranken sich mit Fusel, die andern mit Champagner. Die einen hatten nichts zu fressen, die andern tranchierten Kapaune. Die einen starben an der Cholera, die andern …

Warum hatte er unbedingt zu den andern gehören wollen?

Idiot.

Es war kalt auf der Straße. Die Sonne immer noch nicht aufgegangen. Vielleicht würde sie nie mehr aufgehen.

Er steckte die Hände in die Manteltaschen. Spürte das Rasiermesser.

In einem der Bücher des Marchese war ein Bild des toten Seneca gewesen. Lächelnd in seinem Badezuber. »Es tut nicht weh, wenn man sich die Pulsadern aufschneidet«, hatte der Marchese gesagt.

Das nicht.

Noch nicht.

Ein Schritt nach dem andern. Wie er es im Krieg gelernt hatte. Weiter. Auch wenn man nicht wusste, wohin.

Die Häuser ohne Charakter. Nur die Müllhaufen unterschiedlich hoch. Es war ihm noch nie aufgefallen, wie viel Abfall vor den Häusern lag. Er war noch nie um diese Zeit unterwegs gewesen.

Hinter ihm, weit hinter ihm, schrie jemand.

Sollten sie schreien. Ihn ging es nichts an.

Pferdehufe. Die Räder eines Fuhrwerks holperten über die Pflastersteine. Viel zu schnell.

Ein Pferd war mit seinem Karren durchgegangen. Die Schreie, das war wohl der Fuhrmann, der seinen Gaul nicht hatte aufhalten können.

Louis überlegte nicht. Was ihnen der *sergent* eingetrichtert hatte, war schneller als alle Gedanken. Er rannte auf die Straße hinaus. Ließ das Pferd auf sich zukommen. Trat im letzten Moment zur Seite. Fasste die Zügel.

»Nicht loslassen, das ist das Wichtigste«, hatte der *sergent* gepredigt. »Sich einfach mitziehen lassen. Ihr müsst sturer sein als das Pferd, dann gibt es irgendwann auf.«

Das Pferd schien nicht aufgeben zu wollen.

Die Schreie hinter ihm kamen näher. »Françoise!«, schrie der Mann.

Was für ein idiotischer Name für ein Pferd, dachte Louis.

91

W ach?«, sagte die Stimme.

»Nein«, sagte Louis.

»Kann ich verstehen«, sagte die Stimme.

Schlafen.

»Durst?«, fragte die Stimme.

Ein Becher an seinen Lippen.

Louis trank und trank.

»Wenn Papa gesoffen hat«, sagte die Stimme, »hat er auch immer Durst.«

Louis öffnete die Augen. Sah nichts.

»Ich bin blind«, sagte er.

Ein Lachen. »Ihr Verband ist verrutscht. Ich war ungeschickt.«

Eine Hand zupfte an ihm herum.

Das plötzliche Licht sehr grell.

»Wenn Sie Hunger haben …«

Das Kopfschütteln tat weh.

»Schlafen«, sagte Louis.

Schlief wieder. Oder war ohnmächtig.

Wachte auf, weil zwischen den zwei Fingern, die ihm an der rechten Hand geblieben waren, etwas Hartes lag.

Eine kleine Glocke. Er musste über dieses Rätsel lang nachdenken. Sein Kopf mit Sand gefüllt.

Als er schließlich klingelte, kam ein Kind herein. Ein kleines Mädchen. »Besser?«, fragte sie. Das war die Stimme.

»Ja«, sagte Louis. »Besser.«

»Auf dem Herd sind Kutteln«, sagte sie. »Sauerkraut. Kartoffeln.«

Sie sah ihm seine Reaktion an. »Oder Fleischbrühe«, sagte sie.

»Ja«, sagte Louis. »Bitte.«

Als er die Suppe roch, war er plötzlich sehr hungrig. Das Mädchen – sie hieß Marguerite – musste ihm beim Aufsetzen helfen. Stopfte ihm ein Kissen in den Rücken. Er konnte die Blechtasse nur mit Mühe festhalten.

»Was ist mit Ihrer Hand?«, fragte sie.

»Russland«, sagte er.

»Napoleon lässt sich nicht mehr verkaufen, sagt Papa.«

Er verstand nicht.

»Napoleon-Bilder«, erklärte Marguerite.

»Ist dein Vater Kunsthändler?«, fragte er.

Ihr Lachen erinnerte ihn an Mia. An Laurin, wenn der sich einem Erwachsenen überlegen fühlte.

»Papa verkauft alles«, sagte sie. »Alles, was er findet.«

Die Tasse schon leer.

»Ich hole mehr«, sagte sie.

Das Zimmer, in dem er lag, war riesig. Neben seinem Bett andere Betten. Zwei und drei übereinandergestapelt. Schränke, die vor anderen Schränken standen. Stühle. Hocker. Sessel. Öllampen. Kerzenleuchter.

Das einzige Fenster vergittert.

»Wo sind wir hier?«, fragte er, als sie zurückkam.

»Saint-Ouen«, sagte sie. »Papa hat Sie auf dem Karren

hergebracht. Er sagt, Françoise hat Sie umgerissen. Dann ist der Karren über Sie gerollt.«

Als die Erinnerung zurückkam, wäre ihm Vergessen lieber gewesen.

»Was ist das für ein Zimmer?«, fragte er.

»Die Sachen gehören nicht alle meinem Vater«, sagte sie. »Er verwaltet sie nur für die anderen.«

Die Tasse schon wieder leer.

»Es geht Ihnen besser«, sagte sie. »Wenn man Hunger hat, geht es einem besser.«

Ging mit der Tasse hinaus.

Saint-Ouen? Der *caporal* hatte den Namen einmal erwähnt. Gehörte zu Paris und doch nicht zu Paris. Außerhalb der Stadtgrenze. Irgendetwas Besonderes war dort. Es hatte etwas mit dem Morgenrock zu tun, den der *caporal* den ganzen Tag trug.

Getragen hatte.

Die Gedanken wühlten sich mühsam durch den Sand.

Marguerite kam mit mehr Suppe zurück.

»Papa sagt, Sie sollen sich einen Anzug aussuchen. Wenn Sie dann wieder aufstehen können. Ihrer ist zum Wegschmeißen, sagt er. Kleider sind in einem andern Lagerraum.«

Endlich setzten sich die Mosaiksteine zusammen. Der *caporal* hatte stolz erzählt, wie billig er seinen Morgenrock auf dem Flohmarkt gekauft habe.

»Ist dein Vater Flohhändler?«, fragte Louis.

»Mein Vater ist der König«, sagte Marguerite.

92

D as ist eine alte Tradition«, sagte der König, »Wer
sonst nichts hat, hält an seinen Bräuchen fest. Der
Sprecher der *chiffonniers* wird König genannt. Dabei ist die
Gemeinschaft der Lumpensammler die einzige wirkliche
Demokratie in Frankreich.«

Sie saßen in einem Zimmer, das kein Lagerraum war.
Aber wie ein Lagerraum aussah. Die Möbelstücke alle un-
terschiedlich. Als ob sie sich einzeln hierher verirrt hätten.
An einer Wand zwei Ölgemälde in geschnitzten Rahmen.
Ein würdig gekleidetes Ehepaar.

Der König sah, dass Louis auf die Bilder blickte. »Nein«,
sagte er, »keine Vorfahren. In meiner Familie hat es nie jemanden gegeben, der sich einen Maler hätte leisten können.
Ahnen, die man nicht hat, denkt man sich aus.«

Sie rauchten Zigarren, obwohl Louis keine Zigarren
mochte. Ein Gast hat sich anzupassen.

»Der Françoise tut es leid«, sagte der König. »Wenn sie
reden könnte, würde sie es Ihnen selber sagen. Sie ist ein
freundliches Tier. Es war meine Schuld, dass sie durchgegangen ist. Da lag ein ganzer Haufen Sachen. Als ich unten
einen Koffer herausziehen wollte, ist oben ein Brett ins
Rutschen gekommen. Mit einem Nagel drin. Sie würden
auch wild werden, wenn Sie plötzlich einen Nagel im Hin-

tern hätten. Dabei war der Karren eigentlich schon voll. Ich wollte zu viel. Bin zu gierig geworden. Der Mensch ist dumm. Wenn es ihm gut geht, meint er, es müsse ihm noch besser gehen. Kennen Sie das?«

»Ja«, sagte Louis, »das kenne ich.«

»Es ist eine gute Zeit für uns *chiffonniers*«, sagte der König. »Für uns und für die Würmer auf den Friedhöfen. Manna vom Himmel. Die Leute haben solche Angst vor Ansteckung – wenn einer an der Cholera gestorben ist, stellen sie seine ganze Einrichtung auf die Straße.«

»Oder verbrennen sie.«

»Sehen Sie sich meine Weste an«, sagte der König. »Brokat, beste Qualität. Habe ich in der *rue des Saints-Pères* gefunden. Übrigens: Sie hätten sich ruhig etwas Besseres aussuchen dürfen als diesen Anzug.«

»Sie waren sehr großzügig.«

»Man hat seine Verpflichtungen als Majestät.« Der König hatte ein Verkäuferlachen, aber nicht so gezuckert wie das von Monsieur Delaporte. »Waren Sie eigentlich schon immer ein Held? Russland, sagt meine Tochter. Ich war auch im Krieg, wissen Sie. *Fourrier.* Die rechte Hand eines *fourriers.* Der beste Posten in der Armee. Weit vom Schuss. Leute wie uns braucht es immer. Die noch etwas zu essen finden, wo alles schon kahl gefressen ist.«

»Und es gegen wertlose Requisitionsscheine eintauschen.«

Der König war nicht beleidigt. »Das war die Politik damals«, sagte er. »Gewöhnliche Menschen machen keine Politik. Wir leben nur damit. Wie wir mit der Cholera leben müssen.«

Louis' Zigarre war ausgegangen. Er hoffte, dass sein Gastgeber es nicht bemerkt hatte.

»Mit all den Sachen, die Sie jeden Tag anfassen – haben Sie keine Angst vor der Krankheit?«, fragte er.

»Mit vollen Hosen kann man nicht wegrennen«, sagte der König. »Und Sie? Was haben Sie jetzt vor?«

»Ich weiß es nicht«, sagte Louis. Sein Leben lang hatte man ihm diese Frage gestellt. Sein Leben lang hatte er diese Antwort gegeben.

»Marguerite ist noch zu jung, um wirklich mitzuhelfen«, sagte der König. »Ich könnte zwei zusätzliche Hände gebrauchen.«

»Auch kaputte Hände?«

»Von meinen Möbelstücken hat auch jedes seinen Fehler«, sagte der König. Wies mit einer großen Geste auf seine Einrichtung. »Außerdem bin ich Ihnen etwas schuldig.«

»Ich habe nur getan, was jeder getan hätte.«

»Ach, wissen Sie …« Der König betrachtete das Ende seiner Zigarre, als ob er in der Glut lesen könnte. »Wenn alle Leute täten, was alle Leute tun müssten, dann wäre diese Welt weniger beschissen. Da fällt mir ein: Ich habe etwas für Sie. Ihren Mantel haben wir auf den Lumpenberg geschmissen, aber da war noch etwas in der Tasche.« Er holte das Rasiermesser des Marchese aus einer Schublade. Betrachtete es abschätzend. War es gewohnt, jedem Gegenstand einen Preis zu geben. »Gute Qualität. Aber unverkäuflich. Zu intim. So etwas will keiner, wenn der Besitzer an der Cholera gestorben ist.«

»Er ist am Alter gestorben«, sagte Louis.

»Beneidenswert«, sagte der König. »Das wünsche ich mir auch. Und Sie?«

»Ich weiß nicht, ob ich mir noch etwas wünsche«, sagte Louis.

93

Die Straßen waren unter den Lumpensammlern aufgeteilt. Auch das gehörte zu den Aufgaben des Königs. Es gab reiche und arme Bezirke. Ergiebige und unergiebige. So wie es im Wald von Zizers gute und schlechte Stellen für das Sammeln von Feuerholz gab. Man teilte sich ein. Du sammelst hier, du sammelst dort. Im nächsten Jahr andersrum.

Die Regel war nicht absolut. Wer seine Straßen nicht rechtzeitig absuchte, war selbst schuld. Man durfte mit dem Aufstehen nicht warten, bis die Sonne schien. Damit hatte Louis keine Probleme. In der Armee hatte er gelernt, auf Zuruf wach zu sein.

In Zizers hatte es so etwas wie *chiffonniers* nicht gegeben. Da endete nichts auf der Straße. In einem sparsamen Haushalt geht man davon aus, dass alles noch für irgendetwas zu verwenden ist.

Paris war anders. Ein riesiger Körper, der unablässig Ausscheidungen produzierte. Von denen sich hie und da etwas wiederverwerten ließ. Man musste es nur finden.

Der König war ein Meister dieser Suche. An manchen Müllhaufen fuhr er achtlos vorbei. Bei anderen, die für Louis genau gleich aussahen, hielt er den Karren an. Stocherte mit seinem langen Stock in den Abfällen herum. Förderte immer wieder Verkäufliches zutage.

»Ach, wissen Sie«, sagte er, als Louis ihn nach seinem Geheimnis fragte, »wenn man es so lang gemacht hat wie ich, spürt man das einfach. Marguerite sagt, ich kann es riechen.«

Wenn sich Nützliches gefunden hatte, oder wenn sie besonders sperrige Gegenstände hatten auf den Karren hieven müssen, wurde Louis für seine Arbeit bezahlt. Von dem Geld gab er nichts aus. Irgendwann würde es für einen Platz in der Diligence reichen.

»Warum schreiben Sie nicht an einen Freund, dass er Ihnen Geld schickt?«, hatte ihn Marguerite gefragt.

Laurin Andeer? Er hatte den Kopf geschüttelt. »Mein Stolz lässt das nicht zu.«

»Dann sind Sie dumm«, hatte das Mädchen gesagt.

Heute war er zum ersten Mal allein unterwegs. Fast alle *chiffonniers* waren in Saint-Ouen geblieben. Sie hatten Wichtiges zu besprechen.

Louis hatte sich vorgenommen, mit einem vollen Karren zurückzukommen. Den König zu beeindrucken. Ein paar Dinge hatte er schon gefunden. Nichts Großes, aber immerhin. Zwei Stühle ohne Sitzflächen. Bücher. Ein Elefant aus Porzellan. Der Rüssel fehlte, aber vielleicht ließ sich das reparieren.

Françoise war ein folgsames Tier. Louis musste sie nicht einmal am Zügel führen. Wenn er stehen blieb, blieb die Stute ebenfalls stehen. Setzte sich mit ihm wieder in Bewegung. Folgte ihm wie ein Hund.

Louis hätte nicht sagen können, warum ihm gerade dieser Müllhaufen interessant erschien. Vielleicht fing er auch schon an, nützliche Funde zu riechen.

Dreck. Lumpen. Verfaultes Gemüse.

Dann stieß er beim Stochern auf etwas Festes.

Ein zusammengerollter Teppich. Er verstand nichts von diesen Dingen, aber das Material sah nicht billig aus. »Teppiche sind gesucht«, hatte der König gesagt.

Er wollte die Rolle auf den Karren heben. Schaffte es nicht.

Etwas war in den Teppich eingerollt.

Ein Geruch, den er aus dem Krieg kannte. Krepierte Pferde. Jemand hatte ein totes Tier in den Teppich gewickelt.

Einfach weitergehen?

Der Teppich sah kostbar aus.

Louis fasste ein Ende. Blaue und rote Fransen. Schaffte es endlich, das schwere Material auseinanderzurollen.

Es war kein totes Tier.

Eine alte Frau. Nackt.

An der Cholera gestorben. Man wusste unterdessen, wie diese Leichen aussahen. Sollte wohl ohne Aufhebens verschwinden, weil sich Cholera-Wohnungen so schlecht vermieten ließen.

Ich muss dafür sorgen, dass sie begraben wird, war sein erster Gedanke.

Warum ich?, der zweite.

Mit einem halb leeren Wagen nach Saint-Ouen zurückkommen?

Jetzt, wo sie offen auf der Straße lag, würde schon jemand einen Leichenwagen für sie rufen. Einen Möbelwagen. Eine Geschützlafette.

Jetzt, wo die Sonne aufgegangen war.

So darf ich nicht denken, dachte er.

Dachte dann: Ich brauche Geld für die Diligence. Vielleicht ist der Teppich wirklich wertvoll.

Warf ihn auf den Wagen. Ging weiter. Françoise neben ihm.

94

Der König wartete schon ungeduldig. Wollte nicht sehen, was Louis mitgebracht hatte. Von der toten Frau nichts hören. Interessierte sich nicht für den Teppich.

»Du warst doch in Russland«, sagte der König.

»Ja«, sagte Louis. »In Russland auch.«

»Das ist gut«, sagte der König. »Morgen brauchen wir Leute mit Erfahrung.«

»Was ist morgen?«, fragte Louis.

»Krieg«, sagte der König. »Du kannst es auch Revolution nennen«, sagte der König. »Auf das Wort kommt es nicht an.«

In Paris lauert die Revolution hinter jeder Ecke.

»Wir müssen uns verteidigen«, sagte der König. Hielt seine Zigarre wie ein Zepter. »Sie wollen unsere Existenz zerstören. Uns die angestammten Rechte wegnehmen. Haben beschlossen, die *chiffonniers* verhungern zu lassen. Aber wir werden uns wehren.«

»Wer hat das beschlossen?«

»Die Regierung. Der Polizeipräsident. Der Innenminister. Louis-Philippe. Die großen Herren, die in ihrem ganzen Leben noch nie Hunger hatten. Die sich den Bauch noch vollschlagen, wenn sie schon wieder am Scheißen sind. Morgen früh geht die Aktion los. Alles streng geheim.

Aber wir kennen Leute, die Leute kennen. Man hat uns gewarnt. Wir werden bereit sein. Was war deine Waffe in der Armee?«

»Das *mousqueton*«, sagte Louis.

»Das ist gut«, sagte der König. »Aber Tote müssen vermieden werden. Wenn möglich. Warte hier auf mich.«

Eilte hinaus.

Marguerite erklärte Louis, was vorgefallen war. Soviel sie davon verstanden hatte.

»Sie sagen, dass die Cholera vom Müll kommt. Dass der Müll wegmuss. Sie kommen mit Wagen und sammeln ihn ein. Ich weiß nicht, wo sie ihn hinbringen, aber Papa sagt, man kommt da nicht mehr ran.«

»Eine Müllabfuhr ist gar keine schlechte Idee.«

»Man merkt, dass Sie nicht von hier sind«, sagte Marguerite. »Wo soll man etwas zum Verkaufen finden, wenn nichts mehr auf der Straße liegt?«

Ein Elefant ohne Rüssel. Ein Teppich mit einer toten Frau.

Der König kam mit einer Muskete und Munition zurück.

»Geschossen wird nur im Notfall«, sagte er. »Ist das klar?«

Louis nahm die Waffe nicht gleich. Zögerte. »Meinen Sie, dass die Cholera wirklich vom Müll kommt?«

»Unsinn«, sagte der König. »Das haben sie sich aus den Fingern gesogen. Haben es sich ausgedacht, um die Leute zu beruhigen. Damit sie etwas haben, das sie an den Wänden anschlagen können. ›Wir wissen, was die Krankheit verursacht, und wir unternehmen etwas dagegen.‹ Wie man einem erkälteten Kind Zuckerwasser auf die Lippen streicht und behauptet, es sei Medizin. Die Cholera kommt nicht vom Müll. Ganz bestimmt nicht vom Müll. Von schlechter Luft vielleicht. Von Wohnungen mit zu wenig Licht. Von irgendetwas.«

»Aber der Müll …«

»Den hat es schon immer gegeben, und es ist nie jemand an der Cholera gestorben. Warum sollte jetzt plötzlich …? Sie suchen jemanden, dem sie die Schuld an der Seuche geben können. Aber wir *chiffonniers* legen unsere Köpfe nicht freiwillig unter die Guillotine. Wir nicht. Als sie uns die Steuern erhöhen wollten, haben wir uns gewehrt, und morgen werden wir uns wieder wehren. Oder bist du zu feig, um mitzukommen?«

»Mit Mut oder Feigheit hat es nichts zu tun«, sagte Louis. »Wenn die Cholera wirklich aus dem Abfall kommt …«

»Selbst wenn«, sagte der König. »Für uns würde es keinen Unterschied machen. Sich zu Tode scheißen oder verhungern – da drehe ich die Hand nicht um. Der Müll ist unsere Lebensgrundlage. Unser Gewerbe. Du kannst einem Schuhmacher nicht verbieten, Leder anzufassen.«

»Es soll schon ein paar tausend Tote gegeben haben.«

»Menschen sterben jeden Tag. Das ist die Natur. Wenn es nicht die Cholera ist, ist es die Schwindsucht. Wenn keiner sterben würde, wäre Paris noch überfüllter, als es jetzt schon ist.«

»Ist das nicht zynisch?«

»Ach, weißt du«, sagte der König. »Zynismus ist der einzige Luxus, den sich unsereiner leisten kann. Also – wenn wir morgen die Müllkarren aufhalten, bist du dabei?«

»Ja«, sagte Louis. »Wenn Louis-Philippe sie schickt, bin ich dabei.«

95

S töcke. Schaufeln. Pflastersteine.
    Eine Muskete.

Im Mondlicht bleiche Gesichter.

Die Häuser auf beiden Seiten Festungstürme. Die Fensterläden Barrikaden.

Fremde Männer, die mit ihm warteten. Wie ihm auch in Russland die meisten Soldaten fremd gewesen waren. Louis hatte gelernt, Kommandos zu befolgen. Man hatte ihn für diese Straße eingeteilt.

Zurückversetzt in den Krieg.

Keine Uniformen, natürlich nicht. Schäbige Kleidung. Man wurde nicht reich als Lumpensammler.

Die Männer konnten nicht stillstehen. Schlugen sich die Arme um die Schultern. Obwohl es nicht kalt war. Einer machte immer wieder die gleichen drei Schritte. Hin und zurück. Hin und zurück. Louis kannte das. Wenn man wusste: Gleich werden wir ins Gefecht geschickt, zuckte es in den Gliedern.

Einer pisste gegen eine Hauswand. Zwei andere machten es ihm nach. Auch diesen Drang kannte Louis.

Pferdegetrappel. Plötzlich standen alle bewegungslos. Statuen, die im Mondlicht Schatten warfen.

Aber das Klappern der Hufe entfernte sich.

Noch nicht.

»Wenn sie nicht bald kommen …«, sagte einer.

»Still!«, sagte ein anderer. Es war Schweigen vereinbart.

Der *sergent* hatte gesagt: »Warten ist die wichtigste Kunst, die ein Soldat beherrschen muss.«

Einer hatte den Gewichtsstein einer Waage als Wurfgeschoss mitgebracht.

»Töten kann man mit allem.« Ambro.

Die Muskete größer als ein *mousqueton*. Er würde damit umzugehen wissen.

Irgendwo sang ein Vogel.

Es war kein Vogel.

Pfiffe. Näherten sich. Eine Stafette von Pfiffen.

Ein Karren bog um die Ecke. Ein ganz gewöhnlicher Karren. Hätte auch einem von ihnen gehören können. Aber es war der Feind.

Sie stellten sich ihm in den Weg. Bildeten eine Kette quer über die Straße. Wie es besprochen war.

Der Karren hielt an.

Sie wollten stumm dastehen. Die Arme untergehakt. Den Gegner zur Umkehr zwingen. So war es verabredet.

So wäre es verabredet gewesen.

Louis sah nicht, wer den Pflasterstein warf.

Wenn der erste Hund von der Leine ist, lassen sich die anderen nicht mehr zurückhalten.

Der Kutscher hätte einer von ihnen sein können. War wahrscheinlich froh gewesen, etwas zu verdienen. Jetzt wurde er vom Karren gezerrt.

Sie prügelten auf ihn ein. Schlugen ihn zu Boden. Als er auf allen vieren davonkroch, rannte einer hinter ihm her.

Wollte ihn noch einmal treten. Zögerte im letzten Moment. Auf einem Bein wie ein Balletttänzer. Das andere nach hinten gestreckt. Drehte sich um, und ging langsam zu den anderen zurück. Wusste im Gelächter der Kameraden nicht, ob er ausgelacht wurde oder bewundert.

Held oder Feigling, dachte Louis. Kein großer Unterschied.

Es war alles zu schnell gegangen. Zu einseitig gewesen. Sie hatten sich für einen Kampf aufgepumpt. Mussten die Kraft loswerden. Irgendwie. Sie waren eine Meute geworden. Meuten brauchen Beute.

Sie schirrten das Pferd aus. Jagten es davon. Standen um den Karren herum, der ihnen ihren Lebensunterhalt hatte wegnehmen wollen. Wussten nicht, was sie damit anfangen sollten.

In anderen Straßen wurde vielleicht gekämpft. Floss vielleicht Blut. Sie würden nach Hause kommen und nichts Heldenhaftes zu berichten haben. Wo sie doch zu Heldentaten bereit waren.

Und wie sie bereit waren.

Spürten die Unzufriedenheit körperlich.

Bis einer rief: »In die Seine!« Vielleicht derselbe, der den Pflasterstein geworfen hatte.

»In die Seine!«, rief der Zweite. Riefen alle. Fingen an, den Karren zu schieben. Einer spannte sich ins Geschirr. Erntete Gelächter, als er auch noch wieherte.

Der Fluss nicht weit entfernt.

Sie waren noch nicht bis zur nächsten Straße gekommen, als die Soldaten um die Ecke bogen.

96

Es wurde keine Revolution. Nur eine kleine Straßenschlacht. Die sie zuerst gewannen und dann verloren.

Drei oder vier Müllkarren landeten in der Seine. Aber die Stadt hatte zwanzig geschickt. Dreißig. Am nächsten Tag würden es noch mehr sein.

Am nächsten Tag würden die Soldaten schießen.

Der erste Trupp war zu Fuß gekommen. Der war leicht zu verjagen gewesen. Mit Stöcken. Schaufeln. Pflastersteinen.

Der zweite Trupp beritten. Eine Schwadron auf schweren Pferden. Es ist schwer, sich gegen Säbel zu wehren.

Den dritten Trupp warteten sie nicht ab. Vielleicht hätte Louis seine Muskete dann benutzt.

Vielleicht auch nicht. Er gab sie dem König zurück.

Es war keine Flucht gewesen, sagten sie hinterher. Ein Rückzug.

Aber die städtischen Karren sammelten jeden Tag den Müll ein. Schafften ihn fort.

»Gegen die Cholera«, sagten die Behörden.

»Gegen uns«, sagten die *chiffonniers*.

Sie hielten Kriegsrat und hatten den Krieg doch schon verloren. Debattierten lang und laut.

»Barrikaden!«, schrien die einen.

»Verhandlungen«, sagten die anderen.

Schließlich, um etwas geändert zu haben, wählten sie einen neuen König. Schickten ihn als Emissär ins Ministerium. Er erreichte nicht das, was sie hatten erreichen wollen. Aber auch nicht nichts. Die *chiffonniers* verpflichteten sich, die Abfallkarren nicht mehr zu behindern. Dafür bekamen ein paar von ihnen Arbeit als Müllkutscher. Eine Delegation aus Saint-Ouen durfte dabei sein, wenn der Müll verbrannt wurde. So ließ sich das eine oder andere doch noch retten.

Sie nannten es einen Sieg. Gaben ihrer Niederlage einen schöneren Namen.

Der König war kein König mehr. Hieß nur noch simpel Monsieur Grand. Die Wortspiele, mit denen man ihn wegen dieses Namens verspottete, machten sich selber.

Der neue König kündigte Louis seinen Schlafplatz im Lagerraum. Wer gerade erst an die Macht gekommen ist, muss Tatkraft demonstrieren.

»Tut mir leid«, sagte Monsieur Grand.

»Ich wäre gern nützlicher gewesen«, sagte Louis.

»Ach, weißt du«, sagte Monsieur Grand, »es kann nicht immer Manna regnen. Ich habe gehört, dass die Diligence nächste Woche wieder fährt. Reicht dein Geld dafür?«

»Noch nicht.«

»Ich leihe dir den Rest. Sobald du wieder zu Hause bist, zahlst du es mir zurück.«

»Haben Sie so viel Vertrauen zu mir?«, sagte Louis.

»Zwanzig Prozent Zinsen«, sagte Monsieur Grand.

»Was machen Sie, bis Ihre Kutsche fährt?«, fragte Marguerite.

»Es wird sich etwas finden«, sagte Louis.

»Wo werden Sie schlafen?«

»Im Park wahrscheinlich.«

»Das möchte ich auch einmal«, sagte Marguerite. »Wenn es wieder wärmer ist.«

Sie erinnerte ihn an Mia.

»Schreiben Sie mir?«, sagte sie.

»Kannst du lesen?«

»Nein«, sagte sie. »Aber der Briefträger würde es meinen. Was hat Ihnen in Paris am besten gefallen?«

»Nichts«, sagte er.

»Sie müssen in den Königspalast gehen. Der ist wunderschön. Die Bilder und die Teppiche. Die Böden sind aus glänzendem Stein.«

»Warst du denn schon einmal dort?« Mia dachte sich auch immer solche Sachen aus.

»Ja«, sagte sie. »Onkel Bertrand hat mich mitgenommen.« Der Bruder von Monsieur Grand, stellte sich heraus, war im Palast beschäftigt. »Er hat aber keine schöne Livree«, sagte Marguerite. »Er will auch keine haben. Sie würde nur schmutzig bei der Arbeit.« Onkel Bertrand reinigte in den Tuilerien die Kamine. »Davon kann man gut leben, sagt er, weil sie so viele davon haben.«

Achtzehn Schornsteine, erinnerte sich Louis. Auf jeder Seite achtzehn.

»Einmal hat er mich mitgenommen«, sagte Marguerite. »Es ist nicht erlaubt, aber ich hatte Geburtstag. Ich habe versprechen müssen, nichts anzufassen.«

»Meinst du, dein Onkel Bertrand würde mich auch einmal in den Palast mitnehmen?«, sagte Louis.

»Warum nicht?«, sagte Marguerite.

97

Dort, wo sie die Tuilerien betraten, standen keine Wachen. Ein Lakai in einer nicht ganz sauberen Livree schloss ihnen eine kleine Pforte auf. Begrüßte Bertrand wie einen alten Bekannten. Zwei Männer, die schon mehr als eine Flasche Wein miteinander getrunken haben. Tauschten rituelle Beleidigungen aus.

»Bist du jetzt schon so ein alter Sack, dass dir jemand dein Werkzeug hinterhertragen muss?«

»Du weißt doch gar nicht, was ein Werkzeug ist, du königlicher Faulpelz.«

Im Zizers hätte man einen befreundeten Handwerker auch nicht anders begrüßt.

Gelächter wie Schulterklopfen.

»Das Büro der Domänenverwaltung«, sagte der Lakai. »Der Kamin ist verstopft.«

»Schon wieder?«, sagte Bertrand.

Dieser Teil des Palastes hatte nichts Majestätisches an sich. Keine seidenen Tapeten oder Marmorböden. Ein karger Büroraum. Vier Stehpulte. Stechender Geruch nach Rauch.

»Das machen die Krähen«, sagte Bertrand. »Wollen Nester bauen, wo sie nicht hingehören. Aber gewöhnliche Vögel haben in einem Palast nichts zu suchen.«

»Nein«, sagte Louis. »In einem Palast haben Krähen nichts zu suchen.«

Die Vögel waren fleißig gewesen. Bertrand und Louis kratzten den Schornstein aus. Füllten einen ganzen Jutesack mit Ästen und Rindenstücken. Der Boden rings um den Kamin voll Asche und Ruß.

»Ich hole einen Besen«, sagte Bertrand. »Warte hier auf mich.«

Louis wartete nicht.

»In meines Vaters Haus sind viele Wohnungen.« Darüber hatte Pfarrer Cahenzli an Aloys' Grab gepredigt. Wenigstens ansehen wollte Louis diese Wohnungen einmal.

Wenigstens ansehen.

Er nahm das Werkzeug mit, dessen Namen er gerade erst von Bertrand gelernt hatte. Ein *tête de loup* zum Herumstochern im Schornstein. Der Wolfskopf wirkte wie eine Tarnkappe. Machte ihn unsichtbar. Einen Arbeiter in verdreckter Kleidung fragt man nicht, wo er hinwill. Man nimmt an, er sei unterwegs zum nächsten Kamin.

Kahle Gänge. Weniger kahle Gänge. Prunkvolle Gänge.

Ein Treppenhaus mit verschnörkelten Leuchtern.

Ein Zimmer mit gemalten Feldherren.

Vasen, zu kostbar für Blumen.

Eine mechanische Uhr. Ein goldener Mann schlug mit einem goldenen Hammer an eine goldene Glocke.

Noch mehr Kronleuchter. Dutzende von Kerzen. Hunderte von Kristallprismen.

Beim Marchese war der Leuchter schnell gereinigt gewesen.

Ein riesiger Saal. Menschenleer.

Ein Deckengemälde mit Göttern und Engeln. Felder mit Wappen. Ein vergoldeter Fries.

Porträts von Königen. Zepter. Perücken. Hermelinumhänge. Einer mit einem Heiligenschein.

Dann er.

Louis stand seinem goldgerahmten Vater gegenüber.

Die Haare onduliert wie ein Schauspieler. Verächtliche Augen. Die Nase zu breit. Der Mund verkniffen.

Einer, der nur an sich denkt.

Was hat meine Mutter an diesem Mann gefunden?, dachte Louis. War er als junger Mann so anders?

Oder hat sie sich in seine feinen Hemden verliebt?

Louis-Philippe hatte sich in seiner bestickten Uniform malen lassen. Mit roter Schärpe und goldenen Epauletten. Die Verkleidung hat ihn nicht königlicher gemacht, fand Louis. Der falsche Napoleon aus der Jahrmarktbude war majestätischer gewesen.

Mit einem *tête de loup* kann man nicht nur einen Kamin reinigen. Man kann damit auch einen gemalten König verzieren. Sein Gesicht mit Ruß übermalen.

So wie er es verdient.

Louis machte einen Schritt zurück. Fasste den hölzernen Stiel mit beiden Händen.

»Stehen bleiben!«

Zwei Wachleute. Er hatte ihre Schritte nicht gehört.

Rannten quer durch den Saal auf ihn zu.

Louis ließ den *tête de loup* fallen. Auf den Marmorboden. Den glänzenden Stein.

Fasste in die Tasche. »Hier ist meine Einladung«, sagte er.

Mit einem Rasiermesser muss man jemandem die Kehle durchschneiden können.

Louis schnitt dem König die Kehle durch. Zerschnitt das Gemälde in Fetzen.

Dann waren sie bei ihm.

98

Wir kennen uns«, sagte Louis.

»Ich bin Doktor Hirschi«, sagte der Mann hinter dem Schreibtisch. »Ich werde Sie behandeln.«

»Ich bin nicht krank.«

»Das wollen wir gemeinsam herausfinden.«

»Ich bin nur wütend«, sagte Louis.

»Auf wen?«

»Auf meinen Vater.«

»Interessant«, sagte Hirschi. »Was hat er Ihnen angetan?«

»Er will mich nicht kennen.«

»Aber Sie kennen ihn.«

»Wir sind uns nie begegnet.«

»Interessant«, sagte Hirschi noch einmal. Machte eine Notiz. Zögerte plötzlich. Schob die Brille auf die Nasenspitze. Studierte Louis' Gesicht. »Jetzt kommen Sie mir auch bekannt vor.«

»Belfort«, sagte Louis. »Sie wollten wegen der Läuse nicht ins Bett. Wir haben uns in der Wirtsstube unterhalten.«

»Tatsächlich«, sagte Hirschi. »Wenn man einen Menschen in einem anderen Zusammenhang antrifft ...«

»Ich war damals ein anderer Mensch.«

Hirschi machte eine Notiz.

»Sie waren unterwegs nach Charenton.«

»Hierher, ja«, sagte Hirschi.

»Wir sind in Charenton?«, sagte Louis. »Gut zu wissen.«

»Hat man Ihnen nicht gesagt, wo man Sie hinbringt?«

»Man hat mir einen Sack über den Kopf gezogen.«

»Das tut mir leid«, sagte Hirschi.

»Es gibt Schlimmeres«, sagte Louis.

Der Arzt blätterte in den Papieren auf seinem Schreibtisch. »Hier steht: Sie sollen im königlichen Palast randaliert haben.«

»Ich habe nicht randaliert«, sagte Louis. »Ich habe ein Gemälde zerschnitten.«

»Warum?«

»Er selbst war nicht da.«

»Wer?«

»Mein Vater. Er wohnt dort. Er ist der König von Frankreich.«

Hirschi versuchte, sich keine Reaktion anmerken zu lassen. Blätterte in seinen Papieren. »Interessant«, sagte er. »Sie sollen das auch schon bei Ihrer Verhaftung behauptet haben.«

»Ich habe verlangt, dass man mich vor Gericht stellt.«

»Man hat es vorgezogen, Sie hierher zu schicken.«

»Bei einer Verhandlung könnte ich meinen Vater als Zeugen vorladen.«

»Den König.«

»Monsieur Chabos.«

»Wer ist das?«

»Mein Vater.«

Wieder machte sich Hirschi eine Notiz. »Sie haben mehrere Väter?«

»Ich kann es Ihnen erklären. Ich bin nicht verrückt. Auch wenn man mich nach Charenton gebracht hat. Wirke ich auf Sie wie ein Verrückter?«

»Überhaupt nicht«, sagte Hirschi. »Das macht Ihren Fall so interessant. Wissen Sie, was eine Monomanie ist?«

»Sie haben es mir erklärt. Damals in Belfort. Jemand verhält sich vernünftig, bildet sich aber etwas Unmögliches ein.«

»Professor Esquirol hat die Theorie dazu entwickelt. Faszinierend. Sie eröffnet ganz neue Behandlungsmöglichkeiten. Stärkung der rationalen Elemente durch praktische Tätigkeit. Konfrontation der Einbildung durch Gespräche.«

»Ich bilde mir nichts ein.«

»Nur dass Ihr Vater der König von Frankreich ist.«

»Das ist keine Einbildung«, sagte Louis. »Ich habe Beweise.«

»Interessant«, sagte Hirschi.

»Sie glauben mir nicht.«

»Was ich glaube, ist nicht wichtig. Was *Sie* glauben, das ist der springende Punkt. Professor Esquirol sagt …«

»Warum glaubt mir niemand? Verdammt noch mal, warum glaubt mir niemand?«

Er hatte nicht laut werden wollen.

Im Vorraum eine Glocke. Mit einem Pedal unter dem Schreibtisch betätigt. Zwei Pfleger kamen herein.

»Wir unterhalten uns morgen weiter«, sagte Hirschi. »Oder übermorgen. Sie sind wirklich ein interessanter Fall.«

»Mitkommen«, sagte ein Pfleger.

99

Er war ein vorbildlicher Gefangener.

Nein, nicht Gefangener. Patient. Darauf legte Doktor Hirschi großen Wert. Ein Gefangener wird entlassen, wenn er seine Strafe abgesessen hat. Ein Patient, wenn er geheilt ist.

Aber eingesperrt waren sie auch.

Vieles wie im Martinitt. Die langen Tische, an denen man zu wenig zu essen bekam. Der Schlafsaal mit den vielen Betten. Sogar eine Nonne, die das Abendgebet sprach.

Regeln. Noch mehr Regeln. Wann man aufzustehen hatte. Wann man sich zu waschen hatte. Wann man zu arbeiten hatte.

Keine sinnvollen Arbeiten. Beschäftigung, wie Professor Esquirol sie verordnet hatte. Einmal mussten sie Bohnen abzählen. Immer hundert Stück auf einen Haufen. Dann wurden die Bohnen zusammengeschüttet, und das Zählen begann von vorn.

Wer sich mehrmals nicht an die Anweisungen hielt, den führten die Pfleger hinaus. Zur Mutter Oberin, dachte Louis jedes Mal. Von dem Ort, an den sie einen brachten, wurden schreckliche Dinge erzählt. Zwangsjacken. Kalte Bäder. Ein Drehstuhl, auf dem man festgeschnallt wurde.

Wenn das keine Erfindungen waren.

Man durfte nichts glauben. Die anderen Patienten waren alle verrückt. Monoman. Doktor Hirschi war stolz auf das neue Wort. Es passte auf jeden von ihnen. Obwohl keiner dem anderen glich.

Einer wusste alles über Vögel. Wie ihre Nester aussahen. Welche Farbe ihre Eier hatten. Wann sie in den Süden zogen. Konnte sie anlocken, indem er ihre Rufe imitierte. Kannte die lateinischen Namen. Auf dem Katheder einer Universität wäre er nicht fehl am Platz gewesen.

Aber er glaubte auch, dass die Vögel ihm Botschaften übermittelten. Dass er alle Rätsel der Welt lösen könnte, wenn er ihre Gesänge nur besser verstünde. Abgesehen davon ein vernünftiger älterer Herr.

Da war auch ein junger Mann, so uninteressant wie Tausende junger Männer. Auf dem Land aufgewachsen. Nie zur Schule gegangen. Schwärmte jedem, der ihm zuhörte, von einem Mädchen vor, das ihn hinter dem Kuhstall geküsst habe. Erzählte von seinem Hund, dem er beigebracht habe, sich totzustellen. Von einer verschwundenen Tabakpfeife.

Und von seinen Augen, die er herausnehmen und irgendwo hinlegen könne, um heimlich verbotene Dinge zu beobachten. Leute beim Scheißen oder nackte Frauen.

Wieder einen anderen – er hatte das Bett neben Louis – durfte man nicht anfassen. Sonst begann er zu schreien. Jede Berührung brenne wie Feuer, sagte er. Natürlich gab es auch hier Giuseppini, denen gerade das Spaß machte. So wie die Buben in Maienfeld den alten Mann gequält hatten.

Der alte Mann würde gut hierher passen, dachte Louis.

Nachts wurde von Bett zu Bett geflüstert. Auch das wie

im Martinitt. Es gebe im *Maison Royale* auch noch andere Abteilungen, erfuhr er auf diese Weise. Weniger angenehme. Wo die Leute an ihre Betten gefesselt würden. Im eigenen Kot lägen. Vor sich hin vegetierten, bis der Tod sie erlöste.

Wenn nicht auch das Einbildungen waren.

In Louis' Abteilung hatte Professor Esquirol seine interessantesten Fälle versammelt. Mit denen er seine Theorie von den Monomanien und ihrer Therapie zu beweisen hoffte. Jeder Patient ein Ausstellungsstück. Wie die mechanische Uhr in den Tuilerien.

Ob jemals jemand geheilt wurde, wusste Louis nicht zu sagen. Vielleicht war Heilung nicht das Ziel.

Er selber tat, was befohlen wurde. Aß mit den Tischmanieren, die der Marchese ihm beigebracht hatte. Bedankte sich bei Doktor Hirschi, wenn sie eines ihrer Gespräche geführt hatten.

Als der Arzt ihn einmal fragte, ob er einen Wunsch habe, bat Louis um Zeitungen. Die Bitte wurde ihm gewährt. »Schon der Wunsch ist ein Fortschritt«, sagte Hirschi. »Die Berichte aus der ganzen Welt werden Ihnen helfen, in die Wirklichkeit zurückzufinden.«

Louis studierte die Zeitungen in jeder freien Minute. Am gründlichsten die Hofberichte. Wen Louis-Philippe empfangen hatte, und wohin ihn sein täglicher Ausritt führte.

Wenn am Sonntag die Ausflügler kamen, um sich mit der Besichtigung der Verrückten die Zeit zu vertreiben, wurde ihnen auch Louis vorgeführt.

»Mein Vater ist der König von Frankreich«, sagte er, wenn Hirschi ihm das Stichwort gab. Die Besucher fanden, man habe ihnen nicht zu viel versprochen. Das sei wirklich ein interessanter Fall. Aber der Mann, der schrie, wenn man ihn berührte, war dann doch die größere Attraktion.

»Die ersten Verbesserungen stellen sich oft nach einigen Monaten ein«, sagte Hirschi einmal. Louis erwies sich auch in diesem Punkt als vorbildlicher Patient.

100

Mein Vater ist tot«, sagte Louis.
»Interessant«, sagte Doktor Hirschi. »Ich habe noch gar nicht gehört, dass der König verstorben ist.«

»Nicht Louis-Philippe. Er ist nicht mein Vater. Ich habe mir das nur eingebildet.«

Hirschi machte eine Notiz.

»Sie haben es mir immer wieder gesagt, und ich habe es nicht glauben wollen. Bis ganz plötzlich …«

»Ja?«

»Die Zeitungen, die Sie mir bewilligt haben. Im *National* war ein Bild von ihm. Ich habe es angesehen und gedacht: Ich kenne diesen Mann nicht. Er hat nichts mit mir zu tun.«

»Und seither glauben Sie nicht mehr …?«

»Manchmal taucht der Gedanke wieder auf. Will sich in mir breitmachen. Aber er hat jeden Tag weniger Kraft.«

»Das ist gut«, sagte Hirschi. »Das ist sehr gut. Genau, was Professor Esquirols Theorie voraussagt.«

»Manchmal bin ich dann traurig«, sagte Louis. »Als ob jemand gestorben wäre.«

»Denken Sie an Ihren wirklichen Vater. Das wird Sie trösten. Was ist er für ein Mann?«

»Ich habe ihn nie gekannt.«

»Ihre Mutter wird von ihm erzählt haben.«

»Meine Mutter hat den Verstand verloren«, sagte Louis.

»Interessant«, sagte Hirschi. »Sehr interessant. Warten Sie hier. Ich bin sicher, Professor Esquirol möchte das alles auch hören. Aus Ihrem Mund.«

Professor Esquirol war begeistert. »Abteilung R«, sagte er. R stand für Rekonvaleszenz. Eine kleine Gruppe von Männern, die alle von ihrer Monomanie geheilt waren. Oder sich doch auf dem Weg der Besserung befanden. Immer noch unter strenger Überwachung, natürlich. Es war schon vorgekommen, dass jemand eine Heilung nur vorgetäuscht hatte, um aus dem Hospiz entlassen zu werden. In Abteilung R war das Essen besser. Mehr als sechs Leute schliefen nicht in einem Raum.

Die Beschäftigungen – Professor Esquirol kümmerte sich persönlich darum – waren nicht für alle dieselben. Wurden an die Fähigkeiten und Bedürfnisse der Patienten angepasst. Für einen Hutmacher, der sich lange Jahre für Johannes den Täufer gehalten hatte, wurde eine kleine Werkstatt eingerichtet. Die Hüte, die er herstellte, waren nicht schön. Doktor Hirschi bestand trotzdem darauf, dass die Pfleger sie trugen, wenn sie zur Arbeit kamen. Aus therapeutischen Gründen.

Als ehemaliger Voltigeur hatte Louis den Professor gebeten, im Stall arbeiten zu dürfen. Pferde, das habe er schon oft beobachtet, hätten eine beruhigende Wirkung auf ihn. »Interessant«, hatte Esquirol gesagt. Hirschi hatte seine Vorliebe für dieses Wort von seinem Vorbild übernommen.

Im Stall des *Maison Royale* standen nur Last- und Kutschpferde. Was man für den täglichen Betrieb so brauchte. Die einzige Ausnahme war ein Rappe namens Sultan, mit dem der Professor bei schönem Wetter Ausritte machte. »Er ist ein nervöses Tier«, hatte er Louis gewarnt. »Sehr schreckhaft.« Aber das lag wohl daran, dass Esquirol kein guter Reiter war. Wenn Louis in Sultans Nähe kam, drückte ihm der die Schnauze in die Hand.

Louis war ein fleißiger Stallbursche. Striegelte die Pferde. Mistete ihre Boxen aus. Fettete die Geschirre ein.

Zu Hirschi sagte er: »Die Arbeit tut mir gut.«

Einmal vergaß der Pfleger, der auf ihn aufpassen sollte, die Stalltür abzuschließen. Louis machte ihn darauf aufmerksam. »Nicht, dass ich noch davonlaufe«, sagte er.

Sie lachten beide.

Ein paar Wochen später durfte Louis auch vor dem Stall arbeiten.

An einem Tag im November schien die Sonne herbstlich warm. Professor Esquirol beschloss, einen Ausritt zu machen. Louis schenkte Sultan ein Stück Zucker. Vom Frühstück abgespart. Legte ihm das Zaumzeug an. Zog die Sattelgurte fest. Führte ihn vor den Stall hinaus.

»Sie machen das sehr gut«, sagte Esquirol.

»Danke, Herr Professor«, sagte Louis.

»Keine Gedanken an den König mehr?«

»Gar keine«, sagte Louis.

»Das ist schön. Da können wir ja bald einmal über Ihre Entlassung nachdenken.«

»Ich bin gern hier bei Ihnen«, sagte Louis.

Als Esquirol in den Sattel steigen wollte, stieß ihn Louis zur Seite. Sprang auf das Pferd, wie der *sergent* es ihnen beigebracht hatte.

»Nach Paris, Sultan«, sagte Louis.

101

Ruhig, Sultan. Ganz ruhig.

Du musst nicht mehr galoppieren. Von Charenton nach Paris ist es nicht weit. Wir haben Zeit.

Am 19. November werde ich meinen Vater treffen.

Treffen.

Er ist so eitel, dass er seine Pläne in den Zeitungen abdrucken lässt. Am 19. November begibt sich seine Majestät ins Palais Bourbon, um die Parlamentssession zu eröffnen. Will sich ins Palais Bourbon begeben. Er wird dort nicht ankommen.

Ich werde …

Ganz ruhig, Sultan. Ganz ruhig.

Er hat mich für verrückt erklären lassen. Seinen Sohn. Wie väterlich von ihm.

Sie haben geglaubt, sie hätten mich geheilt. Gemäß ihrer großen Theorie. Erbsen zählen. Zeitungen lesen. Pferde striegeln. Professor Esquirol. Doktor Hirschi. Verrückter als ihre Patienten.

Aber ich war schlauer als sie. Habe meinen Plan geschmiedet.

Zuerst Paris, und dann …

Ruhig, Sultan.

Du spürst meine Ungeduld, stimmt's?

Kluges Tier.

Bin ich verrückt, weil ich mit einem Pferd rede? Wie der alte Herr mit seinen Vögeln?

Ich bin nicht verrückt. Ich bin wütend. Das habe ich Hirschi gesagt, und es ist die Wahrheit. In meinem ganzen Leben war ich nicht so wütend.

Langsam, Sultan. Schritt, nicht Trab. Ich war so lang eingesperrt. Muss die Welt neu entdecken. Die farbigen Blätter. Den Geruch des Waldes. Die ganze neu erschaffene Welt.

In Paris stinkt dann wieder alles nach Chlor. Mit dem sie die Seuche auch nicht haben wegwaschen können.

Seraina wird denken, ich sei an der Cholera gestorben. Sie hat so viele Monate keine Nachricht von mir bekommen. Als ich das Bild zerschnitten habe, war noch nicht Frühling. Jetzt ist schon bald nicht mehr Herbst.

Ich hätte ihr gern die Sorgen genommen. Hirschi hätte mich bestimmt einen Brief schreiben lassen. Aber er hätte ihn nicht abgeschickt, ohne ihn zu lesen. Wie er die ganze Zeit versucht hat, in meinem Kopf zu lesen. Um meine Pläne nicht zu verraten, hätte ich Seraina anlügen müssen.

Sie ist der ehrlichste Mensch, den ich kenne.

So wie ich auch den unehrlichsten kenne. Der versucht hat, mich aus der Welt zu lügen.

Am 19. November wird er die Wahrheit kennenlernen.

Ruhig, Sultan. Lass dir Zeit. Spar deine Kräfte.

Wir haben einen weiten Weg vor uns, wenn wir in Paris fertig sind.

Wenn erledigt ist, was erledigt werden muss.

Zizers wird dir gefallen. Wiesen. Wälder.

Freiheit.

Du wirst nie einen Karren ziehen müssen, das verspreche ich dir. Du stammst aus königlichem Geschlecht.

So wie ich.

Braves Pferd, Sultan. Liebes Pferd.

Unterwegs werden wir uns das Essen stehlen müssen. Ich werde Gras fressen wie du.

Wie sie im Hungerjahr Gras gefressen haben.

Dann sind wir da, und alles ist gut.

Mia wird zuerst Angst vor dir haben. Streicheln wird sie dich trotzdem. Laurin wird auf dir reiten wollen. Wird auf deinem Rücken stehen wollen wie ein Voltigeur.

Seraina …

Ich darf nicht an Seraina denken. Noch nicht. Sonst kann ich nicht tun, was ich tun muss.

Muss.

Muss. Muss. Muss.

Was hat dich erschreckt, Sultan? Das war doch nur ein Schuss. Das sind doch nur Jäger.

Sie studieren das Wild. Beobachten seine Gewohnheiten. Entdecken seine Wege. Dann legen sie sich auf die Lauer. Wenn die Beute kommt, ist das Gewehr geladen. Sie legen an. Zielen.

Und dann …

Du hast recht, Sultan. Galopp ist besser. Es kann nicht schnell genug gehen.

102

S aint-Ouen.

Ein Stall für Sultan. Ein Futtersack mit Hafer. Louis wusste nicht, wovon er ihn bezahlen sollte.

Es würde sich finden. Alles würde sich finden.

Hinterher.

Zuerst musste er mit dem König reden. Mit Monsieur Grand. Es war Nachmittag. Er würde auf dem Flohmarkt sein.

Möbel. Kleider. Geschirr. Schrott.

Auf manchen Karren nur Lumpen. Einzelne Schuhe. Auch unter den Ärmsten gibt es immer noch Ärmere.

Als der König noch der König war, hatte er sich mit solchen Lächerlichkeiten nie abgegeben. Hatte – nicht nur wegen seines Titels – zur *chiffonnier*-Aristokratie gehört. Gemälde. Spiegel. Die besseren Sachen. Sein Standplatz im Zentrum des Marktes. Dort, wo die meisten Käufer vorbeikamen. Diesen Vorteil hatte er als gewöhnlicher Monsieur Grand wohl verloren. Er war nirgends zu finden. Nicht einmal bei denen, die eher Bettler als Verkäufer waren.

Einen Händler, der an seinem Stand Waagen und Gewichtssteine anbot, erkannte Louis wieder. Beim Aufstand gegen die Müllkarren war aus seinem Warenbestand Munition geworden. Er fragte ihn nach Monsieur Grand.

»Cholera«, sagte der Mann. »Wenn du ihn besuchen willst – zum Friedhof ist es nicht weit.«

»Und seine Tochter?«

Achselzucken. Was sich nicht verkaufen lässt, ist für einen *chiffonnier* nicht von Interesse.

»Was ist mit dir?«, sagte der Mann.

»Ich habe eine Verabredung«, sagte Louis.

Er fand das Mädchen an der Straße. Da, wo sich die Leute aus Paris manchmal für ein paar Tage einen Gärtner besorgten. Eine Küchenhilfe für ein paar Stunden. Marguerite hatte sich die Lippen rot angemalt. Ungeschickt. Sah aus, als ob sie nicht Arbeit suchte, sondern etwas ganz anderes.

»Ich muss älter wirken«, sagte sie. »Sonst nehmen sie mich nicht. Ich habe Hunger.«

»Dein Vater war kein armer Mann.«

»Nach seinem Tod sind viele gekommen und haben seine Sachen mitgenommen. Auch die Möbel aus unserer Wohnung. Sogar mein Bett. Sie haben gesagt, dass er ihnen Geld schuldet. Sie hatten Papiere, um es zu beweisen. Ich kann nicht lesen.«

»Bei mir ist es gerade umgekehrt. Ich schulde ihm Geld. Aber ich habe keinen Sou.«

»Ist Ihnen auch jemand gestorben?«, fragte Marguerite.

»Gewissermaßen«, sagte Louis.

In seiner Tasche fand sich noch die kleine Bürste, die er für Sultans Mähne gebraucht hatte. Sie war fast neu. Ließ sich gegen einen Teller Suppe eintauschen. Marguerite bestand darauf, dass sie gemeinsam essen sollten. Louis führte den Löffel leer zum Mund.

Das Mädchen aß gierig. Trotzdem spürte man die guten Manieren, die der König ihr beigebracht hatte.

Als sie den Blechteller sauber geleckt hatte, fragte Louis: »Weißt du, wo dein Vater eure Muskete aufbewahrt hat?«

»Ich kann es Ihnen zeigen. Der Schrank ist aber abgeschlossen.«

Lachte, als sie sein enttäuschtes Gesicht sah. »Ich kann Ihnen auch zeigen, wo der Schlüssel versteckt ist. Wozu brauchen Sie die Muskete?«

»Es interessiert mich«, sagte er. »Ganz allgemein.«

»Sie wären kein guter *chiffonnier*«, sagte das Mädchen. »Papa hat immer gesagt: ›Einem guten Händler darf man es nicht ansehen, wenn er lügt.‹«

»Wo schläfst du?«, fragte Louis schnell.

»An einem verbotenen Ort.«

»Ist dort auch Platz für mich?«

»Kommt darauf an«, sagte Marguerite.

»Worauf?«

»Wenn ich den ganzen Tag brav gewesen bin, hat mir Papa vor dem Einschlafen eine Geschichte erzählt. Können Sie das auch?«

»Das kann ich sehr gut«, sagte Louis. »Was waren das für Geschichten?«

»Von Königen«, sagte das Mädchen. »Oder von Feen. Manchmal sind auch Menschenfresser darin vorgekommen, aber dann hat mir die Geschichte nicht gefallen.«

»Genau wie Mia«, sagte Louis.

»Wer ist das?«

»Wenn ich dir das erklären wollte«, sagte er, »das würde eine sehr lange Geschichte.«

103

Sie müssen sich einen Lappen über das Gesicht legen«, sagte Marguerite. »Sonst gehen einem die Ratten an die Lippen.«

Wenn ein Kleidungsstück so abgeschabt und zerrissen ist, dass niemand mehr einen Centime dafür geben will, wenn es schon dreimal im Müll gelandet ist, dann kommt es auf den großen Lumpenberg, von dem die *chiffonniers* ihren Namen haben. Diese *chiffons* gehören ihnen gemeinsam. Was die Papiermacher dafür geben, wird aufgeteilt.

Es hatte schon lang nichts mehr zu verteilen gegeben. Seit das Gerücht umging, an alten Kleidern könne man sich mit der Cholera anstecken, war kein Papiermacher mehr da gewesen. »Aber daran kann mein Vater nicht gestorben sein«, sagte Marguerite. »Mit Lumpen hat er sich nie abgegeben.«

In den Stoffberg konnte man sich eine warme Kuhle graben. An den Geruch gewöhnte man sich. »Das ist der Rattenkot«, hatte ihm das Mädchen erklärt. »Er ist nicht wirklich giftig, hat Papa gesagt.«

»Hier wohnst du nun also?«

»Es ist nicht erlaubt«, sagte sie. »Aber es weiß es niemand.«

Jemand hatte ihr ein altes Brot geschenkt, noch gar nicht

sehr verschimmelt. Das teilte sie mit ihm. Dann wollte sie die versprochene Geschichte hören. »Aber ohne Menschenfresser«, sagte sie.

»Ohne Menschenfresser«, sagte Louis. »Großes blutiges Ehrenwort. Es war einmal ein kleiner Junge …«

»Kann es nicht ein Mädchen sein?«

»Wie hast du das erraten?«, sagte er.

»Ich bin schlau«, sagte sie.

»Die kleine Marguerite war ganz allein. Zuerst war ihre Mutter gestorben und dann auch ihr Vater, und so wohnte sie in einem Waisenhaus. Weil sie dort die Kleinste und Schwächste war, kam sie beim Suppeschöpfen immer als Letzte an die Reihe, und wenn die andern Mädchen Krieg spielten, musste sie bei den Verlierern sein und wurde verprügelt.«

»Warum haben die Krieg gespielt?«, fragte Marguerite.

»Sie waren zu dumm für gescheitere Spiele«, sagte Louis. »Eines Tages kam ein Herold geritten …«

»Auf einem weißen Pferd?«

»Nein«, sagte Louis. »Das Pferd war schwarz. Sultan hieß es. Sein Geschirr war aus Silber und die Steigbügel aus Gold.«

»Das würde sich gut verkaufen lassen«, sagte Marguerite.

»Der Herold hatte ein Bild des Königs an einer goldenen Kette um den Hals. Auch seine Trompete war aus Gold. Er blies darauf eine Melodie, und als sich alle Mädchen aus dem Waisenhaus versammelt hatten, verkündete er: ›Wenn eine von euch ein Muttermal in der Form eines Sterns auf der Brust hat, dann ist sie die verschwundene Tochter des

Königs, also eine Prinzessin. Sie darf hinter mir auf mein Pferd steigen und mit mir zum Schloss reiten.‹«

»Warum ist die Prinzessin verschwunden?«, fragte Marguerite.

»Ich weiß es nicht«, sagte Louis.

»Vielleicht hat man sie mit dem Müll auf die Straße gestellt.«

»Das kann gut sein«, sagte Louis. »Wenn man einen König zum Vater hat. Die kleine Marguerite wusste, dass sie genau so ein Muttermal auf der Brust hatte, wie es der Herold beschrieben hatte, aber sie traute ihm nicht. Wenn ich mit ihm zum Schloss reite, dachte sie, muss ich dort vielleicht die unterste Küchenmagd werden oder im ganzen Palast die Asche aus den Schornsteinen kratzen.«

»Das möchte ich nicht«, sagte Marguerite.

»Sie ging also zu dem Herold hin«, sagte Louis, »aber als er die Arme nach ihr ausstreckte, fasste sie stattdessen sein Bein und riss ihn vom Pferd. Als er auf dem Boden lag, nahm sie ihm seine goldene Trompete weg und trampelte darauf herum. Auf das Bildnis des Königs malte sie einen Schnurrbart, und den Heroldshut mit der langen Straußenfeder setzte sie sich selbst auf. Dann sprang sie in den Sattel – das hatte sie heimlich geübt – und rief: ›Vorwärts, Sultan!‹ Die beiden ritten im Galopp davon und hielten nicht an, bis sie in ein Land gekommen waren, wo es keine Könige gab und keine verschwundenen Prinzessinnen. Dort schien jeden Tag die Sonne, die Tische waren immer gedeckt, und … und …«

Die kleine Marguerite war eingeschlafen. So störte es sie nicht, dass die Geschichte kein richtiges Ende hatte.

104

Die Zeitungen werden Ihnen helfen, in die Wirklichkeit zurückzufinden«, hatte Doktor Hirschi gesagt. Die Zeitungen hatten Louis geholfen, seinen Plan zu schmieden.

Im *National* hatte er einen Bericht über den Pavillon de Flore gelesen. Louis XIV sei dort in einem Ballett aufgetreten. Marie Antoinette habe ein Appartement bewohnt. In denselben Räumen habe später der Wohlfahrtsausschuss getagt. Und Napoleon ...

Das alles hatte Louis nicht interessiert. Das Entscheidende hatte in einem Nebensatz gestanden: Von den Fenstern des Pavillons hatte man einen guten Blick auf den Pont Royal.

Über den Louis-Philippe heute reiten würde. Auf dem Weg von den Tuilerien zum Palais Bourbon.

Man würde dort vergeblich auf ihn warten.

Es war nicht schwierig gewesen, in den Palast hineinzukommen. Das Gebäude wurde umgebaut. Die Spuren der Revolution sollten ebenso verschwinden wie die des Kaiserreichs.

Er hatte die Muskete in ein Tuch gewickelt. Zusammen mit einer Schaufel, die er oben hinausragen ließ. Ein Handwerker mehr auf der Baustelle.

Er war nicht aufgefallen.

Hatte sich einen Raum ausgesucht, in dem lang nicht gearbeitet worden war. Die Staubschicht auf dem Boden ohne Fußspuren. Ein Stapel mit Brettern. Mit zweien davon hatte er die Tür blockiert.

Der Pont Royal keine fünfzig Schritt entfernt.

Sechzig Schritt höchstens.

Mit einer Muskete kann man einen Menschen auf hundert Schritt töten.

Mehr als den einen Schuss würde er nicht brauchen.

Louis merkte, dass seine Hand zitterte. Wie sie damals gezittert hatte, als sie den Deserteur hatten erschießen müssen.

Als sie meinten, den Deserteur erschießen zu müssen.

»Denkt an etwas anderes«, hatte der *sergent* ihnen geraten.

Es ist nicht leicht, an etwas anderes zu denken, wenn man seinen Vater töten will.

Auch damals, vor der Exekution, war das Warten das Schlimmste gewesen.

Etwas anderes.

Vielleicht war das hier derselbe Raum, in dem Robespierre den Daumen gesenkt hatte. Seine Opfer unter die Guillotine geschickt. Vielleicht war hier Philippe Égalité verurteilt worden, der Vater des heutigen Königs.

Mein Großvater, dachte Louis.

Der Vater. Der Sohn. Der Enkel.

Wie in einer Geschichte von Dottor Mauro.

Kopfschmerzen. Das war die Aufregung.

Alles noch einmal durchdenken.

Die Muskete nicht zu früh laden. Das Pulver trocken halten. Warten, bis er den König mit seinem Gefolge kommen sah.

Den Ablauf, da war er sicher, hatte er noch in Fleisch und Blut. Das Ende der Patrone abbeißen. Schwarzpulver auf die Pfanne schütten. Den Rest des Pulvers in den Lauf. Die Kugel hinterher. Mit dem Ladestock …

Er hatte nicht an einen Ladestock gedacht.

Kalter Schweiß.

Der Besenstiel zu dick.

Von einem der rissigen Bretter ein Stück abbrechen. Abreißen. Irgendwie.

Der erste Splitter zu kurz.

Der zweite zu breit.

Jetzt hätte er das Rasiermesser haben müssen.

Mit den Fingernägeln. Mit den Zähnen.

Egal, wenn die Hände bluteten. Man kann eine Kugel auch mit blutigen Fingern in den Lauf …

Keine Zeit verlieren. Den König nicht vorbeireiten lassen.

Eine Marmortafel würden sie auf dem Pont Royal anbringen. Goldene Buchstaben. »Hier starb Louis-Philippe. Sein Mörder wurde nie gefasst.«

Der Ladestock nicht perfekt. Aber es würde gehen.

Es musste gehen.

Ihm war schwindlig. Heiß und kalt.

Das war die Aufregung. Nur die Aufregung. Packte einen und schüttelte einen durch. Sein Magen krampfte sich zusammen.

An etwas anderes denken.

Es gab nichts anderes. Auf der ganzen Welt nichts anderes.

Die Muskete im Fensterrahmen abstützen.

Warten.

105

Rennen.

Nicht rennen. Ein Arbeiter auf dem Weg nach Hause rennt nicht.

Er hatte nicht getroffen.

Das verdammte Zittern. Nicht mehr nur in den Händen, sondern im ganzen Körper.

Krämpfe.

Bauchschmerzen.

Nach dem Schuss hatte er alles gemacht, wie er es sich vorgenommen hatte. Funktioniert wie ein Automat. Die Muskete eingewickelt. Über die Schulter genommen. Das Gebäude verlassen. Niemand hatte ihn aufgehalten.

Aber er hatte seinen Vater verfehlt.

»Nein«, würde er zu Seraina sagen, »ich habe den König nicht getroffen. Du hast recht gehabt«, würde er sagen, »ich hätte nicht nach Paris reisen sollen. Aber jetzt bin ich ja wieder zu Hause«, würde er sagen.

Sultan würde ihn nach Zizers bringen.

In Saint-Ouen das Pferd aus dem Stall holen. Die Muskete in Zahlung geben. Losreiten.

War es immer dieselbe Straße, die er entlangging?

Ein bitterer Geschmack im Mund. Galle.

Das machten der Zorn und die Enttäuschung.

Die Worte hatten einen Rhythmus, nach dem man marschieren konnte. Der Zorn und die Enttäuschung. Der Zorn und die Enttäuschung.

Die eigene Stimme seltsam hoch.

Die Beine wollten nicht mehr marschieren.

Hinsetzen. Nur einen Augenblick. Dort auf den Mauervorsprung.

Nicht hinsetzen. Wer sich hinsetzt, muss wieder aufstehen.

Wer sich hinsetzt, steht nie wieder auf.

Er hatte ihn nicht getroffen.

Das Pferd hatte gescheut, aber Louis-Philippe war weitergeritten. Einfach weitergeritten.

Er hatte im Schießen versagt.

In allem versagt.

Louis Chabos gibt bekannt, dass er an der nächsten Disziplin nicht mehr teilnimmt.

Louis Chabos hat die Hosen voll.

Er hatte seinen Stuhl nicht halten können. Wusste, ohne hinzusehen, wie seine Scheiße aussah. Wie das Wasser von gekochtem Reis.

Der Gestank ekelhaft.

Das war nicht einfach die Enttäuschung. Das war …

»Gallenbrechruhr«, hatte Hirschi es genannt. Liebte die komplizierten Worte.

Monomanie.

Cholera.

Auf die Knie! Huldigt dem allmächtigen König!

Manchmal gibt es auch leichte Fälle. Wer hatte das gesagt? Oder hatte er es sich ausgedacht?

Wenn er es bis Saint-Ouen schaffte, konnte noch alles gut werden.

Was wollte er dort? Da war doch etwas gewesen, das er dort gewollt hatte.

Zehn Schritte. Zwanzig Schritte.

Durst.

Buvons, buvons encore.

Er musste sich übergeben. Galle. Blut.

La mort, la mort.

Louis-Philippe lebte immer noch.

Er hatte ihn nicht getroffen.

Hätte aus Papier ein Herz ausschneiden müssen.

Zwanzig Schritte. Zehn Schritte.

War die Muskete schon immer so schwer gewesen?

Liegen lassen.

Alles einfach liegen lassen.

Die Beine so schwer. »Für einen Soldaten ist das nichts«, hatte Ambro gesagt.

»Einmal wird es meiner sein«, hatte Ambro gesungen.

Meiner. Meiner. Meiner.

Mein Name. Louis Chabos.

Prinz von Frankreich.

Das hätte er auf sein Firmenschild schreiben lassen sollen. Auch den Weinsorten neue Namen geben. *Larmes de la Reine.*

Marianne Banzori, Königin von Frankreich.

Fünf Schritte. Drei Schritte.

Wenn er sich einfach auf die Straße legte, würden ihn die Müllkarren wegschaffen?

106

Die Leiche kam auf einer Schubkarre wie die anderen. Landete beim Auskippen auf dem Rücken.

»Woher?«, sagte der Alte.

»Soll nicht weit von hier in einem Gebüsch gelegen haben«, sagte der Mann, der die Toten brachte.

»Splitternackt?«

»Wir sind in Saint-Ouen. Es wird einer Ware für den Flohmarkt gebraucht haben.«

»Ich warte schon lang auf einen Toten mit Stiefeln in meiner Größe«, sagte der Junge.

»Stiefel sind gesucht«, sagte der Alte.

»Oder wenigstens mit Handschuhen.« Rieb sich die Hände.

»Ich schlottere auch schon den ganzen Tag«, sagte der Mann mit der Schubkarre. »Habt ihr was zu trinken?«

»Nicht mehr«, sagte der Junge.

»Dann viel Spaß«, sagte der Mann. Ging weg, Das Rad der Schubkarre quietschte bei jeder Umdrehung.

»Immerhin eine Leiche«, sagte der Alte.

»Immerhin«, sagte der Junge.

Sie machten sich nicht gleich an die Arbeit. Hatten den letzten Tabak geteilt und wollten erst zu Ende rauchen.

»Als ich die Schaufeln geholt habe«, sagte der Alte, »hat

einer erzählt, es habe ein Attentat auf den König gegeben. Stand heute Morgen in der Zeitung.«

»Der König interessiert mich nicht«, sagte der Junge. »Er interessiert sich auch nicht für mich. Ist er tot?«

»Scheinbar nein.«

»Schade«, sagte der Junge. »Für so einen Großkotz würde ich gern mal ein Grab schaufeln. Wird bestimmt gut bezahlt.«

»Könige werden nicht begraben«, sagte der Alte. »Die kommen in eine Gruft.«

»Wenn man es sich leisten kann …«, sagte der Junge.

Er versuchte, seine Pfeife noch einmal anzuzünden. Aber da war nur noch Asche. »Wie haben sie es gemacht?«

»Was?«

»Das Attentat. Mit einem Messer?«

»In der Zeitung stand: Sie haben auf ihn geschossen. Man weiß nicht, wer es war. Vielleicht fanatische Republikaner. Oder Kaisertreue.«

»Oder jemand, der selbst König werden will.«

»Das glaube ich nicht«, sagte der Alte. »Innerhalb der Familie macht man so was mit Gift.«

»Du kennst dich aus«, sagte der Junge.

»Ich denke nur gern nach.« Jetzt war auch seine Pfeife ausgegangen. »Dann wollen wir mal.«

Der Junge betrachtete den Toten. »Das ist eine Leiche, wie ich sie liebe«, sagte er. »Nicht zu groß. Weniger Arbeit fürs gleiche Geld.«

»Stimmt«, sagte der Alte. »Bei den Armengräbern weiß man wenigstens, mit wem man es zu tun hat. Manche reichen Leute lassen sich in zu großen Särgen begraben. Wollen auch im Tod noch aufschneiden.«

»Spielen wir wieder unser Spiel?«

»Später«, sagte der Alte. »Erst arbeiten.«

Die lehmige Erde klebte an den Spaten fest. Wer besseren Boden hat, pflanzt Gemüse.

Kein Wind. Aber es würde bald schneien.

»Warum hat man eigentlich beim Ausatmen Nebel vor dem Mund?«, fragte der Junge.

»Das ist eine gute Frage«, sagte der Alte.

»Weißt du die Antwort?«

»Nein. Darum ist es eine gute Frage.«

Das Loch wurde nur langsam tiefer. Sie hatten es nicht eilig.

»Meinst du, wir bekommen heute noch mehr Arbeit?«, fragte der Junge.

»Kann sein«, sagte der Alte. »Kann auch nicht sein.«

»Das ist eine Scheißantwort.«

»Eine einzige Leiche heute«, sagte der Alte. »Die Krankheit gönnt uns nichts mehr.«

»Die Seuche geht zu Ende«, sagte der Junge.

»Wir wollen es nicht hoffen«, sagte der Alte.

Von dem Sohn, den der Herzog von Orléans
mit der Köchin Marianne Banzori zeugte,
ist nur bekannt,
dass er im Dezember 1794 zur Welt kam
und in einem Waisenhaus in Mailand abgegeben wurde.
Alles andere ist Erfindung.